# Les miroirs du bonheur

## DU MÊME AUTEUR

ROMANS

*Comment les sectes vous manipulent, les stratégies dévoilées*, Stanké, Montréal, 2002.

*Pour sauver ma fille*, Presses de la Renaissance, Paris, 2000.

*Il faut sauver Sara*, Libre Expression, Montréal, 1999.

PUBLICATIONS SCIENTIFIQUES

« Disparités régionales de l'accessibilité temporelle des traumatisés de la route aux services d'urgence au Québec », *Revue canadienne de santé publique*, 1994.

« Les accidentés de la route au Québec : Bilan des années quatre-vingt », *Revue recherche, transports, sécurité, INRETS*, France, 1993.

« Les traumatismes routiers chez les piétons », *Traumatismes au Québec, comprendre pour prévenir*, Publications du Québec, 1991.

« L'exposition au risque d'accident de la route, un paramètre épidémiologique fondamental », *Revue d'épidémiologie et de santé publique*, 1991.

« Bicycle Accidents Among Children in the Urban Environment », *Year-Book of Pediatrics*, Mosby Year Book Inc., 1991.

« Geographical and Socio-ecological Variation of Trafic Accidents », *Social Science and Medecine*, 1991.

« What Can We Learn from the Experience of Risk Location Identification », *I.C.T.S*, Inde, 1991.

Marie Joly

# Les miroirs du bonheur

Libre Expression

**Données de catalogage avant publication (Canada)**

Joly, Marie

Les miroirs du bonheur

ISBN 2-89111-984-3

I. Titre.

PS8569.O483M57 2002 C843'.54 C2002-940437-1

PS9569.O483M57 2002

PQ3919.2.J64M57 2002

Maquette de la couverture

FRANCE LAFOND

Infographie et mise en pages

SYLVAIN BOUCHER

Libre Expression remercie le gouvernement canadien (Programme d'aide au développement de l'industrie de l'édition), le Conseil des Arts du Canada et la Société de développement des entreprises culturelles du soutien accordé à ses activités d'édition dans le cadre de leurs programmes de subventions globales aux éditeurs.



Éditions Libre Expression

2016, rue Saint-Hubert

Montréal (Québec) H2L 3Z5

Dépôt légal :

2e trimestre 2002

ISBN 2-89111-984-3

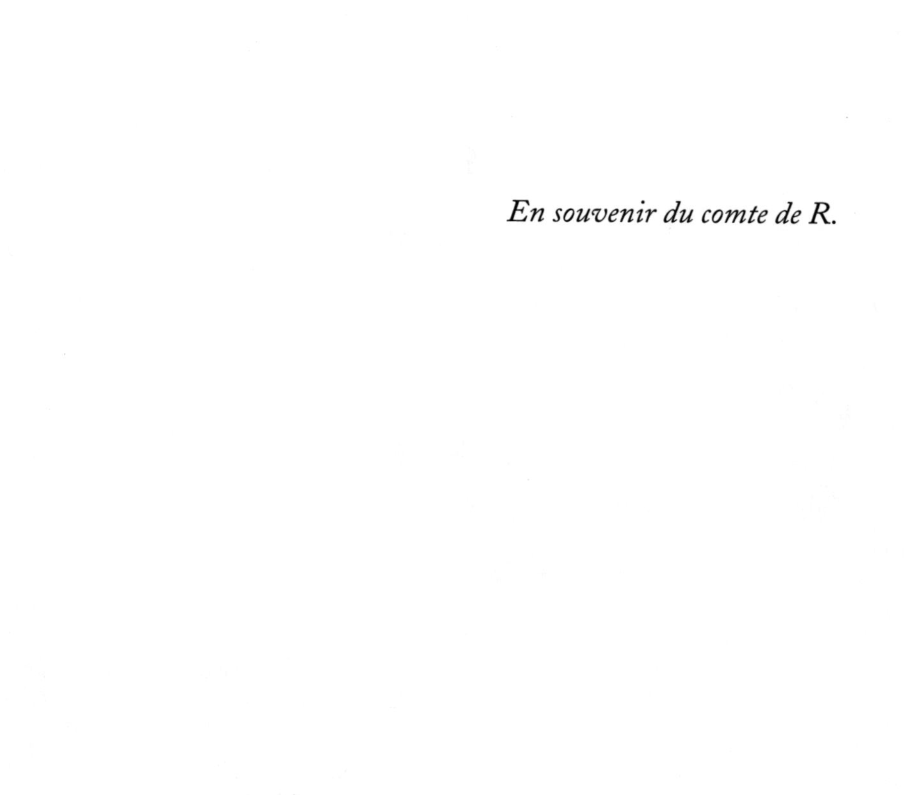

*En souvenir du comte de R.*

# GÉNÉALOGIE

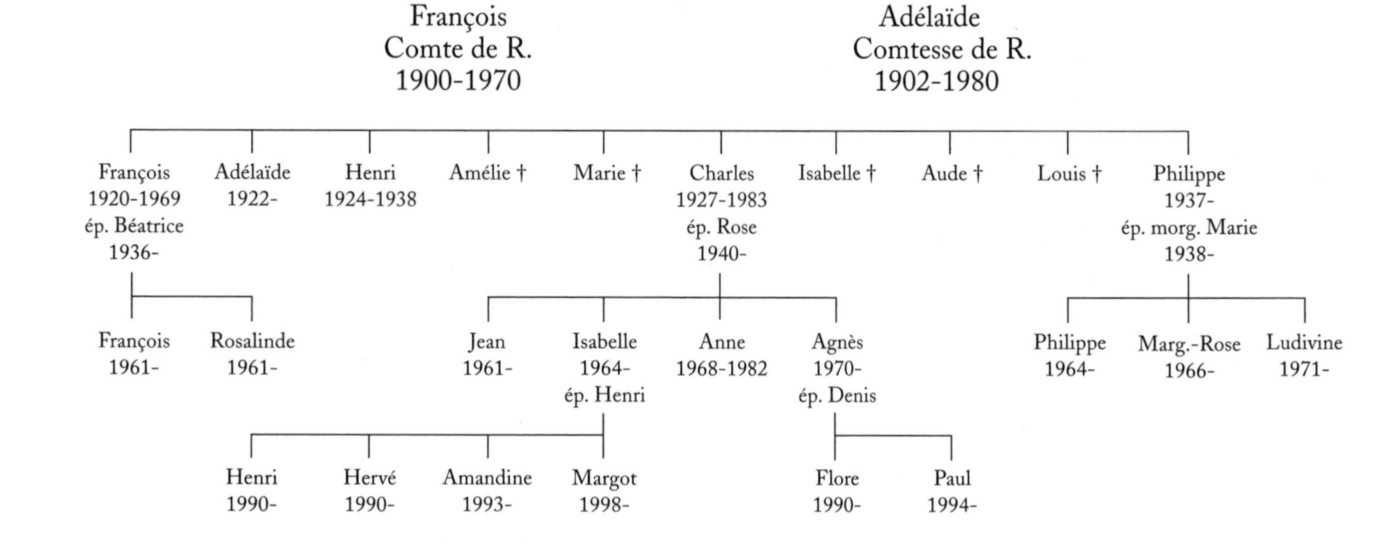

François
Comte de R.
1900-1970
Adélaïde
Comtesse de R.
1902-1980
François
1920-1969
ép. Béatrice
1936-
Adélaïde
1922-
Henri
1924-1938
Amélie †
Marie †
Charles
1927-1983
ép. Rose
1940-
Isabelle †
Aude †
Louis †
Philippe
1937-
ép. morg. Marie
1938-
François
1961-
Rosalinde
1961-
Jean
1961-
Isabelle
1964-
ép. Henri
Anne
1968-1982
Agnès
1970-
ép. Denis
Philippe
1964-
Marg.-Rose
1966-
Ludivine
1971-
Henri
1990-
Hervé
1990-
Amandine
1993-
Margot
1998-
Flore
1990-
Paul
1994-

# Avant-propos

Dans les années cinquante, il existait encore en Normandie, comme dans d'autres provinces de France et d'Angleterre, des familles de hobereaux sur qui le temps ne semblait pas avoir de prise. Ensouchés à la terre depuis près de mille ans, vivant en autarcie, ne se mêlant pas à ceux qui n'appartenaient pas à leur caste, ils assumaient leur rôle en suivant des us et coutumes que leur avaient légués leur père et qu'ils passeraient à leurs fils. Ils étaient les frères aînés de ces fils de famille, qui au cours des siècles passés, avaient émigré aux Amériques et dont les sœurs peuplèrent les couvents du Nouveau Monde.

Racés, agissant avec honneur, parlant haut, mais discrets dans leurs sentiments et pudiques dans la douleur, aimant les chevaux, les femmes et la bonne chère, ils survolaient les siècles. La légerté leur allure et de leur propos n'était que de surface – une forme de dérision devant le mode de vie d'un monde qui leur échappait – et recouvrait les valeurs profondes qui les dirigeaient : la famille, la terre et ce qui avait été le Royaume.

Une jeune fille, Rose, en entrant par alliance dans une de ces familles, va découvrir, parfois avec étonnement, cette société. Jeune, docile et amoureuse, elle adopte rapidement leur mode de vie jusqu'à ce que, le temps ayant passé, elle réconcilie devant un drame familial, ses aspirations de jeunesse à la grandeur de l'histoire de la famille dont elle est devenue l'une des dépositaires.

# JEUNESSE

# 1

# 1981

– Mais, maman! À quoi as-tu pensé? C'était de la folie! Tu rencontres un type. Huit jours après, il te demande en mariage. Et tu acceptes, alors que tu ne le connaissais même pas! s'exclame Isabelle, l'aînée de ses filles, du haut de ses dix-sept ans.

Elles sont toutes les quatre, Rose et ses trois filles, assises sur le tapis du salon de la maison de vacances, en Normandie. Nichées autour d'un feu de bois, elles écoutent leur mère. Il pleut à verse, dehors. On entend les rafales de vent qui font craquer les branches des arbres. C'est un orage violent, comme il arrive parfois en août. Ça ne durera pas.

Rose aime ces moments d'intimité avec ses filles. Ils sont rares. À Paris, ces demoiselles ont toujours une occupation. Mais à la campagne, un jour de pluie, que faire à part jouer aux cartes, lire ou demander à maman de raconter ses souvenirs?

«Dis, maman, raconte. Comment c'était quand tu étais jeune? Comment as-tu connu papa?»

C'est Anne qui a posé la question. Elle a treize ans – l'âge ingrat, dit-on – et s'interroge sur le meilleur moyen d'aborder les garçons.

– D'abord, mes chéries, ce n'était pas un type, mais un cousin de tante Yvonne.

« Cette façon qu'elles ont de nommer les hommes! se dit Rose. Un type, un bonhomme, un mec font partie de leur langage courant ».

– Maman, ça ne change rien! Tu aurais pu tomber sur n'importe qui! Tu as eu de la chance que ce soit papa.

Rose songe que sa fille n'a pas tort. Oui, elle a eu beaucoup de chance...

– C'est parce que papa et maman se sont aimés dès qu'ils se sont vus, intervient la petite Agnès, d'une voix douce.

Elle a onze ans et se régale de contes de fées.

– C'est ce qu'on appelle le coup de foudre, ajoute-t-elle.

– On sait ça, bécassine!

Les trois filles la regardent. Elles voudraient savoir, mais n'osent pas... L'amour entre papa et maman est un sujet délicat. Rose s'en est bien rendu compte.

Combien de fois n'a-t-elle pas surpris, blottie dans l'épaule de Charles, un regard furtif, curieux, mais en même temps gêné, d'une de ses filles? Serait-ce de la pudeur, de l'envie, de la jalousie? Un peu tout ensemble, sans doute.

Papa aime maman. C'est une certitude. Mais depuis qu'elles sont adolescentes, les manifestations de tendresse et les gestes d'affection les mettent mal à l'aise.

« Ces bécasses! Comment croient-elles qu'elles sont nées? »

Cours de biologie, discussions ouvertes, films que Rose qualifie d'osés, à la limite de la pornographie, rien n'y fait. La chambre à coucher de papa-maman reste un domaine sacré. Heureusement! Mais pour l'instant, il faut qu'elle réponde à la question.

– Vois-tu, ma chérie, ce n'est pas si simple...

Les filles s'enhardissent. La curiosité l'emporte.

– Raconte. Allez, maman!

Rose rassemble ses souvenirs. Peut-elle leur dire qu'elle avait eu l'impression de pouvoir échapper aux contraintes que lui imposaient ses parents? Devait-elle leur dire que les filles «de bonne famille», surveillées comme elles l'étaient, n'avaient pas d'autre choix si elles voulaient connaître l'amour physique – coucher, comme elles disent maintenant – que de se marier. Allait-elle leur expliquer qu'à cette époque, dans ce type de famille, le mariage était la seule voie d'avenir de toutes les filles?

Rose entend encore une amie de sa mère affirmer : «Si une jeune fille n'est pas fiancée avant vingt ans, c'est fini, elle ne se mariera pas.»

Ou bien allait-elle leur confier qu'elle avait basculé à cause de l'expression que Charles avait eue en la regardant, lorsqu'elle s'était approchée de lui, cet après-midi-là, chez Carette? Elle y avait vu du respect, de la tendresse et de l'admiration. Cela lui avait suffi.

«À quoi tient la vie? Un regard et c'est une destinée...»

– Papa avait de beaux yeux, commence Rose...

Les filles éclatent de rire et se moquent d'elle.

– Oh! maman!

– Laissez-moi finir...

Et Rose leur dit tout : le regard, ce qu'elle y avait lu, la fugacité de cet instant, les raisons, et elle ajoute :

– Et puis, mes chéries, on ne sait pas tout. Le hasard existe-t-il? Y a-t-il un destin? Pourquoi lui, ce jour-là? Pourquoi moi? Est-ce que cela devait être ainsi? Est-ce parce que vous deviez naître, vous, uniques?

Les filles sont graves. Elles réfléchissent à tout ce que cette rencontre a infléchi.

Isabelle rompt le silence la première :

– Si on faisait des crêpes, maman?

Elle se dirige vers la cuisine. Anne la suit. Elles chuchotent. Agnès entoure sa mère de ses bras, l'empêchant de se lever.

– Serre-moi fort, maman.

Agnès est toujours un peu inquiète à l'idée que le monde féerique dans lequel elle vit puisse disparaître.

Rose l'étreint et lui murmure des mots à l'oreille : « Mon petit agneau, ma petite douceur, mon bébé chéri, ma petite rêveuse... Je t'aime. Papa t'aime. Tu sais que tu as les mêmes yeux que papa? »

Agnès soupire, puis elle desserre son étreinte. Rose, ankylosée, se lève.

– Allez, viens, on va aller manger des crêpes.

Et montrant la fenêtre : « Regarde! La pluie s'est arrêtée. Vous allez pouvoir sortir. »

Une rencontre, de longues fiançailles, un « grand » mariage en Normandie dans la propriété de ses beaux-parents, la naissance de quatre enfants, des soucis et des joies, des moments heureux et des moments douloureux, tout cela, parce que Rose, un jour de juin, était allée prendre le thé chez une lointaine cousine.

Une vie, tout simplement.

# 2

# Charles

Paris, juin 1957. Rose avait 17 ans. Elle venait de passer les épreuves du bachot et attendait les résultats avec une certaine sérénité, satisfaite du choix des sujets et de la façon dont elle les avait traités.

Elle avait une semaine entière devant elle et comptait bien l'organiser à sa manière. Elle allait, d'abord, faire une cure de cinéma. Elle irait aux séances de l'après-midi, car ses parents ne voulaient pas qu'elle sorte le soir. «À cause des troubles», disaient-ils. Mais avant, c'était : «parce qu'une jeune fille de bonne famille ne sort pas seule le soir». Ça revenait au même!

Ou alors, elle irait se promener longuement dans Paris, ce qu'elle adorait faire, humant chaque quartier, regardant les vitrines, lisant les plaques sur les maisons. Elle préparait ses expéditions la veille en lisant l'*Évocation du vieux Paris, «Vieux quartiers, vieilles rues, vieilles demeures – Historique, vestiges, annales et anecdotes»* de Hillairet. Il y en avait trois tomes! Mais ce n'est pas cela qui allait rebuter une quasi-bachelière curieuse. Le lendemain, elle passait à l'attaque et, tel un détective, essayait de faire revivre les événements passés. Munie de ces connaissances, les rues, les maisons, les hôtels particuliers devenaient le théâtre de vies passées. Ce témoignage de la continuité de la vie et de la pérennité des choses lui plaisait. Paris lui parlait. Rose aimait sa ville et la trouvait belle. De l'Île Saint-Louis au Marais, de la place des Vosges aux Tuileries, du Marché aux fleurs au Panthéon, Rose arpentait la ville. Lorsqu'elle était trop fatiguée, elle prenait le bus et rentrait chez ses parents non loin du Trocadéro.

Et voilà que, catastrophe, sa mère venait de lui annoncer qu'elle devait aller prendre le thé, le lendemain, chez tante Yvonne!

– Est-ce qu'il faut absolument que j'y aille? J'avais prévu de passer l'après-midi à Carnavalet.

Rose venait d'inventer ce prétexte, se disant que Carnavalet, ça faisait sérieux, érudit et que la balance pencherait du côté de la culture, plutôt que de passer un après-midi enfermée dans l'appartement de cette vieille dame – une vieille bique – qui n'était qu'une cousine éloignée et que l'on nommait tante, sans que Rose comprît pourquoi.

Peine perdue!

– Non, ma chérie, elle t'attend. Je lui ai dit que tu y serais à quatre heures, sans faute.

À cette époque-là, Rose n'aurait jamais songé à se rebiffer, protester ou faire mauvaise figure. Cela ne servait à rien, qu'à vous causer des désagréments. Il y avait des règles et on les suivait, que cela plaise ou non.

Dans son for intérieur, Rose commençait à trouver pesante cette tyrannie familiale. Elle ne pouvait pas lire les livres qu'elle voulait. Elle avait contourné ce problème en allant lire tout Colette chez une amie dont les parents, plus libéraux, ne surveillaient pas les lectures. Son courrier était ouvert. Il y avait un couvre-feu. Et bien sûr, il n'était pas question d'aller en boum : « Une jeune fille de bonne famille ne sort pas, tant qu'elle n'a pas son bachot. »

Elle avait quelquefois envie de répondre – ce qu'évidemment, elle n'avait jamais osé faire – qu'elle n'avait pas choisi de naître dans une bonne famille.

Elle trouvait ses parents vieux jeu. Mais il y avait plus ennuyeux que cela : ils ne voulaient pas qu'elle continuât ses études. Rose qui était bonne en maths et en biologie avait eu l'impudence, un jour, de dire qu'elle voulait faire des études de médecine.

– Mais, tu n'y penses pas, ma fille, avec tous ces carabins ! Et rue Monsieur-Le-Prince, en plus !

Qu'avait de particulier la rue Monsieur-le-Prince ? Rose n'en savait rien. Elle avait cherché dans Hillairet, son bréviaire, sans avoir trouvé de réponse. Cela devait faire partie des rues qu'« une jeune fille de bonne famille » n'empruntait pas, comme la rue Vignon ou la rue du Mont-Thabor, ou la Place Blanche, hauts lieux des femmes légères et de la perdition. Les pères les nommaient des demi-mondaines et les frères de ses amies, des horizontales, ce qui, ma foi, était très imagé.

Quelque trente ans plus tard, Rose, arrivée en avance à un rendez-vous, Place de la Madeleine, décida de satisfaire sa curiosité. Elle trouva la rue Vignon charmante, bordée de droite et de gauche par des petites boutiques, des parfumeries, des maroquineries et des restaurants coquets.

« Paris avait bien dû changer en trente ans ! » se dit-elle.

Elle eut cependant une pensée attendrie pour son père où l'affection effaçait le désagrément de l'ancien interdit.

Elle continuait, cependant, à éviter la rue des Saussaies de triste mémoire. Rose ne put jamais, non plus, échapper au malaise que soulevait la vue de ce petit immeuble de la rue du Cirque, proche de la place Beauvau, où son père – résistant – avait habité pendant la guerre. Il avait choisi un appartement – une planque – au deuxième étage de l'immeuble, parce que la Gestapo avait réquisitionné le rez-de-chaussée. Comme son père n'avait pas été pris, Rose admirait ce geste de sang-froid. Dans le cas contraire, elle aurait dit : « Quelle idée ! » Car, on ne disait pas : « Quel idiot ! » en parlant de son père, en ce temps-là.

Rose s'était donc retrouvée, en cet après-midi de juin, face à l'obligation du thé. Sa mère avait exigé qu'elle se changeât.

– Mais, je suis bien comme ça, maman. Pour tante Yvonne, ça suffit bien.

– Ma chérie, s'il te plaît ! Mets une robe légère. Une jeune fille doit être fraîche, (elle avait échappé au… « de bonne famille »). Et donne-toi un coup de peigne, tu es coiffée comme l'as de pique !

– De toute manière, tante Yvonne critique toujours tout !

– C'est vrai qu'elle n'est pas toujours très aimable, mais elle est âgée et une jeune fi…

Rose n'écoutait plus. Rien ne servait de bougonner, obéir allait plus vite, et Rose voulait partir le plus tôt possible afin d'aller chez tante Yvonne à pied. C'était une bonne trotte, mais il faisait trop beau ! Elle décida même, devant la beauté des marronniers de l'avenue Henri-Martin, de faire un crochet. Du Trocadéro au hameau de Boulainvilliers, elle prit le chemin des écoliers et arriva à quatre heures pile chez tante Yvonne, un peu essoufflée.

– Tu as bien chaud, ma chérie.

Rose se tut. Ce n'était qu'un début.

– Laisse-moi te regarder. Tu es très en beauté aujourd'hui. Tu as une bien jolie robe. C'est ta mère qui l'a choisie ?

Rose resta bouche bée. Jamais tante Yvonne ne disait une phrase aimable. Que se passait-il ? La vieille bique devenait folle ! Il n'y avait pas d'autre explication.

– Viens, le thé va être servi au salon, mais je veux te parler avant.

Et elle entraîna Rose dans sa chambre. La fenêtre était ouverte, mais les persiennes étaient tirées et la pièce sentait mauvais. Rose s'assit le plus près possible de la fenêtre et, tout en laissant son esprit vagabonder, répondit aux questions de tante Yvonne. Le temps passait. Rose, dont l'appétit avait été aiguisé par la promenade, se demandait quand on allait, enfin, servir le thé.

Quelqu'un sonna à la porte.

– Peux-tu aller ouvrir, ma grande ? J'attends mon cousin.

Ouf ! C'était lui qu'on attendait pour prendre le thé. La corvée serait bientôt terminée.

Elle dévala l'escalier (ce qu'une jeune fille, etc…) et ouvrit brusquement la porte.

Le cousin était jeune, nettement plus jeune que tante Yvonne. Il était assez petit, rond. Il portait un gilet écossais (par cette chaleur !) et tenait, à la main, une paire de gants couleur beurre frais. Tout à fait le cousin de province.

Il se présenta :

– Bonjour, mademoiselle, dit-il d'un ton cérémonieux, je suis bien chez ma cousine, la comtesse de V. ?

– Mais oui, monsieur. Entrez. Elle vous attend.

Le thé s'annonçait rasoir. Encore une expression à ne pas employer lorsque… etc.

Rose le précéda au salon. Il se tint debout, coi. Rose ne savait trop que lui dire. Heureusement, tante Yvonne arrivait. Et commença alors, un long échange de nouvelles d'une famille à ramifications.

– Et le cousin Untel? Comment va-t-il? Et sa fille? Et la petite cousine Unetelle? Mais si, tu sais bien, celle qui avait épousé…

Enfin, tante Yvonne s'adressa à elle… pour lui demander de servir le thé. Puis le flot de paroles reprit.

Heureusement, ce jour-là, sans doute en honneur du cousin, tante Yvonne avait commandé chez un excellent traiteur des petits sandwichs en quantité et des pâtisseries dont Rose, affamée, se régala. Échappant au regard de tante Yvonne, elle se servait discrètement, mais régulièrement, lorsque relevant brutalement le nez, elle surprit le regard narquois du cousin, à qui son manège n'avait pas échappé.

Rose sentit ses joues rougir, mais releva fièrement la tête. Qu'il la croie gourmande! Elle s'en fichait.

Il reprit la conversation. Et – ce qui est bien mal élevé – elle se mit à le dévisager. Il était vieux. Rose lui donnait au moins trente-cinq ans! Et il s'habillait surtout comme ses arrière-grands-parents. Quelle idée ce gilet écossais, digne d'un vieux lord anglais! Il faisait province, à elle qui se vantait d'être une parisienne. À part ça, elle lui trouvait bien du courage de répondre aussi patiemment aux questions de tante Yvonne.

Enfin, la saga familiale prit fin et tante Yvonne s'intéressa à elle.

– Rose est la petite-fille de ma cousine issue de germains qui avait épousé…

Et c'était reparti!
Tante Yvonne continuait :
– Rose vient de passer son bachot…
«Mais ce n'est pas possible, pensait Rose. On est en 1957! Toutes les filles font des études. Cette pauvre tante Yvonne est complètement dépassée!»
– De mon temps…, reprit tante Yvonne.
La phrase en suspens était lourde de sous-entendus.
Rose prit «sa voix sucrée» et d'un air faussement innocent, s'adressa à tante Yvonne :
– Et vous, tante Yvonne, que faisiez-vous à mon âge?
Effrontée, en plus d'être gourmande, Rose n'avait rien à perdre.
Le cousin eut un léger sourire.
– Ma petite fille, nous brodions, nous jouions du piano, nous disputions des parties de tennis et nous nous taisions lorsque les grandes personnes parlaient.
Le cousin éclata de rire :
– Ma cousine, Rose n'est plus une petite fille!
Finaude, tante Yvonne eut un sourire en coin et ne répondit pas. Elle se tourna vers Rose :
– Ma chérie – Rose n'était plus persona non grata –, ta mère veut que tu sois rentrée pour six heures. Je ne te retiens pas.
Ce qui, en langage poli, veut dire : je te mets à la porte.
Rose ne se le fit pas dire deux fois. Elle se pencha pour un baiser, à peine effleuré, sur les bajoues poudrées et l'accompagna de la petite formule classique de politesse : «Merci pour cet excellent après-midi», car il était mal élevé de remercier pour ce que l'on avait mangé. Formule que Rose – révolutionnaire avant 68 – trouvait bien hypocrite, surtout en se remémorant tous les gâteaux qu'elle venait de dévorer.

Elle se tourna vers le cousin qui, poliment, s'était levé. Il ne lui tendit pas la main. Rose, connaissant les usages, le salua alors d'un bref mouvement de tête :

– Au revoir, monsieur.

– Je vous accompagne, répondit-il.

Puis, se tournant vers tante Yvonne, il ajouta :

– Ça ne vous ennuie pas, ma cousine?

– Je ne vais que jusqu'à l'arrêt du bus, précisa Rose.

Sa protestation passa complètement inaperçue.

– C'est cela, va, mon grand! Et fais bien attention à cette jeune fille.

Sitôt le seuil passé, Rose soupira de soulagement.

– Douloureux, n'est-ce pas? lui dit-il d'un air coquin.

Rose eut un franc sourire.

– À qui le dites-vous!

– Heureusement qu'il y avait les petits gâteaux! reprit-il en se moquant.

Rose ne répondit pas.

– J'en aurais bien fait autant si j'avais pu, ajouta-t-il gentiment.

– Et bien, nous n'avons qu'à prendre le thé ensemble, sans tante Yvonne et son caquetage.

Exaspérée, Rose avait parlé sans réfléchir. Elle s'en rendit compte trop tard et se mordit la langue. Elle venait d'inviter un homme qui avait, sans doute, le double de son âge, à prendre le thé. Ce qu'il allait penser d'elle, Rose s'en moquait un peu. Elle était déjà gourmande et effrontée, culottée et dévergondée ne faisait que compléter le portrait. Mais pourvu qu'il n'aille pas répéter cela à tante Yvonne qui s'empresserait de téléphoner à sa mère.

Et alors là, elle serait bouclée à la maison pour des semaines. Plus de sorties dans Paris… « Si jamais elle allait racoler tous les hommes... » Elle voyait déjà la scène : sa mère effondrée, l'imaginant enceinte, (pour les malheurs, sa mère avait une imagination galopante) et se reprochant de l'avoir mal élevée; son père, plus compréhensif, mettrait cet impair sur le dos de sa jeunesse et de son innocence (hum!). Mais cela ne l'empêcherait pas de sévir. Adieu, liberté chérie! Et Rose tenait fortement à sa liberté.

Le cousin perçut sa gêne, comprit et prit un air mutin. Il lui dit alors, généreusement :

– Mademoiselle, c'est moi qui vous invite. Demain, 4 heures, chez Carette. Vous n'aurez pas de mal à trouver. C'est près de chez vous.

Comment savait-il où elle habitait? Et d'abord, quel était son nom de famille? Un nom en tire-bouchon. Ça, elle en était sûre. Mais lequel? L'après-midi n'avait été qu'une longue suite de généalogie et Rose – qui avait pourtant bonne mémoire – ne s'en souvenait pas. Il lui fallait un nom absolument. Sa mère ne la laisserait pas sortir demain dimanche, si elle ne précisait pas qui l'avait invitée.

Il ne comprenait pas son hésitation.

– Dois-je venir vous chercher chez vos parents?

Non. Ça, c'était à éviter. À bien regarder, il n'était pas si vieux que cela...

Le bus arrivait. Tant pis pour le nom!

– Non, jeta Rose. Chez Carette, demain 4 heures. J'y serai.

Il s'appelait Charles.

Huit jours après, il la demandait en mariage. Elle accepta après avoir précisé qu'elle voulait continuer ses études, qu'elle voulait lire tout ce qui lui passerait entre les mains et qu'elle aurait l'entière liberté de ses sorties et du choix de ses amis – au masculin – s'il vous plaît!

Charles avait trente ans et une certaine expérience. Il sourit à cet énoncé et s'engagea à respecter ce contrat.

Les parents de Rose n'eurent pas l'air si surpris. Rose comprit, alors, le traquenard du thé et de la jolie robe.

# 3

# Du givre sur les ronces

Début juillet, Charles emmena Rose en Normandie pour la présenter à ses parents.

– Charles, dis-moi, comment sont tes parents? Comment est la maison? Y a-t-il un grand jardin? Décris un peu! Parle!

Rose n'arrêtait pas de l'asticoter depuis leur départ de Paris.

– C'est plutôt un parc qu'un jardin.

– Tes parents vivent là toute l'année?

– Oui, mon père ne peut pas s'absenter à cause des bêtes.

– Il est fermier?

– Pas vraiment. Tu verras… tu verras! Je veux te faire la surprise.

– Il y a longtemps que tes parents vivent là?

– Depuis Guillaume le Conquérant – 1066, exactement. Mon aïeul avait reçu les terres de ses mains, en remerciement, paraît-il, de sa bravoure à Hastings. Nous avons toujours vécu là.

– Et ta mère? Comment est-elle? Tu ne me dis rien!

Charles avait éclaté de rire.

– Je ne sais vraiment pas pourquoi je veux t'épouser! Tu es non seulement gourmande et effrontée, mais aussi curieuse et impatiente!

Vexée, Rose lui avait rétorqué, du tac au tac :

– Oui ! Et c'est moi qui prends l'initiative d'inviter les vieux garçons à prendre le thé... Sinon, je ne serais pas là aujourd'hui !

Puis, elle s'était tue.

Après Verneuil-sur-Avre, ils avaient quitté la Nationale et roulaient sur des petites routes départementales. C'était une succession de collines verdoyantes, de hameaux aux maisons basses entourées de murets, de fermes avec leur tas de fumier dont l'odeur âcre montait à la gorge en passant, d'herbages clos de barrières blanches et de vaches qui s'abritaient du soleil de juillet sous les pommiers. Au loin s'étendait la bande sombre d'une forêt vers laquelle ils se dirigeaient.

– Est-ce qu'on arrive bientôt ?

– On y est, ma chérie. Depuis le bourg, nous sommes chez nous, lui avait répondu Charles avec fierté.

Rose s'était retournée. Au loin, le bourg avait disparu. Rose, petite Parisienne dont les biens de la famille se réduisaient à quelques meubles signés et au souvenir d'ancêtres valeureux, mais désargentés, était impressionnée et se taisait.

Charles bifurqua brusquement. Ils passèrent de la lumière chaude à la fraîcheur des bois. Ils roulaient sur un étroit chemin de terre et les branches fouettaient la carrosserie au passage.

Rose se demanda où Charles l'amenait.

– C'est un raccourci, tu vas voir.

En effet, quelques minutes plus tard, ils débouchèrent sur une immense allée bordée d'arbres qui formaient une majestueuse voûte verte.

– Ah ! Que c'est beau, s'exclama Rose. Ces arbres ! Ils sont imposants. Ce sont des hêtres ?

– Oui. Et beaucoup ont plus de cent ans, commenta Charles. L'allée que tu vois ici a six kilomètres de long. Elle va de chez nous à la propriété de mon oncle François, le frère de mon père.

Rose se taisait, dévorant des yeux la beauté du lieu qui ne se devinait pas de la route. Elle avait l'impression de participer à une chasse au trésor.

Émue d'être « chez Charles », elle avait alors baissé la vitre de la voiture et respiré l'odeur des sous-bois, comme pour mieux s'imprégner du pays de son fiancé.

Charles avait ralenti et s'était arrêté. Ils étaient isolés au fin fond de la forêt.

– Je prends un acompte, lui avait-il curieusement dit, en se penchant vers elle.

Ils étaient enfin seuls, tous les deux. Elle avait fermé les yeux. Charles avait embrassé ses paupières, puis avait touché délicatement ses lèvres. Chatouillée et trouvant ces nouvelles sensations excitantes, Rose, spontanément, l'avait attiré vers elle. Et Charles l'avait longuement et passionnément embrassée.

Rose se rappelle encore, comme si elle y était, l'odeur des sous-bois mêlée à l'eau de Cologne de Charles.

Lorsqu'il avait mis fin à son long baiser, enivrée, elle lui avait dit :

– Déjà? On ne peut pas rester un peu plus longtemps?

– Non, ma chérie. Mes parents nous attendent.

Il l'avait regardée, attendri, et avait ajouté :

– Nous avons toute la vie devant nous, Rose, toute la vie! Regarde Rose!

Il avait désigné de la main la longue voûte d'arbres qui s'étendait devant eux.

L'allée déboucha sur une route goudronnée, exactement en face de l'entrée d'un domaine. Charles accéléra, mais Rose aperçut et reconnut, sur sa gauche, le bourg qu'ils avaient traversé auparavant.

– Dis donc, ton raccourci, ça n'en était pas un?

– Mais si! Charles eut l'audace de répondre. La route a été construite récemment – enfin, je veux dire, il y a à peu près soixante ans – et elle a coupé le domaine en deux. Si tu avais entendu mon grand-père! Quand on était petits, à chaque fois qu'on traversait la route, il se plaignait de la République, car il disait que «c'était à cause d'elle qu'il devait faire ferrer ses chevaux pour rendre visite à son cousin». J'ai cru pendant longtemps que la République était la femme du maire!

Rose n'écoutait plus Charles. Elle se pinçait le bras. Devant elle, se dressait un château de style Louis XIII. D'un seul coup d'œil, elle embrassa la façade de pierre cannelée percée de hautes fenêtres, le double perron en pierre et le toit d'ardoise gris-bleu d'où s'échappaient des cheminées qui montaient vers le ciel comme des colonnes de fumée. Rose était muette d'admiration devant la beauté du château : un mariage architectural parfait réunissant légèreté et majesté.

– Oh! Charles, Charles!

Rose, pour une fois, était sans voix. Charles lui prit la main et la serra. Elle se pencha vers lui et l'embrassa sur la joue.

On arrivait. Rose sentit un pincement au creux de l'estomac. Comment allaient être ses futurs beaux-parents? Il fallait qu'elle fasse attention à ce qu'elle dirait... «Pourvu que tout se passe bien», songea Rose et elle murmura une petite prière.

À peine étaient-ils arrêtés, que des chiens se précipitèrent vers la voiture, en aboyant. Charles descendit le premier. Rose, prudente, ne bougea pas.

– Tu peux descendre, Rose, ils ne sont pas méchants.

Rose avait envie de lui dire que tous les propriétaires de chiens disent ça.

– Tiens! Voilà mon frère Philippe, claironna Charles.

Un jeune homme mince, dégingandé, à la démarche dansante s'approchait. Les deux frères ne se ressemblaient pas. Charles paraissait presque petit à côté de Philippe.

– Salut, mon vieux! Bonne route? Vous vous êtes attardés? insinua-t-il avec un sourire narquois.

Charles lui répondit d'une bourrade.

Philippe se tourna vers Rose et toujours dansant, la salua d'un grand coup de chapeau imaginaire.

– Rose, ma Rose, soyez la bienvenue.

Et pastichant Ronsard, avec des vers de mirliton, il déclama, la main sur le cœur :

*Comme on voit Rose, au mois de juillet,*
*En sa belle jeunesse, en sa première fleur,*
*Rose, ma mignonne, aimez-moi sur l'heure,*
*Rose, ma jolie, évitez-moi un camouflet.*

Et Philippe lui envoya un baiser du bout des doigts.

Charles, habitué aux frasques de son frère, le regardait en souriant, avec l'air de dire : « Il ne changera jamais, cet idiot! »

– Ne fais pas attention à ce qu'il dit, Rose. C'est le poète de la famille!

Rose sourit. Elle le trouvait charmant!

Entourée de ses deux chevaliers, Rose fit son entrée au château.

* * *

Souvenirs, souvenirs… On dit que « les souvenirs sont les roses de décembre ».

Philippe, le charmant Philippe a… Rose fait vite le calcul. Il avait dix ans de moins que Charles qui était né en 27. Donc, Philippe est né en 1937, ce qui lui fait…

– Ce n'est pas possible ! s'exclame Rose tout haut.

Rose revoit le charmant chevalier servant qui, d'emblée, l'avait accueillie avec le sourire. Il l'avait comblée d'attention et de gestes délicats en ce premier jour, comme il a continué à le faire par la suite.

Aux yeux de Rose, Philippe a toujours vingt ans.

* * *

Ils étaient montés tous les trois au premier et avaient suivi une galerie. « Les ancêtres », avait commenté Philippe en désignant les tableaux accrochés au mur. Ils s'étaient arrêtés devant une haute porte à double battant en chêne. Charles avait resserré sa cravate d'un geste rapide, puis il avait ouvert la porte, en prenant Rose par la main.

Au fond du salon, debout près de la cheminée, se tenait celui qui allait être son beau-père. Sa future belle-mère était assise près de la fenêtre. Charles, entraînant Rose, se dirigea vers elle. Personne ne parlait. La mère de Charles fixait Rose de ses yeux bleus perçants. Âgée, des cheveux blancs relevés en chignon, de longues mains fines baguées, elle avait l'air d'une douairière sévère, pensa Rose.

Charles se pencha et embrassa sa mère.

– Voici Rose, maman.

Aucun son ne sortit de sa bouche. Elle n'eut pas un sourire et continua à fixer Rose.

C'était un véritable examen. Quelle différence avec l'accueil de Philippe !

Rose, intimidée et gênée, fit une révérence de couventine.

Son futur beau-père toussota. Rose se retourna. Il s'approcha d'elle, lui tendit les bras et l'embrassa sur les deux joues.

– Alors, voilà ma petite bru.

Rose sourit, Charles aussi.

– Oui, voici Rose, reprit sa future belle-mère.

Les souvenirs sont des roses qui ont des épines, parfois.

Le déjeuner se passa relativement bien. Les questions que sa future belle-mère posait ne demandaient pas vraiment de réponses.

– Alors, votre famille habite Paris ?

– Oui, madame.

Elle désapprouvait.

– Votre père est professeur ?

– Oui, madame.

Elle trouvait que ce n'était pas un noble métier.

– Vous avez dix-sept ans, n'est-ce pas ?

– C'est cela, madame.

Elle la trouvait trop jeune pour son fils.

– Vous aimez la campagne, bien sûr.

C'était une affirmation. Il n'était pas question d'émettre une opinion.

– Charles nous a dit que le mariage n'était pas pour tout de suite.

« Le temps fait bien les choses, avait-elle l'air de penser. Son Charles s'était infatué de cette petite. C'était un coup de tête ! Charles allait se reprendre. »

Pendant que sa future belle-mère accaparait son attention, les trois hommes bavardaient avec animation.

Rose, l'estomac serré, avait hâte que le repas se termine. On allait passer au salon pour le café. Alors que Charles aidait sa mère à se lever, cette dernière, d'un geste vif, lui saisit le poignet de sa main de rapace et l'entraîna à sa suite.

Rose sourit. On aurait dit une maman qui éloignait son gamin d'un danger. Charles lui adressa un sourire discret.

Rose, assise du bout des fesses sur un fauteuil Louis XV, tenait prudemment une tasse en porcelaine tellement fine, qu'elle voyait ses doigts à travers la soucoupe. Une petite cuillère en argent, trop grande pour la soucoupe, menaçait de tomber, à la moindre oscillation, sur le magnifique tapis de la Savonnerie.

« Ne pense pas à ça, Rose, n'y pense pas, sinon ça va arriver », se répétait-elle intérieurement.

Philippe, la voyant seule, vint gentiment s'asseoir près d'elle et désignant les photos dressées sur le guéridon, entreprit des explications.

Philippe commença par la photo d'un officier.

– C'est mon frère François, l'aîné de la famille. Il est en Algérie, mais va venir en permission pour Noël.

Il passa à la photo d'une sœur en cornette, qui ressemblait, trait pour trait, à sa belle-mère :

– Après, il y a ma sœur, Adélaïde-Victoire. Elle est à Briouze. C'est du côté d'Argentan. Vous irez lui rendre visite.

– Ensuite, voici Henri. Il avait quinze ans quand cette photo a été prise.

Rose vit la photo d'un jeune garçon au sourire doux, qui ressemblait à Philippe. Le cadre avait un liseré noir. Rose ne posa pas de question.

– Me voici bébé. Et voilà Charles bébé.

Rose sourit. Ils avaient l'air ridicules !

– Voici une photo qui a été prise chez mes grands-parents.

Rose se pencha sur le groupe. Elle vit Charles à côté d'une jeune fille qui le regardait en souriant. Une cousine ? Une ancienne fiancée ?

Le défilé continua avec les photos jaunies des grands-parents, puis avec des photos de chasse, de chiens et de pur-sang.

Son futur beau-père les interrompit :

– Il est temps, Philippe, ça suffit. Le garde-chasse t'attend. Il veut te voir, car des faisans ont disparu. Il pense que c'est le vieux Pierre qui a fait le coup. Tu vas l'accompagner chez le Pierre et tu le menaces des gendarmes. Dis-lui aussi que si c'est moi qui le surprends, je lui fous des plombs dans les fesses !

À cet énoncé, Rose mit sa main devant sa bouche. Les ronds de jambe n'étaient pas du style de son futur beau-père. Elle regarda Charles dont les yeux pétillaient et sa future belle-mère qui avait conservé son air impavide.

Son futur beau-père continua d'une voix de stentor :

– Restez enfermés si ça vous chante, moi, j'emmène Rose faire le tour de la propriété.

Charles s'apprêtait à se lever quand sa mère lui posa la main sur le bras :

– Reste, mon petit. Je te vois si rarement depuis que tu vis à Rouen.

On ne désobéissait pas à belle-maman.

# 4

# Beau-papa

« Mon beau-père, se plaisait à dire Rose, était un hobereau normand aux allures de maquignon. »

Il était court sur pattes, gras, botté six jours sur sept, les joues rougies par le grand air et – présumait Rose – par des excès de calvados. On l'aurait pris facilement pour un de ses métayers, si ce n'était son regard bleu perçant, son air fier, ses longues mains fines et sa chevalière aux armes de la famille qui attestaient de ses origines.

Ensouché à la Normandie depuis neuf cents ans, il était le fruit et l'esclave de ses terres. Ses ancêtres – du moins ceux qui n'étaient pas restés sur les champs de bataille – occupaient la moitié du cimetière du bourg avoisinant.

Il alliait à la distinction de sa race, la roublardise du paysan normand.

Il employait chez lui un langage fleuri que Rose, dans sa jeunesse, jugeait complètement tombé en désuétude, mais jurait comme un charretier dès qu'il s'agissait d'un sujet qui touchait ses terres, ses paysans ou ses bêtes.

« En fait, le pauvre homme, pensait Rose, ne savait plus trop où il se situait. »

Il appelait sa femme « ma mie » lorsqu'il voulait obtenir d'elle quelque chose, et « ma bourgeoise », lorsqu'il se moquait d'elle ou voulait la provoquer.

La bouche pincée, elle fixait alors son mari froidement et rétorquait :

« Mon pauvre ami, vous déraillez! »

Rose apprit à le connaître et à l'apprécier, tout en restant sur ses gardes, car il avait un tempérament de feu, comme l'attestaient certains traits caractéristiques de la physionomie des de R. que l'on retrouvait chez les marmots des fermes environnantes.

Le droit de cuissage était toujours de mise. Rose s'en aperçut, lors de sa première visite au château. Philippe avec le garde-chasse, Charles accaparé par sa mère, Rose avait suivi son futur beau-père qui voulait lui montrer la propriété.

Ils descendirent au rez-de-chaussée, étage des offices et des cuisines, puis allèrent jusqu'à la sellerie, une pièce immense et glacée pour la saison. Rose vit des harnais et des brides, des selles, des couvertures, une étagère où s'empilaient des trophées, coupes et rubans, un placard vitré avec des fusils, des têtes de cerfs et de sangliers accrochés au mur, des vieux tableaux représentant des chasses à courre et tout un bataclan que Rose n'eût pas le temps de détailler.

– Trouvez-vous une paire de bottes, lui ordonna son beau-père, vous allez crotter vos petits souliers de Parisienne.

Rose obéit et se trouva curieuse allure avec sa robe chic et des bottes noires, à revers fauve, de chasse à courre.

Sitôt à l'extérieur, son beau-père fouilla dans sa poche, en sortit une pipe et une poche à tabac en velours armoriée. Il tapa sa pipe sur la semelle de sa botte et entreprit de la bourrer religieusement.

– Ça ne vous gêne pas, j'espère. Ma femme ne veut pas que je fume au salon. Il paraît que ça ternit les tableaux ou je ne sais quoi.

Il prit une longue bouffée et soupira d'aise.

– Allons-y, sourit-il à Rose.

Ils allèrent s'asseoir sur le muret du pont qui enjambait les douves, aujourd'hui comblées, où paissaient des moutons. Son beau-père, lui désignant le château, commença par un historique très abrégé, car « Philippe vous en dira plus, il est toujours fourré dans les vieux grimoires ».

Le château avait été maintes fois brûlé et reconstruit, car il était malencontreusement situé à la limite des terres françaises et anglaises. Son cousin François était propriétaire d'un château à six kilomètres de là qui, pendant des décennies, avait été « aux Anglais ».

Ce qui d'ailleurs, ajoutait son beau-père, n'avait pas empêché les cousins de l'époque de se fréquenter, même aux pires moments : « Mon père racontait qu'il y avait autrefois un souterrain qui longeait les douves et qui débouchait dans la forêt. On passait par les bois. Et puis, on était chez nous, alors, on tirait sur tout ce qui bougeait, sans sommation. »

En quelques phrases, il lui avait montré la force des liens de famille, la pérennité de leur présence sur les lieux et leur suprématie ancestrale. Les rois tombaient, les républiques passaient, les de R. restaient.

Il l'emmena ensuite à la limite du parc et d'un geste seigneurial, lui désigna les vallons et les fermes étendus devant eux.

– Tout ce que vous voyez là, ma petite Rose, appartenait à mes parents et sera légué à mes enfants. Nous ne sommes que les dépositaires de ces terres et nous sommes responsables de tous ces gens. Ma femme vous expliquera plus en détail ce que nous faisons. Maintenant, venez !

Ils rebroussèrent chemin et passèrent devant la maison du garde-chasse et l'enclos des faisans. Son beau-père examina le grillage. Il semblait intact.

– Je me demande comment le Pierre est arrivé à m'en chaparder, marmonna-t-il entre ses dents.

Puis il fit le tour de l'enclos, les yeux fixés au sol.

– Ah! Mon salaud! s'exclama-t-il, soudain. Regardez ça, Rose, regardez!

Il souleva le grillage qui avait été découpé au ras du sol, ce qui laissait une ouverture assez large pour passer dessous, en rampant. Le coup fait, il suffisait de laisser retomber le grillage et la découpe était cachée par l'herbe.

– Y a-t-il longtemps que vous élevez des faisans?

– Oui, depuis que j'ai loué la chasse à des Parisiens. Il faut bien repeupler, il n'y en aurait pas assez. Mais je n'aime pas ça. Vous voulez que je vous dise pourquoi, ma petite Rose? Parce que ces bêtes, elles se sont habituées à l'homme et quand on les lâche, elles viennent droit sur le fusil. Non, je n'aime pas ça, mais les Parisiens sont contents et moi je peux payer mes impôts. Les cocus, ce sont les faisans.

Ils suivirent le chemin des douves et débouchèrent sur des herbages, entourés de barrières blanches.

Dans le premier enclos, Rose aperçut une jument et son poulain qui broutaient. Son beau-père siffla très doucement. Le poulain, curieux, releva la tête. La jument, nonchalamment, jeta un coup d'œil, puis se remit à brouter. Le petit fit quelques pas vers eux, puis s'arrêta. Son beau-père continua à siffler. La jument leva la tête et s'approcha d'eux, sans se presser. Elle passa la tête au-dessus de la clôture et attendit. Il lui caressa le chanfrein et lui donna un morceau de sucre qu'il sortit de sa poche.

– Vous aimez les chevaux, Rose?

Rose hocha la tête, affirmativement.

– Regardez-la, si elle est belle! Et le beau poulain qu'elle nous a fait là! Il ressemble à sa mère. Une belle robe alezane et deux balzanes comme elle, dit-il, en désignant les antérieurs blancs comme du lait. Balzanes deux, cheval de dieux! On va attendre pour juger de l'allure.

– Balzanes trois, cheval de roi, et balzanes quatre, cheval à abattre! répliqua Rose.

Son futur beau-père, légèrement surpris par ces paroles, se retourna vers elle et lui jeta un regard matois, les yeux plissés, soupesant la remarque et la personne qui l'avait dite. Rose songea qu'il devait avoir la même expression lorsqu'il s'apprêtait à acheter un bestiau à la foire.

– Hum, hum! Tiens donc, cette petite Rose, elle a quand même appris quelque chose à Paris, dit-il.

Il réfléchissait.

– Alors, comme ça, vous aimez les chevaux, reprit-il. Vous montez?

– Oui, monsieur.

– En amazone?

– Ah non, monsieur, quand même pas!

– Je vous demandais cela, car nous avons encore la selle de ma mère.

Perplexe, il reprit :

– Pourquoi Charles ne nous l'a pas dit?

– Il ne le sait pas, monsieur.

Il éclata de rire. Le poulain, affolé, fit un écart.

– Eh bien ! Pour une surprise, c'est une surprise, Rose. Dites-moi, ma petite, je ne veux pas être indiscret, mais vous connaissez Charles depuis combien de temps?

– Trois semaines, monsieur.

– Ah, le bougre, le bougre! s'exclama-t-il en riant. Eh bien! Quand ma femme saura ça! Allez, venez, continuons.

Alors qu'ils longeaient l'enclos suivant, un jeune étalon gris arriva vers eux, les antérieurs haut levés et la queue en panache. Il s'arrêta à prudente distance, ronflant des naseaux.

– C'est aussi Princesse qui nous a fait celui-là. Elle devait rêver, ce jour-là, car c'est tout le portrait de l'étalon du haras.

L'étalon avait repris sa danse et accomplissait volte après volte, en se faisant admirer.

– Il est beau le bougre et il le sait! commenta son beau-père.

Rose sourit. «Bougre» était visiblement le mot favori de son beau-père.

– Et il est bien monté, le bougre!

Ça continuait! Rose se retenait pour ne pas rire. Charles, l'étalon… «Bougre de bougre!» avait-elle envie de dire à l'unisson.

– S'il continue à faire son jeune homme, reprit-il, il va falloir que je le change d'enclos. Il est trop près des juments, ici!

– Venez, Rose, souffla-t-il, la voix un peu courte, venez! Je vais vous montrer l'écurie.

Elle le suivit.

L'écurie était sombre, éclairée par des lucarnes. Rose vit des bottes de paille en entrant, des sacs de grain sur lesquels dormait un chat – «c'est un petit malin, il attend les souris», commenta son beau-père – et des stalles alignées avec leurs hauts bas-flancs couronnés de boules en cuivre reluisantes. L'écurie était très bien tenue. Dans le fond, il y avait deux boxes. L'un était vide, l'autre était occupé par un percheron gris pommelé, qui hennit lorsqu'il entendit les visiteurs. Ils s'approchèrent. Rose, qui pourtant n'était pas petite, arrivait à peine à la hauteur du garrot. Le Gris appuya son museau contre les barreaux tout en mâchonnant du foin et en laissant couler de la bave blanche. Il était assez dégoûtant. Rose fit un pas en arrière et se cogna contre son futur beau-père. Et elle se retrouva proprement coincée entre le Gris qui bavait et son futur beau-père qui s'appuyait contre elle de tout son poids, et qui lui bafouillait dans le cou, des « Rose, Ah! ma jolie petite Rose ».

Rose n'était pas prude, mais ne savait trop comment arriver à se débarrasser, sans le vexer, de celui qui allait être son beau-père et qui, pour l'instant, la lutinait allègrement. Elle réfléchissait à la façon la plus élégante de s'en dépêtrer, lorsqu'il bredouilla :

– Rose, ma mie, vous avez des petits tétons comme des pommes d'api.

Cette phrase était de trop. Rose éclata de rire avec la fraîcheur de ses dix-sept ans, en se rappelant l'histoire de la jeune Normande à qui un vieux barbon, croisé dans un chemin creux, avait pincé les joues en s'exclamant : « Oh! les jolies petites pommes d'api! » et qui avait répondu : « La petite pomme d'api, elle vous y dit merde! »

Évidemment, Rose n'eut pas à utiliser cette expression. Son futur beau-père, douché par le rire, s'était repris et libéra Rose.

– Vous êtes bien jolie, ma bru, mais vous êtes fière!

L'un et l'autre revinrent au château, enfermés dans un mutisme qui révélait leur malaise.

Avant d'arriver au château, il se retourna vers elle :

– Ma petite Rose, oublions ça!
Il avait repris sa faconde.

Rose apprit, des années plus tard, en écoutant les bavardages de cuisine, qu'il était arrivé le même type d'aventure à la jolie cousine – fiancée potentielle de Charles – qu'elle avait admirée sur la photo.

Avait-elle accordé certaines privautés au comte?

Toujours est-il que la famille, à la suite de cette visite, avait fait pression sur Charles, en claironnant : « Dans nos familles, on n'épouse pas une Marie-couche-toi-là ».

« Pauvre jeune femme, songeait Rose. Qu'était-elle devenue? Qui avait-elle pu épouser, dans ce cercle si fermé, avec une réputation perdue? »

## 5

# La comtesse de R.

«Ma belle-mère, la comtesse de R., avait avalé un parapluie», pensait Rose en son for intérieur. Rigide, sévère, droite comme un «i», elle promenait sa morgue dans les couloirs du château et répétait à tout bout de champ : «Dans notre famille, on ne déroge pas.»

De plus petite noblesse que son mari, elle n'était pas encore revenue, quarante ans après, de la fierté d'avoir été choisie pour épouse, par le comte de R.

Rose supposait qu'il lui avait trouvé des joues comme des pommes d'api et que le père, le notaire du bourg, avait dû exiger réparation.

Le comte avait du tempérament. «Il valait mieux le marier», avaient pensé ses parents. Le notaire, à mots feutrés, avait laissé entendre que la petite aurait une belle dot et «des espérances». Dans ces villages de Normandie, il arrivait communément que le notaire soit plus riche que le châtelain. Refaire la toiture coûtait une fortune et la fille du notaire arrivait à point. Somme toute, elle n'était pas un si mauvais parti. La taille de sa dot contrebalançait ses lettres de noblesse qui ne remontaient, qu'à Napoléon. Et voilà comment la fille du notaire s'était retrouvée comtesse de R. Appliquée comme était son père, et bien dressée par sa belle-mère, elle apprit vite ses devoirs et les us et coutumes du château. Elle donna naissance à dix enfants, dont cinq survécurent.

« Ma belle-fille, en vraie fille de notaire, est une vraie lapine, disait d'elle son beau-père qui n'avait jamais complètement digéré le mariage de son fils. Elle fait des petits comme son père des actes, mais, ajoutait-il, elle est bien brave ! »

Rose avait rencontré Charles en juin, elle avait fait connaissance de sa future belle-famille en juillet et elle se fiança en septembre.

Durant l'époque de ses fiançailles, elle fut invitée plusieurs fois en Normandie.

L'arrivée au château aux vacances de la Toussaint – car Rose, inscrite en philo, devait se plier aux exigences de l'Académie – fut féerique.

La campagne normande était noyée dans le brouillard. La visibilité était si mauvaise que Rose ne reconnut le bourg que lorsqu'ils le traversèrent. Charles, fatigué, avait hâte d'arriver. Il avait déjà fait, la veille, le trajet Rouen-Paris dans des conditions difficiles. Mais rien n'aurait pu altérer le bonheur de Rose. Tout paraissait irréel : les pommiers qui semblaient plantés dans du coton, les vaches, le long de la route, entourées d'un halo d'humidité et un cheval qui disparut si vite dans le brouillard, que l'on aurait dit un fantôme. Même les bruits étaient assourdis : on entendait les cloches des vaches ou des gens crier, mais on ne les voyait pas.

Heureusement, Charles connaissait la route par cœur.

À la lisière de la forêt, Rose aperçut des chevreuils qui broutaient dans un champ.

– Arrête-toi, Charles !

– Non, c'est trop dangereux. On n'y voit pas à trois mètres !

Puis le château surgit au milieu de nulle part. Ils étaient arrivés à bon port.

– On va passer par les cuisines, dit Charles, la porte du perron doit être fermée.

Ils furent accueillis, avec force démonstrations, par la cuisinière qui les embrassa tous les deux.

– Monsieur Charles ! Mademoiselle Rose ! Vous êtes là. Madame a dit que vous ne viendriez pas à cause du temps. Mais moi, je connais Monsieur Charles et j'étais sûre qu'il y arriverait. Venez ! Buvez ça tout de suite. Il faut vous remettre.

Rose eut l'impression qu'ils avaient accompli un exploit. Les chiens, entendant les voix, se précipitèrent en aboyant de joie. Philippe déboula de l'escalier.

– Il m'avait semblé entendre une voiture. Alors, vous voilà tous les deux, vous y êtes arrivé !

Il les serra dans ses bras, comme s'il avait craint de les perdre.

– Qu'est-ce que ce sera lorsqu'on traversera l'Atlantique à la nage ! s'écria Rose à qui les vapeurs du grog, solidement arrosé, faisaient tourner la tête.

Tous rirent. Il faisait bon. Ils avaient, semble-t-il, couru de graves dangers. Ils étaient saufs.

– Allez, Monsieur Charles, ne faites pas attendre Madame votre mère. Je sers le déjeuner dans un quart d'heure.

La comtesse de R. les attendait au salon, assise au même endroit et dans la même position que lorsque Rose était venue pour la première fois. Rose, un peu pompette, songea irrévérencieusement qu'elle n'avait pas bougé depuis la dernière fois ! Beau-papa tournait le dos à la cheminée où brûlait un feu du tonnerre de Dieu, et tenait les basques de son veston à deux mains pour se faire rôtir l'arrière-train. Rose, tout en se dirigeant vers sa future belle-mère, lui fit un large sourire, auquel il répondit par un chaleureux : « Bonjour, les enfants ! »

L'accueil de la comtesse fut plus réservé.

« Qu'importe ! » se dit Rose avec enthousiasme, ne voyant que les cinq jours qu'elle allait passer avec Charles.

La comtesse tenta d'accaparer Charles. Charles n'y prêtait pas vraiment attention. Il acceptait de lui obéir – comme un enfant, songeait Rose – quand cela ne le gênait pas et déclinait ses suggestions, lorsque cela ne lui plaisait pas. Pour finir, il ne suivait que son bon plaisir, en y mettant les formes. Et Charles était amoureux...

Les frères serraient les rangs. Cela devait remonter à une longue habitude qu'ils avaient prise dans leur enfance. La comtesse qui pondait enfant après enfant, laissait aux domestiques le soin de les élever. Il y eut des nourrices, puis des nurses, des précepteurs, une gouvernante qui ne fit pas long feu, harcelée le jour par les petits démons et la nuit par Beau-papa. Spontanément lorsqu'ils se blessaient et cela arrivait souvent, car laissés à eux-mêmes, les enfants du château étaient intrépides, ils allaient voir une bonne. Par beau temps, ils couraient les bois et les champs; par mauvais temps, ils se réfugiaient dans la cuisine où ils étaient gavés et dorlotés. Plus âgés, ils couvrirent mutuellement leurs escapades.

L'arrivée de Rose ne changea rien. Elle s'incorpora à la bande et suivit les garçons, Charles et Philippe auxquels se joignirent deux cousins voisins. Rose, qui était fille unique, découvrit avec plaisir la chaleur de la fratrie. C'est à cinq qu'ils se promenèrent, qu'ils allèrent au Royal Pub, vulgaire café de village que ces messieurs avaient pompeusement baptisé ainsi, qu'ils débarquèrent sans prévenir chez un cousin qui les accueillit chaleureusement et leur fit goûter un « calva » de sa fabrication, frais sorti de l'alambic, qui rendit Rose barbouillée, et qu'ils se réfugièrent, surpris par une ondée, dans une maison de Parisienne dont un des cousins avait la clé. Rose, trempée, demanda à ce dernier si elle pouvait utiliser la salle de bains pour se sécher.

– Va, ma chérie, fais comme chez toi.

Rose ne s'étonna pas du qualificatif. Pour ce cousin – chaud coureur devant l'éternel – toute femme était « ma chérie ».

Il disait en riant :

– Tu comprends, Rose, ça m'évite de me tromper!

Rose songea qu'il ne déparait pas le reste de la famille.

Lorsqu'elle revint, elle les trouva dans la cuisine, un verre à la main, en train de dévorer un en-cas, piqué dans le frigidaire. Elle ne fit aucun commentaire et dévora son sandwich comme les copains. La propriétaire était, sans doute, une des danseuses du cousin, comme il les nommait lui-même.

Au moment de partir, le cousin dit :

– Allez, on range tout, car le mari vient ce week-end.

Rose découvrait des mœurs inconnues, un vocabulaire particulier, sorte de langage secret pour initiés, un mode de vie à part. Tout semblait léger et facile pour ces garçons. Il y avait toujours un cousin chez qui aller, un joli minois pour leur sourire, une voiture à emprunter et dans laquelle ils s'entassaient pour se rendre chez un autre cousin où ils la laissaient, la cuisine d'un château ou d'une métairie où ils pouvaient se restaurer.

Ils n'avaient pas le même sens de la propriété que Rose, ni les mêmes petits soucis.

Ils ne disaient pas : « Peut-on entrer ? » Ils s'invitaient, sachant qu'ils étaient invités d'office. La voiture ? Quelqu'un d'autre la ramènerait. Ce n'était que la version moderne des chevaux de relais. Le joli minois ? Ils considéraient qu'accorder leurs hommages était un honneur qu'ils faisaient à la dame en question.

Leur pire injure était : « C'est d'un bourgeois ! »

Ils auraient pu être puants, mais ce n'était pas le cas, car ils ne s'imposaient jamais et agissaient avec délicatesse, ne prenant que ce qu'ils savaient leur être accordé. Ils restaient entre eux.

Ils n'avaient jamais d'argent sur eux et ne se préoccupaient pas des factures. Le pub envoyait directement la note à l'intendant du château tous les mois. Le bureau de poste, qui servait aussi de dépôt pour les journaux et où les garçons achetaient leurs cigarettes, en faisait autant.

Rose s'était étonnée la première fois qu'elle avait vu les garçons partir du pub sans payer, mais intelligemment s'était tue. Elle avait simplement regardé Charles. Il lui avait fait une petite grimace qui voulait dire : « Ne t'en occupe pas, ne t'inquiète pas ».

Au fil des années, Rose apprit à les connaître. Elle se rendit alors compte que cette légèreté, cette désinvolture qu'ils affichaient n'était qu'une façon élégante de survivre dans un monde qu'ils ne comprenaient pas toujours ou dont ils dénigraient les valeurs. Pour eux, réussir, ce n'était pas gagner beaucoup d'argent – ils utilisaient même le terme « faire de l'argent » – mais vivre en respectant les valeurs dont ils avaient hérité. Le sens de l'honneur venait en premier, la parole donnée avait plus d'importance qu'un contrat écrit, se faire tuer pour le Roi ou la patrie était dans l'ordre des choses. Ils vivaient avec panache et mouraient avec élégance. Les droits que leur avait donnés leur naissance n'existaient que dans l'accomplissement de leurs devoirs. Leurs gens faisaient partie de la famille et ils en étaient responsables.

Si un fermier avait des difficultés avec l'administration ou la justice, il allait d'abord au château : « Monsieur le Comte va savoir. » Et monsieur le comte allait voir les autorités, donnait des explications, parfois payait l'amende et se portait garant de la bonne tenue de ses gens à l'avenir. Ensuite, il coinçait le coupable entre quatre murs et lui passait une engueulade salée, d'homme à homme.

Lorsque le délit était important, il s'assurait que le contrevenant soit correctement défendu et lui faisait porter, hebdomadairement, des victuailles et des nouvelles de sa famille jusqu'à la fin de sa peine, puis il envoyait la comtesse s'occuper de la femme et des enfants.

Gendarmes et juges appréciaient à leur juste valeur les gestes du comte. Ils connaissaient la faiblesse des fautifs en prison, et savaient que le soutien du comte contrebalançait, efficacement, les influences pernicieuses des autres détenus. Ils savaient aussi, par expérience, que le fautif aurait moins tendance à récidiver, s'il retrouvait travail, ferme, femme et enfants à sa sortie de prison.

Il arrivait même que les gendarmes, dans le cas de délits mineurs, sachant que le comte aurait un œil sur le délinquant, s'en tinrent à un avertissement avant d'en arriver à des mesures plus radicales. Le comte, en accord avec la gendarmerie, appliquait alors une forme paysanne d'arrêts de rigueur.

Mais en ce mois de novembre, avec la souplesse que lui conférait la jeunesse et le sentiment de sécurité que lui procurait la présence de Charles, Rose s'amusa, sans arrière-pensée, de toutes les frasques de cette bande, que son père aurait qualifié de rigolos.

Rose goûtait à la liberté. Ah! Que c'était bon d'être fiancée!

Un des cousins, plus taquin que l'autre, fit quelques farces d'un goût douteux qui n'était plus de son âge, jugeait Rose. On eût dit qu'il suffisait que les quatre cousins – alors âgés de vingt à trente ans – se retrouvent ensemble pour retomber en enfance. Rose eut droit au lit en portefeuille et au sandwich à la limace. Elle refit le premier. Quant à la deuxième blague, le silence recueilli des garçons qui se fit lorsqu'elle porta le sandwich à ses lèvres, lui mit la puce à l'oreille.

Innocemment, sans en regarder l'intérieur, elle le tendit au cousin :

– Tiens! Toi qui as toujours faim, prends-le. J'ai trop mangé au petit-déjeuner.

Les éclats de rire lui firent comprendre qu'elle avait renversé la situation en sa faveur.

Ils l'enfermèrent aussi dans sa chambre, alors que la cloche du déjeuner retentissait. Charles vint la délivrer.

Sa future belle-mère lui jeta un lourd regard de reproche.

– Je m'excuse d'être en retard, je ne trouvais pas mes souliers, avança Rose.

La comtesse leva les yeux au ciel. Les garçons sourirent. Elle n'était pas une rapporteuse.

Cet après-midi-là, le plus taquin des cousins dit à Charles :

– Tu sais, pour une fille, elle n'est pas mal.

Charles la serra tendrement dans ses bras :

– Pas mal, pas mal! Elle est sensationnelle, oui, tu veux dire!

Elle avait passé l'examen. Elle faisait partie de la bande.

Le soir, les quatre cousins jouaient au whist dans un silence religieux. Rose, qui ne connaissait pas les règles, s'asseyait près de sa future belle-mère. Elle se serait bien plongée dans un livre car la bibliothèque du château était fabuleuse. Mais sa future belle-mère lui colla entre les mains, une brassière à tricoter pour un bébé inconnu. La comtesse n'était pas bavarde et les soirées étaient longues.

Rose montait ensuite dans sa chambre où l'attendait un poêle ronflant, rempli de bûches jusqu'à la gueule. Le soir en se couchant, Rose avait trop chaud. Mais au petit matin, c'est le froid qui la réveillait. Elle hésitait pendant dix minutes avant de sortir du lit. Grelottante, elle enfilait, n'importe comment, un chandail sur sa chemise de nuit. Puis, par-dessus, une robe de chambre épaisse que sa mère, prudente, avait rajoutée dans sa valise. Elle mettait des bas en laine, hauts comme des cuissardes, qu'elle avait trouvés dans le tiroir de la commode de sa chambre et qui étaient, supposait-elle, destinés à réchauffer les pieds frigorifiés des invités.

À travers les carreaux embués de la fenêtre, Rose regardait la cour du château, les arbres blanchis de givre et les allées qui découpaient la forêt comme les rayons d'une roue. Elle réfléchissait aux hasards de la vie qui l'avait amenée jusque-là.

Rose se souvient encore de ce curieux malaise qui lui étreignait le ventre, ces matins-là. Elle avait l'impression de flotter entre deux mondes, celui de ses parents, bien défini et connu, et celui de Charles, intemporel, composé de bizarreries, d'inconnu et de chausse-trappes.

Sa vie était à l'image du paysage qu'elle avait sous les yeux. Quelle allée fallait-il prendre? Glisserait-elle sur une plaque de glace, cachée sous les feuilles? Reconnaîtrait-elle son chemin dans ce brouillard? Allait-elle s'enfoncer dans les bois et se perdre dans cette forêt? Si elle rencontrait des sangliers, Charles serait-il à côté d'elle pour la défendre? Devait-elle rester au château qui, dans son malaise, prenait les allures d'une prison dorée aux coutumes ancestrales et aux non-dits dont elle n'avait pas la clé?

Rose se secouait et se gourmandait : « Tu es une idiote! Tu n'as aucune raison d'être angoissée. Tout est nouveau, certes, mais il n'y a pas de quoi te tourmenter. Descends à la cuisine, va boire un café et tu auras les idées plus claires. »

Elle entrouvrait la porte, jetait un coup d'œil pour s'assurer que personne n'était dans les parages, et filait, marchant silencieusement sur les tapis du couloir. Puis elle descendait les marches, accrochée à la rampe pour ne pas glisser sur ses bas, enfilait le corridor glacé du rez-de-chaussée et aboutissait à la cuisine chaude et vivante.

La cuisinière était déjà là, le couteau à la main, assise derrière un monticule de pommes de terre. L'immense fourneau au bois ronflait; la cafetière, posée sur un coin du fourneau, fumait. Ça sentait bon, ça sentait la vie. Un mélange d'odeur de café, de pain chaud et de volailles grillées.

– Bonjour, Mademoiselle Rose. Je ne me lève pas, si ça vous ennuie pas, car j'ai bien à faire aujourd'hui. Servez-vous de café, ma petite. Vous pouvez prendre aussi un « beune » dans le garde-chaud.

Un « beune » était un petit pain rond brioché. Louise, la cuisinière, en faisait deux douzaines tous les matins, car « Monsieur le Comte les aimait ».

– C'est la cuisinière de Monsieur François qui m'a donné la recette… Il paraît que ce sont les Anglais qui mangent des « beunes », ajouta-t-elle, en faisant la moue.

– Anglais, Français, ils sont bien bons, ces *buns*, répondit Rose qui avait aimé un séjour qu'elle avait fait en Angleterre.

– Ah ! Mademoiselle Rose, vous êtes bien jeune… Vous ne vous rappelez pas !

« Certes, pensait Rose, Guillaume le Conquérant, Château-Gaillard et la guerre de Cent Ans étaient bien loin. Mais les habitants du château vivaient dans l'intemporalité. »

Quant au garde-chaud, c'était une sorte de four sur le côté du fourneau qui, comme son nom l'indique, gardait les aliments ou les plats au chaud. C'était la version ancienne du chauffe-plat.

Rose se servait un bol de café, prenait un *bun* et s'asseyait près du fourneau. Elle revivait. La cuisinière bavardait, tout heureuse d'avoir un auditoire neuf. Il suffisait de l'écouter.

Sept heures sonnaient à l'horloge, à « la demoiselle », comme ils l'appelaient.

« Madame la Comtesse va se lever », disait la cuisinière sur un ton d'avertissement.

Rose lui faisait un large sourire, la remerciait et remontait s'habiller. Une autre journée commençait.

# 6

# Un temps de réflexion

Depuis sa rencontre avec Charles en juin, Rose avait été de surprise en surprise. Elle était jeune, amoureuse et émerveillée. Son séjour au château en novembre la marqua et fut comme un temps d'arrêt dans cette aventure idyllique. Elle commençait à appréhender le monde complexe de Charles et à entrevoir les implications de son engagement. Son séjour lui fit aussi prendre conscience qu'elle allait quitter le type de vie qu'elle avait menée jusqu'alors.

En cette fin d'année, Rose passa plusieurs après-midi, seule, chez elle, à réfléchir :

« Qui suis-je ? Vais-je être capable de m'adapter au monde de Charles ? Je l'aime, mais est-ce suffisant ? Il est beaucoup plus âgé que moi. Il y a tant de choses que je ne connais pas de lui. Engager toute sa vie sur un coup de foudre, n'est-ce pas une folie ? Ne ferais-je pas mieux de me « défiancer » ? Que diraient mes parents ? »

Dans cet état d'incertitude, chargé d'émotion, Rose se raccrocha à ce qu'elle avait toujours connu : un milieu simple et aux limites bien définies. Il y avait des choses qui se faisaient et d'autres qui ne se faisaient pas.

Par exemple, on mettait des gants pour sortir. Les mères ne sortaient pas dans la rue « en cheveux », ce qui signifiait sans chapeau. On ne devait jamais adresser la parole à quelqu'un à qui on n'avait pas été officiellement présenté et, bien sûr, les enfants n'adressaient jamais la parole les premiers à un adulte. Les enfants ne prenaient pas les repas à table avec leurs parents avant l'âge de quinze ans, à l'exception du déjeuner dominical au retour de la messe et des fêtes carillonnées. Cet âge, pour Rose, à cause de l'absence de domesticité, avait été ramené à dix ans. Au restaurant, on indiquait son choix à son père, qui répétait la commande au garçon. Rose, qui avait remarqué que le garçon griffonnait la commande sur son carnet sans attendre la répétition, trouvait cette habitude ridicule. En société, il était strictement interdit de parler de politique, d'argent ou de sexe. On était transformé immédiatement en statue de sel si on transgressait ces us. Se retrouver au pain et à l'eau faisait partie des pratiques courantes. À table, dans la vie, tout était réglé d'avance par un code de convenances et de bonne tenue.

Rose appartenait à une caste qui, à l'image de l'Inde, vivait dans un magma commun en préservant ses spécificités.

« Dans les bonnes familles… », Rose avait un jour insolemment demandé : « Bonne par rapport à quoi? Est-ce que cela veut dire que les autres sont mauvaises? »

– Non, bien sûr que non, lui avait répondu son père. C'est un qualificatif subjectif. Tout est relatif, ma petite…

Et s'ensuivait une leçon de bel humanisme sur la relativité des choses. Mais Rose avait bien remarqué que sa mère, dont l'esprit était sans doute plus étroit, s'était tue. Pour celle-ci, tout ce qui était différent était mauvais ou dangereux.

Assise dans le salon, Rose réfléchissait. Le soir tombait. Sa mère la surprenait :

– Mais que fais-tu dans le noir, comme ça? Tu es malade?

Elle allumait la lampe.

Le soir, dans son lit, à demi endormie, elle revivait son enfance. Les souvenirs arrivaient en vrac, enchaînés les uns aux autres, comme une succession de tableaux.

Elle se revoyait toute petite se promenant au bois de Boulogne, accompagnée de la gouvernante. Elles allaient jusqu'à l'Allée Rose. Le matin, on y croisait des flopées de nurses anglaises à capeline bleue qui, comme une nuée d'hirondelles, se réunissaient à cet endroit pour promener les bébés de bonne famille. L'après-midi, on y rencontrait les sœurs aînées de ces poupons distingués, accompagnées par une institutrice qui s'asseyait sur un banc de la même allée, pendant que ces charmantes demoiselles jouaient à la marelle ou sautaient à la corde.

Rose était souvent invitée chez une petite fille qui vivait dans un monde enchanté. Ses parents avaient un hôtel particulier près du parc Monceau. Les salons étaient immenses et pleins de recoins, ce qui était idéal pour les parties de cache-cache. Mais, en général, les deux enfants étaient confinées au troisième avec la gouvernante anglaise. La petite fille avait sa chambre, Rose, quand elle y allait, avait sa chambre et la poupée avait la sienne, avec un lit de poupée, une armoire de poupée et tout un trousseau qui venait de *La Semaine de Suzette*.

Les parents de cette petite fille donnaient des fêtes féeriques. À l'occasion d'une soirée, tout l'hôtel particulier avait été décoré style XVIIe. Rose se rappelait avoir vu des scènes magiques, assise avec son amie sur une marche, en haut de l'escalier. De leur cachette, elles avaient assisté au va-et-vient des laquais en livrée, habillés à la française, avec perruque et bas de soie à baguettes. Ils portaient majestueusement des plats faramineux ou de lourds chandeliers en argent dont les bougies laissaient une trace lumineuse. C'était le théâtre de monsieur Molière à la maison.

Ses parents connaissaient beaucoup de gens qui menaient grand train. Pendant quelques années, Rose s'était rendue à l'école en Rolls. Cette Rolls appartenait à madame W., riche égérie d'un poète connu, et mère d'une fillette du même âge que Rose.

À dix ans, la fille de madame W. avait son propre appartement et sa domesticité personnelle. Il ne fallait pas, n'est-ce pas, que la présence d'une fillette gênât la créativité du cher poète – dans tous les sens du terme! Cette petite fille avait aussi un caniche blanc auquel on mettait des rubans, les jours de fête, et des bottillons, les jours de pluie.

C'est sans doute le caractère d'exception de ces vies qui avait marqué Rose et aussi le fait que ces petites filles qui, matériellement, avaient tout ce qu'elles voulaient, s'ennuyaient à périr.

Rose savait que la vie des gens, comme les pièces de monnaie, a souvent deux faces.

Chez ses parents aussi, il y avait deux facettes. La première pour l'extérieur, la seconde soigneusement cachée.

Lorsqu'elle était toute petite, ses parents « tenaient leur rang », selon l'expression de sa mère.

Il y avait une nombreuse domesticité, une bonne d'enfant, un homme à tout faire qui était chargé des gros travaux, comme de monter le charbon de la cave – on se chauffait encore au coke dans ces immeubles bourgeois du 16e arrondissement – et une cuisinière qui, non sans se plaindre, devait partager les tâches domestiques courantes avec la bonne d'enfant.

La bonne d'enfant et la cuisinière étaient logées dans l'immeuble. Elles étaient installées dans les chambres de bonne – selon l'expression de l'époque –, situées sous les toits. Il y avait un ascenseur réservé aux propriétaires et locataires de l'immeuble, mais les domestiques devaient utiliser l'escalier du fond de la cour et monter à pied les sept étages. De temps en temps, la cuisinière passait outre et prenait l'ascenseur de maître.

Le lendemain, la propriétaire de l'immeuble sonnait chez la mère de Rose et faisait une scène :

– Dans un immeuble bourgeois, madame, c'est incroyâââble que vous autorisiez votre cuisinière à utiliser nôôtre ascenseur…

La mère de Rose acquiesçait aux récriminations de la propriétaire, et cela s'arrêtait là. Les bonnes cuisinières se faisaient rares et sa mère tenait à la garder. « En plus, elle est honnête », ajoutait-elle, pour justifier son attitude.

La bonne d'enfant avait disparu, un jour, sans crier gare. Elle fut remplacée par une succession de gouvernantes qui disparurent aussi. Puis l'homme de journée ne revint pas. Seule, la cuisinière resta.

Rose ne posa pas de questions. Les gens venaient, partaient. Les choses changeaient. Sa mère soupirait en parlant de revers de fortune. Rose imagina que la fortune avait des revers comme les vestons. Le train de vie fut réduit. Certaines mesures furent mises en place. On ne supprima pas ce qui se voyait : « Il faut tenir notre rang. De quoi aurions-nous l'air… ? » Mais on rabotait sur ce qui ne se voyait pas.

La nourriture. On mangeait chichement durant la semaine pour pouvoir offrir foie gras, truffes et champagne aux invités.

Tante Yvonne utilisait même les fanes de radis pour en faire un potage que l'on servait dans une grosse soupière en porcelaine de Limoges avec une louche, estampillée Vieux-Paris.

Les vêtements. Les chaussettes étaient ravaudées, les accrocs des vêtements raccommodés, les nappes reprisées. On mettait des pièces aux draps et il arrivait que, d'un vieux drap, on en fît un neuf. La méthode était assez astucieuse. Lorsqu'un drap était trop usé, on le coupait en deux dans le sens de la longueur et on enlevait la partie usée du milieu. On mettait ensuite les lisières bord à bord et on faisait un ourlet « à plat ». On obtenait ainsi un drap dont les parties les plus usées se trouvaient désormais sur les côtés.

Les cols et les poignets des chemises de son père étaient retournés suivant le même principe. « Je fais du neuf avec du vieux », disait la couturière qui venait deux fois par mois dans ce but. Les chaussures étaient ressemelées plusieurs fois.

On faisait durer. Et on ne s'en portait pas plus mal.

En 1951, alors que Rose était âgée de onze ans, les cordons de la bourse se resserrèrent encore plus. Elle devina que ses parents se tourmentaient pour des questions d'argent et elle les entendit discuter de la possibilité de quitter l'appartement qu'elle avait toujours connu, car « les augmentations de loyer les étranglaient ».

Ils restèrent au Trocadéro. Mais sa mère décida de ne plus dépenser pour l'éducation de Rose. Elle trouvait « que Rose en savait bien assez pour se marier » et elle la retira du cours privé, très huppé, où Rose allait jusqu'alors. Elle fut inscrite au lycée, pour l'entrée en 6e.

Son père l'accompagna le premier jour et lui tint un petit discours :

– Tu verras, les études sont excellentes. Tes camarades vont être d'un milieu différent de celui que tu as connu jusqu'alors, cela ne veut pas dire qu'elles seront moins gentilles. C'est à toi de te faire des amies parmi celles qui te plairont.

Rose se réjouit du changement et de tout ce qu'elle allait découvrir de nouveau et s'adapta sans difficulté à sa nouvelle vie.

Dès le premier jour, elle apprécia le lycée. Les professeurs étaient intéressants et il était facile de se faire des amies parmi les centaines d'élèves inscrites au lycée. Elle découvrit que sa voisine de classe, fille d'un boucher, était aussi sympathique, si ce n'est plus, que la fille de la très snob madame W.

Au lycée, sous la blouse grise d'uniforme, on s'habillait comme on voulait. Et, vers douze ou treize ans, Rose commença à devenir coquette. Elle accompagnait parfois sa camarade de classe, la fille du boucher, choisir des vêtements – chers, très chers – chez Halphen ou chez Franck de la rue de Passy et faisait des péchés d'envie. Or, en matière de vêtements, il était difficile d'être plus économes qu'ils ne l'étaient déjà. Depuis plusieurs années, on évitait d'acheter des vêtements neufs. Mais Rose ne voulait plus mettre les vêtements usagés que les tantes de province lui envoyaient.

Aussi, elle alla voir son père et elle lui demanda un budget très raisonnable pour son habillement :

– Papa, j'ai décidé de faire mes vêtements moi-même. Ça coûtera moins cher et je porterai ce qui me plaît.

Son père fut étonné, mais accéda à sa requête. Il était décidément plus moderne que sa mère! Elle demanda l'autorisation à tante Yvonne d'utiliser sa machine à coudre Singer, dont le mouvement fonctionnait encore avec le pied et, munie d'un patron du *Jardin des Modes*, elle tailla et cousit ses robes.

Sa mère, gênée, lui fit promettre de n'en rien dire :

– Tu comprends, ma chérie, le monde est méchant. On ne dira pas : «la fille de la comtesse sait coudre», on dira : «ils sont ruinés»!

Ce qui n'était pas faux.

Rose fut parfois invitée à la campagne par ses amies de lycée et elle découvrit un nouveau mode de vie. Rose classait les maisons de campagne en deux sortes : celles dont on avait hérité, comme celles des oncles et tantes où elle allait passer les grandes vacances et celles qui avaient été achetées récemment.

– Des maisons de nouveaux riches! disait sa mère, sur un ton péjoratif.

Rose trouvait que les principales différences entre ces deux types de maison concernaient les sanitaires et les cuisines.

Les maisons des nouveaux riches étaient munies de sanitaires modernes. Plus de broc au petit coin, plus d'eau à faire chauffer dans une bassine et à verser dans une cuvette en porcelaine horriblement lourde et malcommode à vider, pour se laver.

Et leurs cuisines étaient modernes. Plus de bois dans le fourneau, plus de blocs de glace dans la glacière. On tournait un bouton, mettait une allumette et le gaz butane surgissait avec un petit «pschiit» caractéristique. On ouvrait un réfrigérateur et on prenait un œuf frais, au lieu d'aller plonger sa main dans la saumure du pot en grès où on les conservait, ce qui leur donnait un goût salé.

Rose trouvait qu'il faisait bon vivre chez les nouveaux riches.

La jeune vie de Rose s'était déroulée sur la scène de différents théâtres. Rose, ballottée, s'était adaptée facilement à tous ces changements. Aussi, s'étonnait-elle de ce sentiment d'incertitude qui la rongeait depuis son séjour au château en novembre.

Elle hésitait à se confier à ses parents. Qu'allait-elle leur dire? Qu'elle se sentait mal à l'aise? Qu'elle voulait faire marche arrière?

Elle connaissait la réponse :

« Ce jeune homme qui t'a choisie – et rappelle-toi qu'on ne t'a pas forcée – est un excellent parti. Il est un peu plus âgé que toi, mais il est d'une excellente famille... et puis, ma petite fille, si tu romps tes fiançailles sans raison, tu es perdue de réputation, plus personne ne te demandera. »

L'idée de rester vieille fille chez ses parents n'emballait pas du tout Rose. Elle voulait vivre une vie d'adulte et être libre. Si seulement elle avait pu garder sa liberté sans se marier... ou pire, vivre avec Charles sans l'épouser! Juste pour voir s'ils allaient s'entendre.

En parler à tante Yvonne? Elle prendrait le parti de son cher cousin, elle qui se glorifiait d'avoir été l'instigatrice de leur rencontre.

« Chimères, ma petite, nervosité de jeune fiancée! » Voilà ce que tante Yvonne allait lui rétorquer.

Rose eut une idée lumineuse. Et si elle en parlait à Charles? Peut-être penserait-il la même chose? Sa décision fut prise : la prochaine fois qu'elle le verrait, elle aborderait le sujet.

Charles qui vivait à Rouen, venait à Paris un dimanche sur deux. Il arrivait chez les parents de Rose vers midi et partageait leur déjeuner. Puis, vers deux heures, les fiancés allaient prendre l'air.

Un dimanche, ils arpentaient l'avenue Kléber et allaient se réchauffer et bavarder dans un petit café des Champs-Élysés, l'autre dimanche, ils descendaient vers la Seine et s'asseyaient dans un autre café de la place de l'Alma. C'était réglé comme du papier à musique! Rose trouvait que les cafés bruyants et enfumés se prêtaient mal aux confidences. Elle ne voulait pas partager ses états d'âme avec la moitié des consommateurs!

Elle avait en tête le souvenir d'une aventure qui lui était arrivée récemment. Après une visite à la Conciergerie, elle s'était arrêtée dans un café proche du Palais de Justice, et là, elle avait, à son corps défendant, surpris les propos confidentiels de deux avocats. Habitués au prétoire, ils ne s'étaient pas doutés que leurs chuchotements portaient aussi loin.

Ensuite, Rose et Charles revenaient doucement vers l'appartement. Charles l'embrassait dans l'escalier – il ne rallumait pas la minuterie –, saluait ses parents et repartait. Rose n'osait pas aborder, en coup de vent, un sujet aussi sérieux.

L'ambiance au dîner sonnait faux. Sa mère la questionnait trop, à son goût. Rose allait se coucher, versait une larme. Sur quoi? Sur qui? Rose ne le savait pas elle-même. Elle se sentait énervée. C'était tout.

L'inaction et l'attente n'étaient pas son fort. Elle préférait plonger, quitte à faire une bêtise, que de rester ainsi, en suspens, entre deux vies.

« Charles, Charles! Pourquoi avons-nous accepté des fiançailles si longues? »

# 7

# Noël

L'année 1957 s'achevait. Le monde était en suspens, surpris par l'accélération des choses et indécis face à l'avenir. C'était l'époque de Brigitte Bardot, du spoutnik – les Russes venaient de reculer les limites de l'espace en mettant en orbite un premier satellite artificiel, « en s'envoyant en l'air dans les étoiles », comme disait irrévérencieusement son futur beau-père – et de la naissance de la CEE qui, avec la signature du traité de Rome par les Six, ouvrait la voie au Marché commun, ce que certains chauvins qualifiaient de « prostitution avec les étrangers ». C'était aussi l'époque où, lorsqu'on prononçait le nom « Algérie », les figures se figeaient. Il y avait une sorte de malaise qui s'étendait sur Paris et sur les villes en France.

Rose fut contente de quitter la ville grise. Charles vint les chercher tous les trois, le 24 décembre. Ses parents avaient été invités à passer les fêtes au château, en Normandie.

Curieusement, Rose aima la Normandie en hiver. Un fin manteau de neige recouvrait les herbages. Les pommiers, givrés de glace, ressemblaient à des perruques poudrées. Au creux des vallons, les plaques de verglas prenaient des teintes jaune-blanchâtre de sucre filé. Tout le paysage était une immense confiserie.

Sous la glace et la froidure, la vie continuait. Au détour d'un chemin, un ruisseau cascadait. Au pied des arbres, la végétation faisait une tâche vert-brun. Les cheminées fumaient. Le pays tout entier sentait le bois humide et les pommes en décomposition. Les sons de la vie campagnarde portaient loin.

Alors qu'on approchait du château, la voiture fit une embardée dans une ornière.

– Le vin, Charles, le vin! s'exclama son père.

Le père de Rose avait mis dans le coffre une caisse de château haut-brion, achetée en 1947, et qu'il destinait au comte de R.

– Il va falloir le laisser reposer. J'espère qu'il n'aura pas souffert, reprit-il. Quarante-sept, vous savez, mon petit Charles, a été une année exceptionnelle pour les bordeaux. Faites bien attention en le descendant. Allez lentement et ne le mettez pas près d'une source de chaleur. Il faut qu'il revienne doucement à la bonne température.

Son père et ses vins!

– Oui, oui, monsieur, ne vous inquiétez pas, je vais m'en occuper. Je vais le traiter comme une jeune mariée.

Rose pouffa. Elle se vit, comme une bonne bouteille de bordeaux, enveloppée dans un paillon et portée avec cérémonie par Charles. Charles lui sourit. Son père leva les sourcils. « Ah! Il ne connaissait pas Charles sous ce jour, songea Rose, qui avait déjà assisté à la métamorphose d'un garçon sérieux qui, sitôt passée la grille du château, retrouvait son esprit taquin d'enfant. »

Nous étions arrivés. Beau-papa sortit sur le perron. Il les accueillit à bras ouverts.

– Venez, mes chers, venez vous réchauffer! Heureux de vous revoir, mon cher.

Puis se tournant vers la mère de Rose, il s'inclina légèrement :

– Chère madame, soyez la bienvenue dans ma modeste demeure.

Et empoignant Rose par les épaules, il plaqua, sans façon, deux baisers sonores sur ses joues.

« Quel rigolo, ce Beau-papa! pensa Rose. Il sort des phrases comme ça, alors qu'il est sur le perron d'un château de cinquante pièces – au moins. » Rose, lors de son dernier séjour avait posé la question. Personne n'avait été capable de lui répondre. « Nous ne les avons jamais comptées. »

La comtesse de R. les attendait à l'intérieur, enveloppée dans un châle dont les franges traînaient sur le sol. Après un échange d'amabilités d'usage, elle entraîna la mère de Rose :

– Venez vous rafraîchir, chère madame.

Rose, qui, décidément ce jour-là avait l'esprit bien mal tourné, se dit : « C'est ma future belle-famille tout craché. Beau-papa est de feu, la comtesse est de glace! » Les trois hommes étant repartis près de la voiture pour transporter les chères bouteilles, Rose suivit les mères.

– Je ne savais pas trop à quelle heure vous arriveriez, aussi j'ai fait préparé un en-cas froid, les prévint la comtesse. Il est servi dans la salle d'armes. Vous savez où elle est, Rose? Nous vous y attendons, dès que vous serez prêtes.

Rose se rappelait la salle d'armes comme une sorte de large couloir, avec, d'un côté, des armures en pied le long du mur et de hautes fenêtres de l'autre côté. Lorsqu'elle ouvrit la porte, Rose fut surprise. Sa future belle-mère avait fait dresser une immense table étroite, recouverte de plats. Cela avait grande allure. Chacun prenait assiette et couverts qui étaient au bout et tournaient autour de la table en remplissant son assiette. Au centre trônait un faisan froid en pièce montée, les plumes piquées dans le croupion. Il était si beau que c'était dommage d'y toucher. Il y avait des pâtés de lièvres, de canard, un chaud-froid de volailles truffées, de la tête de veau gribiche, une langue de bœuf froide, une salade de pommes de terre à la crème, une curieuse salade de pommes et noix, des pannequets farcis – spécialité de la cuisinière –, des pains et les chers « beunes » de Beau-papa. Il y avait aussi des assiettes de merveilles, du blanc-manger, des petits pots percés dégoulinant de fromage à la crème, un flanc à la crème et une compote de fruits secs. En bout de table, sur une roue recouverte de paille, étaient posés des fromages : du gournay, plusieurs sortes de camemberts, du livarot et du pont-l'évêque qui embaumaient l'écurie.

« C'est un en-cas pour Pantagruel ! » songea Rose.

Rose vit que sa mère hésitait à se servir de pannequets.

– Tu verras, c'est très bon, ça ressemble à des crêpes farcies à la béchamel et au fromage.

Beau-papa, bon vivant, l'encouragea : « Prenez, prenez, chère madame, vous n'en mangerez pas d'aussi bons à Paris ! »

Et, donnant l'exemple, il se servit généreusement.

Au bout du couloir, sur une table ronde entourée de chaises, se trouvait un bol à punch en argent, si grand qu'un bébé aurait pu s'y baigner. Le comte servit à chacun dans une coupe d'argent le liquide chaud qui sentait l'orange, la girofle et la cannelle. Chacun s'assit sans protocole et mangea, l'assiette posée sur les genoux.

– Philippe et François sont chez mon cousin. Vous les verrez ce soir. Ils m'ont demandé de les excuser, mais le métayer de mon cousin a été ramassé, hier soir, ivre mort, sur la route ; son garçon de ferme est allé enterrer sa mère à Caen et François s'est retrouvé avec deux vaches qui vêlaient, expliqua Beau-papa. Je lui ai envoyé les garçons et lui ai conseillé de changer de métayer, mais comme je le connais, il va le reprendre et les vaches vêleront encore à Noël prochain !

– Mon ami ! Mon ami ! protesta la comtesse essayant d'endiguer ses paroles.

– On ira voir les veaux, Charles ? chuchota Rose.

– C'est ça, allez-y mes petits et prenez les chevaux, ça m'évitera de les sortir aujourd'hui, dit Beau-papa. Ne partez pas trop tard. La nuit tombe vite en décembre.

Charles et Rose ne se le firent pas dire deux fois.

Sitôt la porte refermée, Rose agrippa Charles par le bras :

– Charles, je n'ai que des robes. Je ne savais pas. Je n'ai pas apporté de jodhpurs, mais j'ai des bottines.

Il se moqua d'elle.

– Qu'est-ce que tu viens faire à la campagne, je me le demande bien ?

Puis il reprit gentiment :

– Ne t'en fais pas, il y a tout ce qu'il faut en bas. Tu n'as qu'à essayer une ancienne culotte de ma sœur. Mais dépêche-toi ! Tu as entendu ce qu'a dit mon père ?

Vingt minutes après, ils étaient partis. C'était la première fois que son futur beau-père l'autorisait à monter un de ses chevaux.

– Ça va, Rose ? Pas trop froid ? s'inquiéta Charles.

– Non, non, ça va bien. On trotte ?

– Ils sont assez réchauffés, on y va !

Ils partirent à bonne allure. L'allée était assez large pour trotter à deux de front. Ils se taisaient, attentifs à la cadence des sabots sur le sol. Au bout d'un assez long moment, Charles, les joues rouges de froid, lui proposa :

– Un petit canter, ça te dit?

– Je comprends! J'ai les mains gelées.

Les arbres défilaient. Rose, penchée en avant, essayait de lutter contre l'air humide et glacé. Ils galopaient d'une même foulée et cela aurait pu être très romantique si elle n'avait pas été aussi gelée. Engourdie, elle faisait un effort pour garder les genoux serrés. « Serre les genoux! Tiens bon, se répétait-elle. On va arriver. Tiens bon. » Elle eut l'impression que la chevauchée durait une éternité.

Enfin, elle entendit Charles lui dire :

– On n'est plus très loin. On se met au pas… C'était bon, hein?

Rose inclina la tête. Elle laissa couler les rênes et essaya de se réchauffer en tapant ses mains l'une contre l'autre.

Avec leur long poil d'hiver, les chevaux fumaient. Rose se fit la réflexion qu'elle aimait l'hiver en Normandie, bien couverte ou au chaud à l'intérieur.

Dès qu'ils quittèrent l'abri de la forêt, un vent glacial les frappa de plein fouet. Même Charles émit un « brrr » suivi du commentaire : « Je comprends pourquoi papa ne voulait pas monter aujourd'hui. »

On arrivait. Heureusement!

Rose vit un joli manoir en pierres blanches, mais n'avait qu'une hâte : mettre pied à terre.

Elle aperçut Philippe sur le perron.

– Alors, dit-il à son frère, papa t'a bien eu! Il a essayé de me faire le coup ce matin, mais j'ai refusé.

– Au lieu de dire des bêtises, aide donc Rose à descendre et prends son cheval. On va aller les bouchonner. Tu ne vois pas qu'elle est gelée? rétorqua Charles.

Rose se laissa glisser à terre et, les jambes inertes, aurait trébuché si Philippe ne l'avait pas retenue.

– Quelle tenue ! dit-il les yeux rieurs, en admirant la culotte trop large et l'accoutrement baroque qu'elle avait déniché.

Furieuse, elle retrouva sa voix.

– C'était ça, ou monter en robe !

– Allez, file ! reprit Charles, et change-toi si tu es mouillée. Demande des vêtements à François. Je ne veux pas être veuf avant de t'avoir épousée !

Elle rit. Ce Charles !

Curieusement, les deux François, l'oncle et le neveu, se ressemblaient. L'accueil ne fut pas protocolaire, mais efficace.

– Allez, courage, ma petite, allez vous changer immédiatement, lui dit l'oncle. Vous allez attraper la crève. Vous trouverez un peignoir et ce qu'il vous faut dans la salle de bains... Et bouchonnez-vous sérieusement à l'eau de Cologne.

L'oncle François était du même cru que Beau-papa !

Lorsqu'elle se déshabilla, ses jodhpurs imprégnés d'humidité glacée tenaient debout tout seul.

Un quart d'heure plus tard, ils étaient tous réunis autour du feu. Charles avait enlevé ses bottes et, affalé dans un fauteuil qu'il avait tiré à la limite des braises, se réchauffait les pieds. Il avait suspendu sa veste au manteau de la cheminée et s'était enveloppé dans une couverture de cheval.

L'oncle François mit, entre les mains de Rose, une tasse de chocolat chaud :

– Pas d'alcool pour les petites !

– Vous faites bien, lui dit Philippe. La dernière fois que Rose a bu un grog, elle vacillait comme une grive !

François, le frère de Charles, se pencha vers elle :

– Ne l'écoutez pas, il est né en disant des bêtises. Parlez-moi plutôt de vous.

Le temps passait. Rose voyait la nuit tomber, mais n'osait interrompre les hommes. Et puis, on était si bien!

L'oncle François se leva pour allumer le lustre.

– Bon sang! s'exclama Charles. Il faut que l'on rentre.

Il alla vers la fenêtre. La nuit était sombre et de légers flocons tombaient.

– Vous pouvez rester, leur dit l'oncle.

– Mais non! C'est Noël! Maman a toute la famille à souper ce soir.

– Bon sang de bois d'un petit bonhomme! s'exclama l'oncle. Excusez-moi, Rose. Il faut que je me change. Je suis invité chez ta mère, moi aussi. Saint-Enfant de sa mère!

– On va rentrer avec la voiture de François, mon oncle, trancha Charles, et on laisse les chevaux à l'écurie, si ça ne vous dérange pas. On reviendra les chercher demain.

– C'est ça, c'est ça! Allez, mes petits. Et toi, Philippe, je t'interdis de dire à ta mère que j'avais oublié son invitation. À mon âge, on a des excuses.

Une neige fine tombait. La route était glissante. François conduisait, Philippe, à ses côtés, lui donnait, soi-disant, des conseils : « Va doucement… À droite… À gauche. Fais attention! Il y a des plaques de glace », jusqu'à ce que François, agacé, lui dise :

– Tu veux bien la fermer? Je conduisais quand tu n'étais pas encore né!

– Messieurs! Messieurs! dit Charles.

– Il m'agace ce petit gueux, rétorqua François. S'il veut le volant, je le lui laisse. Mais si c'est moi qui conduis, je veux qu'il me foute la paix!

«Les grogs de l'oncle François devaient être copieusement arrosés, songea Rose, ou alors François ne s'entendait pas bien avec son frère cadet.» Rose était tendrement pelotonnée contre Charles à l'arrière de la voiture, enrobée dans un plaid, la culotte de cheval mouillée sur ses genoux.

À l'arrivée, elle s'esquiva en douce jusqu'à sa chambre. Sa mère, qui était dans la chambre contiguë, l'avait entendue rentrer. Elle surgit aussitôt :

– Tu es tombée? Tu es blessée? Qu'est-ce qui t'est arrivé?

– Mais non, maman. J'ai dû me changer pour ne pas attraper froid. Et toi? As-tu passé un bon après-midi?

– Oui, je me suis reposée et ensuite, j'ai pris le thé avec ta future belle-mère et quelques personnes qui viennent d'arriver. Figure-toi que nous avons des connaissances communes. Elle a été au couvent avec la sœur de mon amie Marthe, qui a épousé un cousin éloigné de ta future belle-famille. Le monde est vraiment petit!

– Et papa?

– Papa n'a pas voulu sortir, car il trouvait qu'il faisait trop humide et a passé une bonne partie de l'après-midi dans la bibliothèque. Mais je bavarde, je bavarde! Il faut te préparer, ma petite chérie.

Une heure après, Rose, accompagnée de ses parents, descendait au salon.

Les couloirs du château embaumaient le feu de bois, la volaille grillée, les épices et la cire à encaustiquer. Rose se dit que le château n'était jamais aussi vivant qu'entouré de l'immensité blanche de l'hiver.

Dès que la porte du salon fut ouverte, Rose eut l'impression de rentrer dans une gravure. Le salon, que

Rose trouvait, en général, plutôt austère, avait été transformé comme par magie. Une guirlande de houx et de branches de sapin courait le long de la cheminée. Des bouquets de bruyère rose dans des vases en faïence de Delft étaient posés sur les tables basses et les guéridons. Sur le marbre d'une commode, une énorme gerbe de blé séché cerclée d'une tresse de paille tenait debout comme par miracle. Dans un coin du salon, des branchages étaient plantés dans une canne normande en cuivre. Sur ces branches nues, on avait attaché des dizaines de nœuds multicolores et de multiples petits paquets enveloppés de papier de soie vert ou rouge.

Une vingtaine de personnes étaient réunies. Dès qu'ils les virent, Charles et son père vinrent vers eux. Charles entraîna Rose et fit les présentations, pendant que le comte de R. se chargeait de ses parents.

Rose fut présentée à deux tantes assez âgées et à trois cousines. L'une des tantes, sans doute sourde, lui agrippa le poignet et l'attira vers elle pour comprendre ce que lui disait Rose. De près, Rose vit qu'elle avait du poil au menton et ressemblait à une chèvre. Charles, patiemment, répétait les paroles de Rose. Cela risquait de durer longtemps ! L'oncle François vint vers eux et Rose fut libérée. Une des jeunes cousines, Béatrice, bien en chair, serra Rose sur sa large poitrine. Elle était blonde, gaie et souriante. Sa sœur, Marie, qui se tenait à ses côtés, avait aussi une figure affable, mais était aussi maigre que sa sœur était enveloppée. Une autre cousine, plus âgée, sentait le vieux chat. Il y avait aussi un neveu, assez insipide, clerc de notaire, et deux nièces de l'âge de Charles, Armelle et Isabelle, jeunes femmes pétillantes, rieuses et charmantes, accompagnées de leur père. Rose vit aussi tante Yvonne qui était en grande conversation avec un vieux monsieur. C'était le père de la comtesse, le notaire. La main appuyée sur une canne, il s'excusa de rester assis. Tante Yvonne rayonnait et dit d'une voix forte, en tapotant la main de Charles :

– C'est moi qui lui ai présenté la jeune fille.

– Vous faites toujours bien, ma bonne amie, lui répondit le notaire d'une voix chevrotante.

Tante Yvonne se rengorgea.

Il y avait enfin les deux cousins dont elle avait déjà fait connaissance en novembre, celui qui appelait toutes les jeunes femmes « Chérie », Maxime, et celui du sandwich à la limace, Aubert.

Plus, bien sûr, François qu'elle vit en grande conversation avec son père et Philippe qui riait, coincé entre les deux sœurs, la maigre et la grosse. Sa mère parlait avec la comtesse. Beau-papa naviguait parmi tout ce beau monde, attentif à ce que chacun ne soit pas isolé et ait un verre bien rempli à la main. L'oncle François le secondait et bavardait très gentiment avec les vieilles tantes.

Les femmes étaient en robe longue. Sa future belle-mère portait une robe moirée, couleur gorge-de-pigeon, au décolleté carré discret et à manches dites « à sabot ». On aurait dit un personnage de Gainsborough. Son futur beau-père arborait une veste en velours vert foncé, à boutons d'argent, qui recouvrait un gilet écossais aux teintes sobres. L'oncle François portait un smoking classique avec un étonnant nœud papillon à pois. Lorsqu'il vit le regard de Rose sur son nœud papillon, il lui dit, en riant : « Ça pique toujours la curiosité des jeunes filles ! » et il ajouta après un instant d'un ton rêveur « et des moins jeunes… ».

Les deux sœurs avaient choisi le même modèle de robe, à encolure bateau, dans des couleurs différentes. Béatrice, la blonde, était en moire rose et avait un décolleté laiteux que lui aurait envié Renoir et qui pour l'instant était l'objet de toute l'attention de Philippe. Marie, la brune, avait choisi un taffetas bleu pâle qu'elle avait agrémenté d'une large ceinture en velours bleu roi. Elle faisait très gravure de mode.

– Vous avez une bien jolie robe, lui dit Rose.

– Je suis contente que vous me le disiez, c'est moi qui l'ai faite.

Rose eut une pensée pour sa mère qui ne voulait pas qu'on raconte ce genre de choses.

– Nous avons ouvert, ma sœur et moi, une boutique de mode à Verneuil, reprit-elle. Il faudra que vous veniez nous voir à la boutique, lorsque vous serez au château.

– Oui, avec plaisir. J'aime bien coudre aussi, répondit Rose, qui pourtant n'osa pas avouer qu'elle faisait, elle-même, la plupart de ses tenues.

Sa mère avait choisi une robe en jersey noir de coupe classique, un peu sévère, mais égayée par un large col en piqué blanc. Le choix de Rose s'était porté, après bien des hésitations et force encouragements de sa mère et d'une vendeuse de chez Burberry's, sur une jupe longue plissée écossaise dans des tons bleu marine et vert qui faisait, paraît-il, « très jeune fille », accompagnée d'un chemisier blanc à col officier et d'une veste courte cintrée en velours vert mousse, avec des brandebourgs ton sur ton.

– Tu pourras remettre cette jupe plusieurs fois, ma chérie. Tu peux la porter avec un « twin-set », c'est-à-dire un chandail et un cardigan assortis.

– Certainement, madame. Et mademoiselle peut aussi porter le cardigan sur le chemisier, comme tenue d'après-midi.

Quant au ravissant petit spencer, il irait très bien avec une jupe droite. Cette jupe droite avec le chemisier ou le chandail faisait deux autres tenues.

Rose appelait ça le système « oignon ». On change de pelure, on change d'allure. C'était formidable lorsque l'on était fauché et qu'on voulait être chic. Évidemment, les mots « formidable » et « fauché » étaient strictement bannis du vocabulaire des jeunes filles de bonne famille.

Sa mère lui avait donc acheté tout l'ensemble avec la satisfaction d'avoir fait des économies. Son père eut un haussement de sourcils quand il vit la facture, mais les deux femmes lui démontrèrent par A plus B, qu'elles avaient fait une bonne affaire. Démontrer cela à un prof de maths n'était pas évident. Beau joueur, il leur dit :

– Si ça te plaît, ma chérie, et que vous êtes contentes toutes les deux, c'est tout ce que je demande.

Sa mère et la vendeuse avaient eu raison, car la comtesse eut un mouvement d'approbation lorsqu'elle détailla l'ensemble de Rose. Et Charles, en lui mettant le bras autour de la taille, lui souffla : « C'est très coquin, ce spencer. J'ai envie de te croquer. » Lui-même avait adopté une tenue similaire à celle de son père. Les autres hommes étaient en costume croisé bleu marine très foncé, à l'exception de Maxime qui portait un smoking avec une chemise rayée, rose crevette et blanche.

– Mais que dirait ta mère, si elle était encore de ce monde, la pauvre femme, en te voyant accoutré comme cela ! s'était exclamée la comtesse.

– Mais, ma tante, c'est du dernier chic. C'est ce que l'on porte dans les salons, à Paris !

– Mon petit Maxime, tu as l'air d'un garçon de café !

– Ma tante, je vous aime !

La comtesse sourit.

Ah ! ce Maxime, il savait s'y prendre avec les femmes, songea Rose. Mais c'est vrai qu'il avait l'air d'un garçon de café !

À table, Rose avait été placée entre Charles – on ne sépare pas les fiancés – et François, qui avait à sa droite la jolie cousine blonde plantureuse. La mère de Rose était à la droite de Beau-papa et son père, à la gauche de la comtesse. Assise en face d'elle, Rose voyant le pauvre Philippe placé entre la tante au menton poilu et la cousine maigre, se dit que sa belle-mère avait fait le rond de table en connaissance de cause. Maxime pérorait entre Isabelle et Armelle et avait l'air de s'amuser comme un petit fou.

Le dîner fut fabuleux et long. Il y eut d'abord un consommé clair à la tortue, suivi de boudins blancs aux cèpes. Puis on servit des pâtés de faisan avec une laitue. Vint ensuite une dinde en grand tralala. C'est le garde-chasse, transformé en serveur d'un soir, qui l'apporta sur un plateau d'argent et lui fit faire le tour de la table. Elle devait peser au moins vingt-cinq livres et elle avait l'air d'un clown, car la cuisinière avait glissé des rondelles de truffe sous la peau. Le garde-chasse découpa la volaille et remplit les assiettes que la fille de la cuisinière, Albertine, et la fille d'un fermier, aide d'occasion, lui présentaient. Elles déposèrent ensuite les assiettes toutes garnies, avec farce, pommes duchesse et panais frits devant chaque convive. Les invités se passèrent la sauce à la crème et aux truffes qui embaumait, ainsi qu'une espèce de confiture blanchâtre qui sentait le vinaigre. « C'est du *chutney* aux groseilles », lui expliqua Charles. Rose, prudente, le passa à son voisin.

Un extra, chargé du service des vins, avait été spécialement engagé pour la soirée. On but un pouilly avec les boudins, puis un saint-julien avec le pâté de faisan. Rose touchait à peine ses verres, car elle ne voulait pas être resservie trop souvent. Charles le remarqua.

– Veux-tu de l'ermitage? C'est un blanc très léger. Les tantes ne boivent que ça pendant tout le souper.

– Non, ça va bien, mais si je bois trop, je vais avoir la tête qui tourne.

Un clos-vougeot fut servi avec la dinde. Rose y trempa les lèvres, puis le dégusta. Il était vraiment bon. Charles lui fit un petit signe d'encouragement. L'ambiance était gaie et les conversations animées. De droite ou de gauche, éclatait soudain un rire de jeune femme qui ne pouvait résister à la drôlerie d'une histoire contée par son voisin. Le coin de Maxime remportait la palme, mais Rose se demandait bien ce que l'oncle François pouvait raconter à ses deux vieilles voisines pour qu'elles aient l'air de s'amuser autant. En fin de soirée, on leur aurait donné vingt ans de moins. Même Philippe se mit à l'unisson et taquina ses voisines. C'était Noël! Charles serrait souvent la main de Rose sous la table, comme un chapelet muet de «je t'aime».

Le repas continuait. On leur servit ensuite, dans des flûtes à champagne givrées, un granité au calvados. Rose ne savait pas qu'on servait un sorbet au milieu du repas, mais trouva ça délicieux.

Charles lui souffla :

– Autrefois, on faisait le trou normand après la dinde, mais un jour, mon père s'est mis à ronfler, assis à table. Depuis, maman sert un granité. Elle trouve que ça fait digérer et que ça réveille.

Après le granité, ce fut comme un signal, plusieurs invités se levèrent, certains se dégourdirent les jambes, d'autres sortirent pendant quelques minutes. Pendant ce temps-là, Albertine et la petite aide débarrassaient la table et le garde-chasse remportait les restes de la dinde et les plats les plus lourds. C'était un beau brouhaha. Rose se leva et alla entourer sa mère de ses bras.

– Ça va, maman?

– Oh oui! ma chérie.

«Oh oui!» fut la seule parole qu'elle put dire.

– Alors, ma petite Rose, ça vous plaît? intervint Beau-papa, qui, appuyé sur le dossier de sa chaise, mit ses pouces dans les poches de son gilet.

Rose eut envie de l'embrasser, mais se retint et lui fit un sourire qui exprimait toute sa satisfaction. Chacun reprit sa place.

Les garçons se mirent à scander : «Un toast! Un toast!»

Beau-papa se leva, prit un verre devant lui, oscilla légèrement d'avant en arrière, puis reprit son équilibre :

– Je souhaite à Rose et à Charles le bonheur que j'ai connu avec ma chère épouse…

Il hésita et, baissant la tête, dit d'une voix sourde :

– Je bois aux absents qui sont dans nos pensées.

Sa belle-mère eut les larmes aux yeux.

D'un bel ensemble, Charles et François, suivis de Philippe se mirent debout et levèrent leur verre :

– À la famille!

À ce moment-là, la cuisinière entra, portant un plum-pudding qui flambait. Albertine suivait, portant respectueusement une soupière qu'elle déposa près de l'oncle François. J'appris plus tard que le même cérémonial se déroulait chaque année et que la soupière contenait la *hard-sauce* que des lointains cousins anglais envoyaient depuis des années à la famille de l'oncle François. C'était sûrement très bon, mais Rose, malgré l'équipée de l'après-midi, n'avait absolument plus faim.

Il était près de onze heures lorsque le repas prit fin. Les invités reculèrent discrètement les chaises pour être plus à l'aise. Ils attendaient tous, pour sortir de table, le signal de la maîtresse de maison qui ne venait pas. Rose comprit vite pourquoi.

– Fais venir tout le monde, ordonna le comte à la cuisinière.

Quelques instants plus tard, Albertine, le garde-chasse, la petite aide et trois autres personnes qui avaient dû aider à la cuisine se présentèrent à la porte.

– Entrez, mais entrez donc, dit le comte.

Il se leva, en s'agrippant des deux mains à la table. Il se tourna impatiemment vers l'extra qui comprit et déboucha les bouteilles de champagne. Puis, nommant chaque serviteur, il les remercia de l'excellence de la soirée. Une flûte de champagne à la main, il exigea :

– Et maintenant, tout le monde trinque!

Et manants et châtelains, jeunes et vieux, gâtés par la nature ou défavorisés, Parisiens et Normands, tous trinquèrent joyeusement.

L'oncle François et les vieilles tantes, et même le père de la comtesse qui devait avoir, au moins, quatre-vingts ans étaient les plus bruyants. Charles, qui sentait l'alcool à six lieues, serra Rose violemment contre lui. Maxime s'éclipsa avec Armelle et Isabelle à chaque bras. La jolie blonde s'approcha de Philippe et trinqua avec lui. Les parents de Rose se regardaient en souriant. Le comte alla embrasser sa femme, puis la cuisinière.

Beau-papa aimait bien manger.

# 8

# Lendemains de fête

Rose se réveilla tôt, la tête lourde. Le château semblait dormir. Quelle heure pouvait-il être? Sa montre était arrêtée. Elle revit la scène de la veille et cet extraordinaire réveillon. Il n'était pas étonnant après toutes ces agapes que tout le monde dormît encore. La veille au soir, la comtesse avait proposé à ceux qui le désiraient de rester pour la nuit, afin de ne pas repartir dans le froid. Elle craignait, avec justesse, que ses invités se retrouvent dans un fossé. Seul, le jeune Aubert avait refusé l'invitation.

Rose, qui n'aimait pas traîner au lit, se dit qu'un café lui remettrait les idées en place et fidèle à l'habitude qu'elle avait prise lors de son dernier séjour, décida de filer en douce jusqu'à la cuisine. Elle ne vit personne, mais il y avait du café chaud sur le coin du fourneau. La demoiselle marquait six heures. Elle se servit, but son café, remonta dans sa chambre et, pour ne pas avoir froid, se glissa dans son lit. Cinq minutes après, elle dormait.

Les chiens qui aboyaient dehors la réveillèrent en sursaut. Il faisait grand jour. Elle sauta de son lit et, curieuse, alla vite à la fenêtre. Elle vit un cavalier qui tenait par la bride un autre cheval. C'était Charles qui avait été rechercher les chevaux. Rose sauta dans ses vêtements, descendit en courant l'escalier, croisa un Philippe en robe de chambre qui lui demanda si elle savait qui était l'imbécile qui avait laissé sortir les chiens, et se trouva à la porte de la cuisine en même temps que Charles qui revenait des écuries.

– Bonjour, ma belle, bon Noël. Tu aurais dû venir avec moi ce matin…

Elle l'embrassa. Il sentait bon la fraîcheur du matin.

– Avez-vous mangé, Monsieur Charles? À votre âge, ce ne sont pas les baisers qui vont vous nourrir, les interrompit la cuisinière. Et vous, Mademoiselle Rose, ça ne vous ferait pas de mal d'engraisser un peu. Allez! sortez de ma cuisine, j'ai assez à faire comme ça!

Ils rirent. Elle se radoucit :

– Je vous envoie Albertine avec du café chaud.

– Tu as mangé, toi? demanda Charles.

Rose secoua négativement la tête.

– Et bien, allons-y. J'ai une faim de loup. Rien ne vaut un bon galop le matin pour réveiller son homme!

Et ils partirent, bras dessus, bras dessous, jusqu'à la salle à manger.

En ce temps-là, la comtesse recevait « à château ouvert », selon l'expression de Philippe, c'est-à-dire que les invités restaient autant de temps qu'ils le désiraient. Aussi, plusieurs tantes et cousines, ainsi que le père de la comtesse allaient rester tout le temps des fêtes, et peut-être certains resteraient plus longtemps encore.

La comtesse avait institué diverses habitudes de vie qui rendaient le séjour agréable et léger. Lorsqu'il y avait des invités, le couvert était mis sur la table de la salle à manger dès sept heures du matin. Albertine débarrassait la table à onze heures. Ceux qui se levaient avant sept heures pouvaient toujours avoir un café et des *buns*, des merveilles ou des norolles à la cuisine. Les norolles étaient des sortes de biscuits que la cuisinière faisait en quantité et qu'elle gardait dans une boîte en fer, sur une étagère de la cuisine. Philippe et Charles en étaient particulièrement friands.

Ceux qui se levaient plus tard allaient se servir à la salle à manger. Les plats chauds, posés sur des chauffe-plats, étaient alignés sur une desserte. Il suffisait de soulever les lourds couvercles d'argent pour se servir. Albertine apportait régulièrement du thé et du café chauds. Le pot à lait se trouvait curieusement posé dans la niche d'une double fenêtre dont la vitre extérieure était laissée entrouverte. On l'appelait, tout bêtement, « la fenêtre du lait ». Située au nord, c'était un réfrigérateur naturel.

Au centre de la table, se trouvaient différents pains : du pain doux et du pain salé ainsi que du pain « brié », à la mie très serrée – la cuisinière était originaire du pays d'Auge – que Rose trouvait « étouffe-chrétien ». Il y avait aussi de grosses brioches que chacun découpait, les chers « beunes » de Beau-papa, un *coffee-cake*, sorte de quatre-quarts sec, des pains ronds aux raisins de Corinthe et une assiette de norolles ou des merveilles dressées sur une serviette. Il y avait aussi un assortiment de confitures maison et une jatte de fromage blanc. Le beurre était caché sous une cloche en faïence colorée. Chacun se servait comme il voulait et quand il voulait, ce qui permettait à certains de dormir tard.

Comme le personnel n'était plus aussi nombreux qu'avant-guerre, on demandait à chacun de débarrasser son couvert et de le poser sur un plateau, placé à cet effet sur une petite table. Albertine le remportait lorsqu'elle revenait avec du café frais.

L'organisation était un des points forts de la comtesse. Rose s'en aperçut lorsqu'elle la connut mieux. Elle entendit souvent sa belle-mère répéter : « Chaque chose en son temps et une place pour chaque chose. »

En général, à midi, à part lorsqu'il y avait des déjeuners priés, le même système était en vigueur. C'était les en-cas, sorte de buffets froids. Ils étaient servis de midi à deux heures. Le comte, de temps à autre, sourcillait devant ces dérogations au protocole et lançait à sa femme :

– Vous vous prenez pour une Américaine, ma chère!

Mais il se rendait vite aux arguments de son épouse qui, en privé, lui disait :

– Si vous voulez être servi comme du temps de votre mère, engagez plus de personnel. Sinon, la cuisinière va rendre son tablier.

Devant une telle catastrophe, le comte s'inclinait. C'était un argument-choc!

Ce matin-là, Rose se contenta d'un morceau de brioche et d'un bol de café et vit, avec effroi, Charles remplir une assiette pleine de rognons grillés, prendre un morceau de lard et rajouter un gros morceau de fromage. Après quoi, il attira vers lui la corbeille à pain et prit une bonne poignée de norolles qu'il mit dans une deuxième assiette.

– Ça va, l'appétit! lui lança-t-elle, ironiquement.

– Si tu étais venue avec moi, tu aurais faim. Galoper le matin, ça creuse!

– Tu aurais dû me réveiller!

– Entendu. Demain, je frapperai à ta porte.

Il tint parole le lendemain. Rose, après sa première expérience, s'habilla en double. Elle enfila deux chandails l'un sur l'autre, deux paires de chaussettes, deux paires de gants et un bonnet de laine qu'elle mit sous sa bombe. «Je dois avoir l'air hideuse, se dit-elle, mais, tant pis! Je ne veux pas me retrouver au lit avec un rhume.»

La semaine passait vite. Rose et ses parents furent invités à déjeuner chez l'oncle François et à prendre le thé chez une tante du côté de Breteuil. Charles les accompagna. Charles et Rose, accompagnés de Philippe allèrent aussi voir la boutique des deux sœurs à Verneuil. Puis, avec la comtesse, ils rendirent visite à Adélaïde-Victoire, sœur Thérèse-Marie, dans son couvent de Briouze. Cette visite remua Rose.

Ils sonnèrent à la porte du couvent. Ils entendirent les pas d'une sœur sur le gravier. Elle ouvrit un judas. La comtesse releva la voilette de son chapeau, se nomma et expliqua l'objet de sa visite. Ils entendirent la clé du verrou tourner. La lourde porte s'ouvrit. La sœur portière les fit entrer et attendre au parloir. Rose s'assit patiemment, sous le regard d'un Christ en croix. La pièce sentait le chou et l'encaustique. Personne ne parlait. On aurait dit qu'une chape de silence était tombée. Qu'est-ce que ce serait, si c'était un ordre fermé! songeait Rose. Puis, sœur Thérèse-Marie arriva, vive, joyeuse. Elle embrassa sa mère, son frère, se tourna vers les parents de Rose avec un large sourire et prit les deux mains de Rose en lui disant :

– Alors, voici cette petite Rose dont j'ai beaucoup entendu parler! Toute jeune et toute mignonne, elle est arrivée à attendrir le cœur de mon chenapan de frère.

Charles rit, la comtesse sourit.

– Et comment va papa? Et qu'y a-t-il de neuf au château? Et Unetelle, comment va-t-elle? Et les enfants Untels?

Elle demandait des nouvelles de tous, de la famille et des fermiers.

– Je vais essayer de venir quelques jours, en février, mais nous avons tellement de personnes à nous occuper à l'hospice…

– Vous vous occupez de personnes âgées? demanda Rose.

– Oui, mais nous avons aussi de plus en plus d'enfants. Nous les gardons un temps, puis nous essayons de les faire adopter. Les bébés, c'est assez facile, mais, pour les enfants plus âgés, c'est difficile. Ils ont des habitudes. Ils se souviennent. Et on a du mal à les placer. Ils nous reviennent souvent.

Se tournant vers Charles, elle ajouta :

– Parle-moi de toi. Comment as-tu connu cette belle jeune fille?

Charles lui donna quelques explications.

– Tante Yvonne? Ah! elle avait bien essayé aussi avec moi, dit-elle en riant.

Puis, se tournant vers sa mère :

– Vous devez être contente, Mère, que le Seigneur ait répondu à vos prières en vous envoyant une autre fille.

Une cloche sonna au loin.

– Voici les vêpres. Merci, Mère, d'être venue. J'ai toujours plaisir à vous voir. Je te remercie, Charles, de m'avoir amené ta jolie fiancée. Je suis heureuse pour toi. Revenez me voir, Rose. La sœur portière va vous raccompagner.

Et elle partit.

Le retour se fit dans le silence. La comtesse avait rabattu sa voilette sur son visage et regardait par la fenêtre, perdue dans ses pensées.

«Sœur Thérèse-Marie avait l'air heureuse, songeait Rose, mais quelle vie! C'est beau ce qu'elle fait, mais moi, je n'en serais pas capable. Et puis ne pas se marier, ne pas voyager, ne pas être libre… » D'un autre côté, Adélaïde-Victoire avait trouvé sa voie. On disait qu'on pouvait être appelée. Cela faisait un peu peur. Et si elle, Rose, faisait un mauvais choix? Si elle se trompait?

Rose n'avait pas oublié ses tergiversations de décembre. Il fallait qu'elle parle, cœur à cœur, avec Charles, mais elle ne trouvait jamais le bon moment. Ils n'étaient jamais seuls. Au château, il y avait toujours tante Yvonne, une des tantes, une cousine, un beau-frère ou un parent pas loin. Dehors, ils sortaient souvent accompagnés de Maxime ou Philippe. Rose ne s'en plaignait pas, car elle les aimait bien tous les deux. François se joignit à eux, une ou deux fois, mais il était tellement taciturne qu'il en devenait rabat-joie.

Un soir, elle entendit François parler, à voix basse, à son père, des «événements». Rose, qui avait un livre ouvert sur les genoux, les entendit. Cette nuit-là, elle dormit mal. Elle voyait les images des soldats égorgés, des fellaghas dont les corps desséchaient au soleil, de ces prospecteurs de pétrole qui avaient été enlevés. Elle tremblait lorsqu'elle se remémorait l'histoire, racontée par François, de cette compagnie entière de méharistes qui avaient déserté, après avoir égorgé tous les officiers et sous-officiers.

Au petit matin, elle avait vieilli et eut presque honte de son attitude. Il n'était pas de mise d'avoir des trémolos de jeune fille effarouchée – voilà qu'elle parlait comme Beau-papa – quand tant de malheurs arrivaient. Rose pensait aux fiancées de ces garçons, à leur mère, à leurs sœurs. Charles était là, il était en vie. C'était cela qui était vrai.

Le 31, Rose et Charles firent une longue promenade en forêt, à pied.

– Charles, dis-moi, pourquoi faut-il attendre jusqu'en juillet pour se marier? Tu as entendu nos mères, hier soir?

Et Rose les imita :

« On ne se marie pas pendant le carême! On ne se marie pas en mai, parce que c'est le mois de Marie! On ne se marie pas un samedi, parce qu'il n'y a que les fermiers qui se marient le samedi. En février, c'est trop tard à cause des bans, et impossible en juin à cause de je ne sais plus trop quoi! Juillet, ça va être les grandes vacances, et voilà!

Pendant cette sortie, Charles la regardait, impavide.

– Charles, dis quelque chose, reprit Rose d'un ton inquiet. Tu veux toujours qu'on se marie? Qu'est-ce qui se passe, Charles? Tu ne m'aimes plus!

Charles éclata de rire. Rose sentit ses larmes monter.

– Tu es une bécasse, tu sais. Bien sûr que je t'aime, ma petite fille, lui dit-il en la prenant dans ses bras. C'est ton père qui a exigé un an de fiançailles, car il te trouve bien jeune. C'est sérieux le mariage, tu sais, c'est pour toute la vie! J'ai accédé à sa demande, car... je ne voulais pas te bousculer... et puis, je suis beaucoup plus vieux que toi... C'était plus raisonnable.

– Raisonnable! Raisonnable! Ce n'est pas par raison que je t'épouse.

Charles rit :

– Moi non plus, ma chérie, crois-moi!

– Alors? Qu'est-ce qu'on attend?

– Rose! Rose! Tu es si jeune, si bouillante...

– Et toi! Tu es si vieux que tu auras des cheveux blancs avant que les parents nous laissent nous marier.

– Merci pour les cheveux blancs! Regarde de près.

Et Charles se pencha, lui montrant le haut de son crâne.

Rose rit.

– Tu es insupportable, Charles ! Je suis sérieuse.

– Je sais, ma chérie.

Et il l'embrassa de nouveau.

Rose songe que durant toute leur vie commune, Charles l'embrassait lorsqu'il voulait la faire taire. C'était un moyen très efficace pour désamorcer tout argument, toute discussion. Et dire que ce stratagème avait commencé dès ses fiançailles et qu'elle ne s'en était pas rendu compte !

– Tu as confiance en moi ?

Rose, nichée dans le creux de son épaule, acquiesça.

– Tu me laisses faire, je vais arranger tout ça. Voyons, ma chérie, essuie ces larmes.

Que l'on était bien sur ce chemin de forêt !

– Allez, ma chérie. On rentre. Et fais-toi belle ce soir, nous sommes invités chez des amis de Maxime pour fêter la Saint-Sylvestre.

– Je n'ai pas oublié.

Même si l'attente était parfois frustrante, c'était quand même super – mot banni du vocabulaire d'une jeune fille distinguée – d'être fiancée ! On pouvait aller en boum avec la bénédiction de son père.

Rose se sentait plus légère. Juste avant de rentrer au château, Charles lui répéta sur un ton emphatique :

– Allez, ma dame, séchez vos beaux yeux. Vous allez l'épouser ce vieux barbon, et plus tôt que vous ne le croyez !

Philippe qui passait, l'entendit et s'en mêla :

– Alors, ma Rose, mon grand frère vous fait pleurer ? Séchez vos beaux yeux, reprit-il, imitant son frère. Si ce vieux barbon ne veut pas vous épouser, moi, je vous enlève !

Charles tint parole. À la fin du dîner, alors que l'on échangeait les vœux de bonheur et santé pour le Nouvel An, il demanda la parole :

– Père, Monsieur, dit-il en s'inclinant successivement devant eux, avec votre permission, j'épouserai Rose le 24 avril.

« Ouahou ! pensa Rose. Il ne leur laissait pas le choix. » Pourquoi cette date ? Rose sentit le rouge qui lui montait aux joues. Son air ébahi fit rire Philippe qui s'écria : « Bravo mon frère ! »

La redoute était enlevée. Charles embrassa Rose. Les parents se congratulaient, les frères et les cousins s'embrassaient.

Ah ! cette famille ! C'était toujours du théâtre.

# 9

# 1958

Rose fêta ses dix-huit ans en janvier 1958. Ses parents ne firent rien de spécial pour cette occasion. Charles téléphona de Rouen, ce soir-là, et lui promit un cadeau qu'il lui apporterait à sa prochaine visite. Tante Yvonne appela aussi très gentiment. Sa mère avait commandé un gâteau de chez *Sineau*, rue de la Tour – encore un autre pâtissier favori de sa mère – dans lequel elle planta dix-huit bougies.

– Fais un vœu, Rose! Fais un vœu, lui dit sa mère lorsqu'elle se pencha sur le gâteau pour souffler les flammes vacillantes.

– Voyons! Superstition! Que pourrait souhaiter Rose? Elle a tout ce qu'il faut pour être heureuse, dit son père.

Rose fit un sourire de connivence à sa mère, puis souffla ses bougies. Elle alla embrasser son père.

«Quel vieux ronchon!» songea-t-elle.

Cela n'avait pas empêché Rose de faire le vœu d'être heureuse avec Charles, tout simplement, et que rien n'arrive avant son mariage. Et quand on disait «rien», c'était un euphémisme! On pensait que personne ne meure ou quelque chose de grave comme cela.

Pendant des années, la mort avait été la séparation de Roméo et Juliette, ou ce pauvre La Boétie arraché à

Montaigne, ou Molière malade dans son fauteuil, ou ce vieux cochon de Don Juan foudroyé. On mourait par romantisme, au théâtre, parce que l'on avait trop aimé ou que l'on s'était mal conduit.

Mais en 1958, Rose découvrit que la mort, c'était les larmes des mères qui pleuraient leur fils tombé en Algérie, c'était ces femmes voilées de la casbah qui sanglotaient en tenant dans leur bras le corps d'un enfant déchiqueté, c'était les larmes qui coulaient lentement sur les joues de cet officier au garde-à-vous qui saluait son camarade tombé au champ d'honneur – et que Rose imaginait être un champ de coquelicots en paradis – ou le regard dur, perdu dans les hauteurs du djebel, de ce fellagha devant le peloton d'exécution. La mort, c'était ces jeunes vies fauchées. C'était quelque chose que l'on taisait. C'était la grande hypocrisie des hommes, éternellement recommencée. Comment pouvait-on expliquer à une femme qui souffrait dans sa chair que le bambin, qu'elle avait si souvent consolé, lui avait été enlevé par Dieu, Allah, ou la politique? Bien sûr tout le monde se taisait et si Rose avait l'impudence d'aborder ce sujet, elle se faisait immédiatement remettre à sa place.

– Tu ne peux pas comprendre.

– Tu es trop jeune.

– Ce sont des choses qui te dépassent.

– Tais-toi.

Un véritable tollé!

C'est vrai que Rose n'avait pas de couleur politique. «D'ailleurs, pensait-elle, on appelait ça une couleur, car il suffisait que l'on vous trempât dans un autre bain de teinture pour aisément en changer.» Il n'y avait qu'à regarder autour de soi. Les gouvernements sautaient les uns après les autres. Le peuple grondait, les députés s'engueulaient – mot censuré –, les militaires se révoltaient, les étudiants s'agitaient, les pieds-noirs n'étaient pas contents, les Arabes n'étaient pas contents, même les curés s'en mêlaient!

C'était la grande chienlit, comme disait son père.

Alors, oui, dans ce climat d'incertitude et d'anxiété, Rose souhaitait survivre jusqu'à son mariage! Et souffler des bougies ne pouvait pas nuire.

Seul le château lui apportait l'apaisement. Il était là, solide, avait vu passer guerres et troubles, révoltes et trahisons, mais ses pierres se dressaient toujours au milieu des bois dans un refuge enchanté. Son futur beau-père avait aidé Rose, par petites touches, à faire la part des choses.

– Ma petite Rose, il y a des choses sur lesquelles vous pouvez agir, et d'autres sur lesquelles vous ne pouvez rien. La difficulté, c'est de faire la différence. Voyez-vous, Rose, vous aurez beau vous agiter comme ces dérangés à la Chambre, le printemps reviendra toujours et ce lin repoussera, disait-il, en désignant un champ fraîchement ensemencé.

Il ajoutait irrévérencieusement :

– Je devrais leur envoyer de l'huile de lin, à ces députés, ils seraient moins constipés!

Rose riait. Beau-papa, avec son bon sens terrien, était un sage.

– Allez, ma petite! Faites votre part sur terre, aimez Charles, faites-lui de beaux petits et ne vous interrogez pas sur des choses que personne ne comprend.

Ils allaient tranquillement au pas de leur monture. Beau-papa reprenait :

– Et si un jour vous êtes triste, Rose, allez faire une promenade en forêt. Écoutez, regardez et vous verrez que la vie, c'est beau, ça bruite, et que la mort, c'est de la pourriture qui sent mauvais. Mais que l'une et l'autre sont indispensables. Il n'y a pas de vie sans mort, et de la mort naît la vie. C'est dans l'ordre des choses… Et maintenant, on pique un petit galop, parce que j'ai faim et que la cuisinière a préparé un de ces salpicons de faisans aux girolles, dont vous m'en direz des nouvelles!

Cher Beau-papa, tellement plein de vie!

Aussi, lorsque son père, inquiet des troubles qui pouvaient surgir à Paris d'un instant à l'autre, l'incita à accepter l'invitation de séjourner au château dès les premiers jours de mars, Rose se laissa fléchir.

– Et mon bachot? protesta-t-elle pour la forme, car devant la gravité des événements, elle aimait mieux les leçons de Beau-papa que celles de son prof de philo.

– Tu n'auras qu'à suivre le programme dans tes livres. Et puis, s'il y a des troubles, les convocations seront repoussées à l'automne. Tu pourras toujours revenir passer trois jours à Paris pour les examens.

Sa mère fit chorus :

– Qu'as-tu besoin d'un diplôme? Tu vas épouser Charles. Il va avoir besoin de toi. Tu ne sais rien faire dans la maison. Là, sa mère exagérait! Il fait partie d'une vieille famille et a l'habitude d'un certain mode de vie. Il serait bon que ta belle-mère te mette au courant avant ton mariage. Tu sais, c'est important, ma chérie. Un couple, ça ne fait pas que roucouler, ça se construit.

Rose la regardait les yeux ronds. Charles l'aimait, elle l'aimait et ils se débrouilleraient bien tous les deux. Il est vrai que Charles devait beaucoup recevoir pour son métier et qu'il avait utilisé plusieurs fois le château comme cadre pour des réceptions d'affaires. Il était adjoint au directeur du développement commercial d'une grosse société, dont une des filiales était à Rouen. Une partie de ses responsabilités consistait, selon ce que Rose avait compris, à mettre en relation des industriels, des investisseurs, des banquiers et les préfets dont il ne fallait pas négliger le rôle. Initialement, il avait été engagé parce qu'il avait un grand nom et qu'il appartenait à une famille qui n'ouvrait pas facilement ses portes. Leurs ramifications s'étendaient dans toute la Normandie, dans le Sud-Ouest, en Suisse – une branche protestante avait fui après la révocation de l'édit de Nantes – et Outre-Manche. Il avait le prestige, les relations et il excellait, comme un bon marchand normand, à réunir et à convaincre des gens très différents.

Réunir tous ces gens-là, le temps d'une chasse ou d'une garden-party, était un jeu auquel se prêtaient merveilleusement la famille et le château.

Rose reconnaissait que sa future belle-mère était un modèle d'organisation dans tous les domaines, que ce soit pour « ses gens », comme elle disait, ou pour recevoir au château, qu'il s'agisse d'affaires ou de raouts familiaux.

Rose apprendrait. Elle adorait – encore un mot à ne pas employer hors-texte – se donner corps et âme à un nouveau projet. Tenace, fière et jeune, les défis l'attiraient. Il suffisait qu'une amie de classe lui dise : « T'es pas cap' » (capable), pour que Rose le fît.

Quant au mot « adorer », cela rappelait à Rose une anecdote désagréable.

Elle avait été invitée à dîner, avec ses parents, par un vieux général qui avait un fils un peu plus âgé qu'elle. Cela se passait en juin, juste avant qu'elle ne rencontrât Charles. On avait placé Rose à côté d'un jeune homme qu'elle trouvait boutonneux et bête. Au dessert, on avait servi des fraises à la crème. Le général, en lui passant la jatte, lui avait demandé :

– Aimez-vous les fraises, ma petite Rose?
– Oui, je les adore, avait-elle répondu spontanément.
– On adore Dieu et son mari, s'était-elle fait répondre vertement.
En sortant, sa mère lui avait dit sérieusement :
– Dis-moi, il a des vues sur toi pour son fils.
– Moi? Avoir un beau-père qui me fait la leçon? Merci! J'aime mieux les fraises que son idiot de fils qui ressemble à une tête de veau!
Sa mère avait été choquée, mais son père n'avait pu s'empêcher de rire.
– Ne ris pas! On ne la mariera jamais, cette petite, si elle continue à dire des choses comme ça, avait dit sa mère d'un ton inquiet.
Moins de trois semaines après, le traquenard du thé de tante Yvonne était en place. Sa mère y était certainement pour quelque chose. Au moins, Charles ne ressemblait pas à une tête de veau!

Dès les premiers jours de mars, Rose quitta un père si inquiet de la tournure des événements qu'il ne prenait son petit-déjeuner qu'après avoir lu les journaux du matin, et une mère qui entassait dans les placards de cuisine des kilos de sucre et des litres d'huile, « au cas où ».
À la question innocente qu'avait posée Rose :
– Mais que va-t-on faire de tant d'huile, maman?
– C'est pour tenir pendant le siège, lui fut-il répondu.
Rose trouvait ça absurde. On ne pouvait pas se nourrir uniquement d'huile! Et Paris assiégé? Comme pendant la Commune? Allons donc!
Le soir, sa mère faisait le tour de la maison et vérifiait que tous les volets en fer étaient bien fermés et les verrous tirés. Dix minutes après, son père faisait la même ronde. La peur s'infiltrait.

Dans Paris, la tension régnait. Rose ne reconnaissait plus « sa » ville et partit sans regret.

Au château, elle fut accueilli aimablement par sa future belle-mère et à bras ouverts par Beau-papa. Rose s'installait chez eux pour un temps indéfini. Charles, qui attendait une mutation pour septembre, avait suggéré que Rose restât au château tout l'été, où elle serait mieux que « dans ma garçonnière de Rouen où je ne suis que deux jours par semaine ». Il est vrai qu'il voyageait beaucoup en Normandie et, parfois même, au-delà des confins de la province.

– Je vous ai installée dans l'aile gauche dès maintenant, lui annonça sa belle-mère. Vous y serez plus à votre aise et cela vous évitera de changer d'appartement dans deux mois.

L'appartement en question était situé à l'opposé de celui de ses beaux-parents et comprenait un petit salon d'où l'on avait une magnifique vue sur la forêt et deux chambres séparées par une salle de bains.

C'était super ! Rose sut exprimer son enthousiasme. Elle était enfin accueillie à part entière. Elle se disait que le bras de fer de Charles au 1er janvier avait porté ses fruits. La vie avec sa belle-mère ne serait peut-être pas aussi redoutable que Rose le craignait.

– Je suis très touchée, Mère, et je vous remercie sincèrement, lui dit Rose. Et elle l'embrassa.

L'appartement était spacieux, gai, charmant, très « jeune ménage ». Elle s'y voyait déjà vivre avec Charles ! Rose se retenait pour ne pas sauter de joie.

– Merci, Mère ! Merci infiniment. Est-ce que Charles est au courant ?

Il ne lui avait rien dit.

– Non, ma petite fille – Rose nota que c'était la première fois que sa belle-mère employait cette expression – les hommes ne s'occupent pas de ces choses-là.

Et oups! La leçon débutait. Elle s'en accommoderait.

Et commença alors pour Rose une autre vie.

Rose découvrit vite que le rythme de vie à la campagne était très différent de celui qu'elle avait connu à Paris. À la campagne, ce n'était plus les hommes qui imposaient leurs conditions, mais la nature qui régnait en maître. Les hommes adaptaient leurs horaires au temps et aux saisons. Rose se levait avec le jour, prenait un café et allait faire un tour à l'écurie afin de s'assurer que tout était en ordre.

Rose s'était proposée pour cette tâche. Philippe était parti. Il avait été appelé sous les drapeaux en même temps que son cousin Aubert et que le garçon d'écurie.

– Cela ne vous ennuie pas, ma petite Rose? Je n'ai pas trop confiance dans le nouveau.

– Mais non, Père, avec plaisir. J'aime bien me lever tôt.

Il avait ri.

– Eh bien, tant mieux, ma petite Rose. Car vous verrez, quand vous aurez mon âge, vous apprécierez de rester une demi-heure de plus au lit.

Donc, tous les matins, Rose allait vérifier si les rations d'avoine avaient été distribuées, si l'eau fraîche avait été versée dans les seaux et si le crottin avait été enlevé sur les litières que l'on nettoierait plus tard dans la matinée. Bien lui en prit, car un matin le garçon d'écurie ne se montra pas. Rose fit le travail à sa place. Puis, un autre garçon fut engagé, auquel il fallu tout réexpliquer. Celui-là était plus jeune, mais il aimait les chevaux, suivait les indications et n'était jamais en retard.

Ensuite, Rose prenait son petit-déjeuner avec Beau-papa. Ils discutaient de la journée. En général, le matin, Rose s'occupait des chevaux, les sortait – il fallait parfois qu'elle fasse deux promenades coup sur coup, car on manquait de cavaliers –, emmenait les chevaux que l'on ne montait pas à l'herbage et aidait son beau-père à débourrer deux poulains de trois ans que l'on habituait à la selle. Rose fit quelques belles chutes.

– Ça va, mon petit? lui demandait-il en la relevant. Je les monterais bien si je n'étais pas si lourd, disait-il en s'excusant, et il l'aidait à remonter.

Il fallait aussi habituer les jeunes poulains au licol. C'était de vrais garnements qui avaient tendance à mordre. Rose s'en méfiait. Elle n'aimait pas non plus s'occuper d'un yearling qu'elle trouvait vicieux et fou. C'était un pur-sang. Même le garçon d'écurie en avait peur. Il n'y avait que son beau-père qui s'en occupait sans crainte.

– Vous savez, Rose, les chevaux sentent si vous avez peur.

Elle le savait bien, mais ne pouvait pas s'en empêcher. Ce yearling était dingo.

La matinée passait trop vite. À midi, ils quittaient l'écurie et n'avaient que le temps de se changer avant de passer à table. Ils déjeunaient avec la comtesse. Rose, l'appétit aiguisé, appréciait l'excellence de la cuisine. Elle comprenait pourquoi Beau-papa aimait tellement sa cuisinière. Ou du moins, l'innocente Rose crut comprendre. Mais cela est une autre histoire.

L'après-midi, Rose avait prévu un programme d'étude qu'elle mit souvent de côté pour suivre sa belle-mère. Pour se donner bonne conscience, elle se disait qu'elle ne faisait que suivre les conseils de sa mère.

Une fois par semaine, la comtesse se rendait au presbytère. Elle avait mis sur pied un ouvroir qui réunissait quelques bonnes âmes des environs afin d'aider des femmes dans le besoin ou des femmes seules touchées par un malheur. C'était une sorte de réunion d'entraide morale et sociale. Les mains occupées, en confiance, ces femmes qui n'avaient personne à qui confier leurs soucis et qui n'auraient jamais osé aborder certains sujets avec monsieur le curé, laissaient couler les confidences.

Le réseau, qui regroupait toutes les cousines et relations de la comtesse à trente kilomètres à la ronde, était aussi un bureau de placement pour les cas à dépanner. Par exemple, on éloignait dans un château avoisinant telle petite jeune fille qui avait de mauvaises fréquentations ou on trouvait un emploi à une jeune femme qui venait d'être abandonnée avec son enfant. La comtesse ne manquait jamais une réunion et si elle s'apercevait qu'une de ses cousines était absente, elle s'empressait, dès son retour au château, de lui téléphoner pour prendre de ses nouvelles.

Rose, au début, s'était sentie mal à l'aise dans ces réunions. Elle ne savait que dire à une femme que le mari battait tous les samedis « qu'il fasse beau, qu'il pleuve ou qu'il vente », comme elle le racontait elle-même, ou à cette autre dont la belle-mère la traitait « pis que la vache », ou à une autre dont le fils aîné était en prison. Par contre, les vieilles dames esseulées qui venaient à l'ouvroir pour avoir de la compagnie étaient plus dans ses cordes. Rose les écoutait parler de leurs enfants et petits-enfants. Et d'une semaine à l'autre, lorsque Rose, qui les écoutait attentivement, leur demandait des nouvelles du petit Pierre ou de la jeune

Louise, elles étaient toutes contentes. Parler des absents était leur petite joie.

À la fin de la réunion, il arrivait que le curé demanda à parler, en privé, à madame la comtesse. En général, c'était pour lui signaler un nouveau cas.

– Je vais voir ce que nous pouvons faire, répondait la comtesse, invariablement.

Le lendemain, la comtesse, munie d'un panier que Rose portait, allait dans une ferme rendre visite à la personne en question.

Elle frappait à la porte et entrait sans attendre, s'asseyait sur le premier banc qu'elle trouvait, acceptait la tasse de café qu'on lui offrait, écoutait, jetait un coup d'œil discret autour d'elle, posait quelques questions et voyait de quelle manière elle pouvait aider. Parfois, elle se proposait pour écrire une lettre ou pour faire le lien avec un service du département.

D'autres fois, Rose accompagnait sa belle-mère dans la tournée des fermes. Sa belle-mère, bien organisée, tenait un carnet dans lequel elle notait tout ce qui concernait les familles de ses fermiers. Elle s'astreignait à leur rendre visite une fois par mois et n'arrivait jamais les mains vides. Il était rare, aussi, qu'elle repartît les mains vides.

Rose souriait en la voyant faire. La comtesse, qui avait laissé les nurses, gouvernantes, précepteurs et domestiques élever ses enfants, donnait des conseils aux jeunes mères de telle manière que l'on aurait pu penser qu'elle avait torché, elle-même, les siens. La comtesse était une fervente avocate de la tempérance et répétait à chaque mère d'un nourrisson qu'il ne fallait pas mettre de « calva » dans le biberon – coutume bien ancrée dans cette région – pour faire dormir le bébé. Les mères acquiesçaient et continuaient à faire ce que leur propre mère avait fait auparavant. Elles ne s'en portaient pas plus mal, n'est-ce pas?

Jamais semaines ne passèrent aussi vite. Charles venait au château tous les week-ends. Il arrivait vers cinq heures. Rose allait au-devant de lui. Elle l'attendait, assise sur la borne de l'entrée de la propriété. Il arrivait, la voyait, entrouvrait la portière. Elle sautait dans la voiture. Ils échangeaient un long baiser, puis Charles se reculait pour la regarder. Ensuite, seulement, ils roulaient lentement jusqu'au château.

Le lundi matin, dès potron-minet, Charles repartait. Rose n'aimait pas le voir partir et ne se levait pas. De sa chambre, elle entendait la voiture rouler sur le gravier de la cour. Alors seulement, elle descendait prendre un café dans la cuisine. Ces jours-là, la cuisinière l'accueillait avec un rapide bonjour et vaquait à ses occupations, en lui tournant le dos.

Une heure après, Rose était à l'écurie. Le marasme de l'aube s'envolait. Une nouvelle journée commençait. Une nouvelle semaine commençait.

Charles serait de retour dans quatre jours.

## 10

# Le mariage

Le matin de son mariage, Rose faillit faire mourir de peur la cuisinière. Réveillée tôt – les bonnes habitudes ne se perdent pas – Rose décida d'aller faire un tour rapide à l'écurie. Lorsqu'elle revint, elle surprit la cuisinière qui lâcha une plaque à biscuits qu'elle avait dans les mains.

– Ah! Mademoiselle Rose, c'est vous? C'est bien vous? J'ai cru voir un fantôme, lâcha-t-elle d'un trait en s'asseyant.

Puis, reprenant souffle, elle retrouva son mauvais caractère et se mit à gronder Rose :

– Mais, a-t-on idée? Qu'est-ce que c'est que cette petite mariée que vous me faites? Vous lever comme ça, à l'aube, et surprendre les gens! Si Madame la Comtesse le sait, Mademoiselle Rose, vous allez voir, vous allez être grondée. Filez, filez dans votre chambre avant qu'elle ne vous surprenne. Et Monsieur Charles vous donnera la fessée. Vous allez être mariée, maintenant, dit-elle d'un ton grivois, lourd de sous-entendus.

Rose la laissa dire. Rien ni personne ne pouvait arrêter Louise quand elle montait sur ses grands chevaux. Même le comte sortait de la pièce lorsqu'elle était de cette humeur. Rose la regarda d'un air frondeur, attrapa une poignée de merveilles et remonta sagement.

Ses parents étaient arrivés au château deux jours auparavant, ainsi que plusieurs autres invités. Le mariage civil avait eu lieu la veille et avait été suivi d'un souper froid.

Charles était hébergé chez l'oncle François, pour respecter la coutume qui veut que le marié ne voie pas la mariée avant la cérémonie. Philippe, le garçon d'honneur de Charles, avait eu une permission de vingt-quatre heures, mais François n'avait pu venir. Il avait fait envoyer d'Algérie un bouquet de dattes! Ou, du moins, on aurait dit un bouquet de dattes. C'était la cuisinière qui avait reçu le paquet. Elle l'avait déballé et, surprise par l'aspect de ce curieux bouquet – les dattes étaient en branches – l'avait apporté à madame la comtesse.

– Qu'est-ce qu'ils font les Arabes de Monsieur François pour que leurs fleurs soient toutes collantes? s'était-elle exclamée.

Rose riait encore, en se remémorant la scène.

Assise sur son lit, les bras autour de ses jambes, le tête posée sur ses genoux, elle s'interrogeait sur le lieu de leur voyage de noces.

– C'est une surprise, lui avait dit Charles.

Il adorait faire des surprises, mais Rose s'en méfiait, car elles étaient souvent entachées de moquerie. Pour ses dix-huit ans, Charles lui avait offert, comme à une enfant gourmande, des sucres de pomme de Rouen. Que n'allait-il pas encore inventer?

– Dis-moi un peu, quand même.

– Tu ne fais pas confiance à ton mari?

Rose commençait à le connaître et savait que c'était le genre de discussion à n'en plus finir. Elle ne saurait rien.

– J'emporte des vêtements chauds ou légers?

– Comme ici, lui avait-il répondu. Et n'oublie pas tes jodhpurs, cette fois-ci.

Ah! C'était une indication. Mais où allait-il l'emmener? s'interrogeait Rose.

On frappa à la porte. C'était sa mère.

– Alors, c'est le grand jour, ma chérie? lui dit-elle gentiment. Pas trop émue? Tu n'as besoin de rien?

– Non, ça va, maman.

Rose ne voulait pas se laisser gagner par l'émotion. Si elle allait éclater en sanglots à l'église comme cette cousine dont les garçons racontaient encore l'histoire.

– Elle pleurait tellement, Rose, le jour de son mariage qu'elle n'a pas été capable de dire «oui» et qu'elle est ressortie de l'église pas mariée. Ce sont des choses qui arrivent plus souvent qu'on ne le croit, lui disait Aubert d'un air de connaisseur.

– Surtout lorsqu'on est jeune, renchérissait Charles.

– C'est pour cela que moi, je n'épouse pas, rétorquait Maxime. Une mariée en pleurs! Beurk! De quoi aurais-je l'air? Pense-t-elle que je vais la battre comme mon ancêtre, l'Affreux?

Ces garçons! Ils avaient toujours un répertoire d'histoires qui venaient à propos. Les personnages dont ils parlaient pouvaient avoir vécu des siècles auparavant, mais ça, ils ne vous le disaient pas! L'Affreux était le *Barbe-Bleue* de la famille, qui avait vécu au XV^e^ siècle.

En février, à la Chandeleur, ils s'étaient retrouvés tous les quatre, Maxime, Aubert, Charles et Rose. Les deux cousins n'avaient eu de cesse de taquiner la future mariée et Charles s'en était amusé.

– Charles! Écoute mon conseil, lui disait Maxime. Si tu veux que Rose ne te mène pas par le bout du nez, applique la recette de mon grand-père. Il avait enfermé ma grand-mère au retour de la messe et ne l'avait laisser ressortir que huit jours après. Les domestiques déposaient des plateaux à la porte. C'est efficace. Mon père est né neuf mois après, jour pour jour!

– Ce qu'il ne te dit pas, c'est que le grand-père l'avait attachée à son lit, ajoutait Aubert.

– Elles aiment ça, tu sais, reprenait Maxime en connaisseur.

– Mon autre grand-père a battu sa femme huit jours de suite. Il a eu la paix toute sa vie, reprenait Aubert. Il faut dire que ce vicieux battait aussi ses juments.

– C'est tout, les garçons? les avait interrompus Rose.

– Mais oui, mais oui, de toute façon, tu n'y peux rien, c'est héréditaire.

– Charmant! avait rétorqué Rose.

– Ne t'inquiète pas, ma chérie, si ce grand loup te traite mal, tu viendras me voir et je te consolerai, lui disait Maxime d'un ton charmeur.

– C'est peut-être Charles qui aura besoin d'être consolé, avait répliqué Rose.

Charles, beau joueur, avait répondu en haussant les épaules :

– Mes pauvres amis! Que voulez-vous? On n'a plus les femmes qu'on avait...

Ce qui les avait tous fait rire.

Sa mère était en train de tourner dans sa chambre. Elle déplaça une brosse, passa un doigt sur le diadème posé sur la commode, retoucha un pli de la robe étalée sur un fauteuil, aligna la paire d'escarpins blancs, vérifia si l'ensemble que Rose allait mettre pour partir était prêt, ne le trouva pas, s'inquiéta, fouilla dans le placard et ne vit que des vêtements sport.

– Arrête, maman! Tu vas finir par me rendre nerveuse. Tout est prêt, j'ai vérifié hier soir. Je n'attends plus que le bouquet de fleurs.

– Mais je ne vois pas le tailleur que tu vas mettre pour partir.

– Ne t'inquiète pas, maman, c'est une surprise, répondit Rose.

Elle avait vite été à bonne école avec Charles!

– Viens, maman. Allons prendre un bon petit-déjeuner et après on se fera belles.

Sa mère sourit et se lança dans les confidences.

– Quand je me rappelle le matin de mes noces, avec ton père…

La matinée fut digne d'une pièce de boulevard. On entrait et sortait de la chambre de Rose comme sur une scène de théâtre. On eut dit que tout le château était en effervescence. Albertine vint dix fois frapper à la porte de Rose :

– Madame la comtesse m'envoie pour vous demander si vous n'avez besoin de rien.

– Madame Yvonne m'envoie pour vous recommander de porter ce petit mouchoir bleu. C'est un porte-bonheur, dit-elle.

– Madame la comtesse m'envoie pour vous dire que la voiture sera prête à midi, en bas.

– Madame votre mère m'envoie pour vous dire de bien vous couvrir. Elle dit que les églises de campagne sont glacées.

Sa mère surgit, affolée. Les catastrophes étaient son domaine de prédilection.

– Je viens d'avoir ma cousine de S. au téléphone. Son fils est malade. Il faut qu'on lui trouve un remplaçant.

Le petit Charles de S., filleul de Charles, était un des pages.

– Ta belle-mère est en train d'appeler à Breteuil, pour voir s'il n'y a pas un neveu de la même taille – à cause du costume – qui pourrait le remplacer au pied levé.

Béatrice, la charmante cousine qui venait d'arriver dans la chambre de Rose, essaya d'arranger les choses.

– Mais, ça ne fait rien, madame. S'il est malade, ce petit, il est mieux dans son lit. On s'en passera. C'est tout.

Sa mère repartit et revint dix minutes plus tard.

– Ta belle-mère n'arrive pas à rejoindre ton fiancé. Elle dit que la ligne d'oncle François est en dérangement.

Béatrice et Rose se regardèrent.

– Charles a eu peur. Il s'est enfui, dit Béatrice avec grand sérieux.

– À moins qu'il soit tellement soûl, qu'il n'entende pas le téléphone, renchérit Rose.

– S'il est malade, il est mieux au lit, reprit Béatrice.

– On se passera de lui! dirent-elles ensemble.

– Dis-moi, Béatrice, il faut qu'on lui trouve un remplaçant, continua Rose avec autant de sérieux qu'elle pouvait.

– Il y a toujours le garçon d'écurie. Ce serait dommage de perdre la pièce montée...

Elles pouffèrent comme deux collégiennes.

Sa mère partit dignement.

À midi, tout était rentré dans l'ordre et Rose partit avec son père pour la cérémonie. Le temps était frais, légèrement couvert, mais il ne pleuvait pas. Rose descendit cérémonieusement de voiture. Béatrice vérifia le tombé arrière de la robe qui s'élargissait en une courte traîne et lui tendit un petit bouquet de primevères qui faisait une tache colorée et gaie sur sa robe blanche.

Son père, digne, mais sûrement très ému, eut un trou de mémoire et ne savait plus s'il devait se placer à dextre ou à senestre.

– Ce bras-là, papa, lui chuchota Rose.

– Mon nœud est bien droit? demanda-t-il.

Pauvre papa! On n'aurait pas dit que chaque année, il abordait des kyrielles de regards moqueurs d'étudiants.

– Tout va bien. Tu es beau.

Il eut un sourire attendri.

– Je veux que ma fille soit fière de moi.

Et il se redressa.

Les orgues se déchaînaient. Rose entra dans l'église au bras de son père. Elle regardait droit devant elle, les yeux fixés sur l'autel décoré de fleurs de pommiers et de lys blancs, attentive à marcher lentement et intimidée par tous les regards qu'elle devinait.

Charles ne s'était pas enfui, évidemment. Il l'attendait au pied de l'autel. Il était en habit, très beau, avec un gilet gris perle en soie. Philippe, la tête rasée, était à ses côtés. Rose, qui ne l'avait pas revu depuis son départ pour le service militaire, eut un sourire ironique en le voyant ainsi tondu. Le pauvre Philippe, gêné, passa sa main sur son crâne. Rose se promit de le taquiner après la cérémonie.

Son père s'arrêta, prit sa main droite et la tendit à Charles. Rose fut très émue par ce geste qui n'avait pas été prévu. Son père la donnait de bon cœur à Charles.

Le service commença. Le choix des prêtres qui devaient concélébrer la cérémonie avait été le sujet de discussions épiques, dont Rose ne s'était pas mêlée.

– Nous ne pouvons pas demander au père Untel (suivait le nom d'un cousin) de célébrer la messe si nous ne demandons pas aussi au cousin Untel (un autre dominicain) qui est de mon côté, disait son beau-père.

– Que va dire l'oncle Untel, qui était un jésuite, si nous n'invitons que des dominicains, faisait remarquer sa belle-mère.

– Il ne faudrait pas oublier le père Untel qui a baptisé François. Cela risquerait de le vexer, ajoutait le comte.

– Eh bien, c'est très simple, trancha sa belle-mère. Charles sera marié par le curé du bourg. Il n'est pas l'aîné. Le curé du bourg a toujours fait montre d'un très grand dévouement pour nos gens et c'est le remercier que de le laisser officier, seul, au mariage des enfants. Devant Dieu, nous ne sommes pas plus haut que nos paysans, avait ajouté la comtesse.

Rose était très contente de ce choix, car elle avait appris à apprécier le curé du bourg, en accompagnant sa belle-mère. Son seul défaut était d'être toujours bousculé, car il desservait deux paroisses et voulait les servir bien, toutes les deux.

Et voilà comment, le brave curé de l'ouvroir se retrouva en train d'officier à un mariage, devant une assemblée des plus huppées.

Tout se passa pour le mieux. Son homélie fut simple et courte et les mots bien choisis. Rose trouva qu'il expédiait un peu vite la fin de la messe et remarqua qu'il se tordait les mains d'impatience pendant la signature des registres à la sacristie. Elle apprit, par la suite, qu'on l'attendait pour un enterrement dans l'autre paroisse.

Rose sortit de la sacristie au bras de Charles et put contempler l'assemblée. Devant eux s'étalait une mer de chapeaux. Il y avait des capelines à larges bords en paille d'Italie, d'autres étaient agrémentées de plumes ou de fleurs; on remarquait des capelines Directoire, des cloches en taffetas, des bobs avec voilettes, des bibis drapés, des « tartes » en feutre, des bérets et des « taupés » asymétriques qui dégageaient coquettement une oreille. On se serait cru dans la boutique du chapelier de la Reine ou à la journée des Drags. Une invitée portait un turban! On l'aurait prise pour un hindou.

Mais le pompon de l'excentricité revenait à Marie, la cousine qui tenait la boutique de mode à Verneuil. Elle était arrivée à faire tenir sur sa tête une calotte surmontée d'une petite cage d'oiseaux dont la porte était entrouverte, ce qui permettait d'apercevoir deux colombes au nid.

Rose pinça le bras de Charles pour lui signaler cette excentricité. Il la vit, mais resta très digne.

Ils descendirent l'allée doucement, inclinant la tête de droite et de gauche pour répondre aux sourires et aux paroles de l'assemblée. Lorsqu'ils s'arrêtèrent en haut du parvis de l'église, il y eut une montée de vivats :

– Vive la mariée! Vive les mariés!

Certains invités se précipitèrent pour les embrasser ou leur serrer la main.

D'autres criaient, en se dépêchant de rejoindre leur voiture :

– On se retrouve au château!

On entendait des :

– Venez! venez! Je vous emmène!

C'était un beau tohu-bohu et une franche bousculade.

Du haut des marches, Rose aperçut, devant le pub, deux chevaux tenus par un vieux piqueur. Une femme âgée, au port altier, habillée d'une amazone vert bouteille, les cheveux gris ramassés dans une résille et coiffée d'un petit tricorne coquin, s'apprêtait à monter en selle. Charles l'avait aussi remarquée :

– Je t'expliquerai, chuchota-t-il, sans bouger.

Il fallut attendre que les parents proches se serrent autour des mariés pour prendre la photo traditionnelle.

Rose entendit une voix forte :

– Alors, il se dépêche, ce bougre de photographe?

Ce ne pouvait être que Beau-papa!

Rose vit le buggy, mené par le garçon d'écurie, arriver sur la place et s'arrêter au pied des marches.

Béatrice souleva sa traîne – «pas trop haut, Béatrice!» – pendant que Rose essayait de poser son pied sur ce fichu marchepied qui était relativement haut. Elle s'agrippa au siège dans un équilibre plutôt instable. Charles comprenant la situation, lui donna une poussée dans la blancheur de sa robe. Ce qui valut à une tante de répéter ensuite «qu'il lui avait mis la main aux fesses». Ce qui, ma foi, n'était pas faux.

Charles enfila ses gants de cérémonie, releva les basques de son habit, prit les rênes et d'un claquement de langue réveilla la jument. Ils partirent tous deux, au petit trot, sur la route du château. Rose, d'une main, s'agrippait à un bord – le buggy est une voiture à cheval légère, ouverte à tous les vents et dont les rebords sont bas – et de l'autre, tenait son voile. Charles, penché en avant, fouettait la jument qui eut le bon sens de rester au trot.

– Alors, ma femme, demanda-t-il, cela vous plaît?

Charles, heureux, se gargarisait du mot.

– Oui. Mais ralentis un peu, si tu ne veux pas que je passe par-dessus bord ou que j'arrive au déjeuner complètement déshabillée.

– Tu ne perds rien pour attendre!

Ils rirent tous les deux.

Un imbécile les doubla en klaxonnant.
– Quel crétin!
La jument rabattit les oreilles, mais resta calme.
C'est donc un peu secoués et chiffonnés qu'ils arrivèrent dans la cour. Pour descendre, Rose se jeta dans les bras de Charles, ce qui était la voie la plus facile. Il la garda et ne la lâchait plus.
– Arrête! Charles, tout le monde va nous voir.
– Et alors? Personne ne m'empêchera d'embrasser ma femme!
Et il l'embrassa longuement.
– Alors, mon petit! s'exclama une voix grave derrière eux.
Charles desserra son étreinte. Rose se retourna. C'était l'amazone au tricorne qui arrivait tranquillement au pas. Elle était suivie de son piqueur.
Charles s'inclina profondément :
– Ma tante.
– Aide-moi donc à descendre, mon petit.
Charles s'approcha et saisit la bride de sa main gauche.
– Ventre Saint-Gris! lâcha-t-elle.
L'amazone farfouillait sous son genou et n'arrivait pas à détacher son étrivière. Tous attendaient patiemment, y compris le cheval. Son piqueur, qui s'était arrêté à une longueur derrière elle, restait immobile et regardait dans le vide. Enfin, elle y arriva.
– Tiens-moi bien.
Elle se laissa glisser à terre. Charles s'inclina de nouveau :
– Ma tante.
Puis il reprit :
– Rose, ma tante, la marquise de C., qui a eu la gentillesse de venir pour notre mariage, du fin fond du pays de Caux.

Rose vit un visage tout ridé, dans lequel brillaient deux yeux de jeune fille émerveillée.

– À cheval, je suis venue à cheval, ma petite!

Rose la regarda, muette.

– Vous montez, jeune femme? reprit l'amazone.

– Oui, madame.

– C'est bien, c'est bien! Et comment va ton galopin de père? demanda la marquise en se tournant vers Charles.

Rose sourit. Beau-papa, un galopin! Enfin, tout était relatif, évidemment. La marquise était tellement vieille qu'elle n'avait plus d'âge.

La marquise n'écouta pas la réponse. Elle suivait des yeux le piqueur qui s'éloignait à pas lents, tenant les deux chevaux par la bride.

– Il ne rajeunit pas, ce pauvre Ladurée. Il est aussi cagneux que sa jument. Il va falloir que je le laisse à l'écurie.

Puis, se retournant vers eux, elle ajouta :

– Venez me voir à C. J'aime la jeunesse.

Elle s'éloigna vers l'écurie.

– Quel phénomène! Elle a quel âge? demanda Rose à voix basse.

– Quatre-vingt et des poussières, je crois, lui répondit Charles. Il paraît qu'elle descend de Louis XV, par la main gauche.

– Encore une! Mais, dis-moi, elle n'est pas venue à cheval depuis le pays de Caux?

Charles rit.

– Si. Elle rend comme cela visite à toute la famille. Elle dit qu'elle est née à cheval et qu'elle mourra à cheval! En plus elle ne monte jamais dans une voiture. Elle trouve que ce sont des machines dangereuses et malodorantes!

– Mais où dort-elle? On n'est plus au temps des relais.

– Le soir? Elle trouve toujours un endroit pour se faire héberger. Elle s'arrête chez un cousin ou bien chez un neveu. Ou bien elle va rendre visite à un de ses anciens galants... Ils doivent parler de l'ancien temps. Il paraît qu'elle était bien belle en sa jeunesse. On ne le dirait pas, n'est-ce pas? On raconte même, reprit-il, qu'il y a quelques années, il lui arrivait de dormir dans les meules... et, tiens-toi bien, elle a raconté à ma mère : « qu'elle n'avait pas eu froid, car Ladurée lui avait tenu chaud! »

Rose éclata de rire.

– Et ce Ladurée, il a quel âge?

– Peut-être un peu plus jeune qu'elle. Mais quand ils ne font plus l'affaire, elle en change et elle les appelle tous Ladurée!

– Mais ses affaires? demanda Rose qui commençait à trouver très intéressante cette façon de voyager.

– Elle n'en a pas. Elle arrive chez les gens, emprunte du linge propre et laisse son linge sale. Maman a, ici, une malle complète de vêtements qui lui appartiennent et qu'elle n'est jamais venue rechercher.

« Cette famille, songeait Rose, avait toute une panoplie d'hurluberlus dans leurs placards! Mais Dieu qu'ils étaient sympathiques! »

– Allons, ma Dame, reprit Charles, la noce nous attend!

# 11

# Les noces

Charles et Rose se dirigèrent vers l'orangerie. C'était un bâtiment tout en longueur, percé de hautes fenêtres, que l'on nommait pompeusement ainsi parce qu'un ancêtre avait essayé d'y faire pousser des orangers en pot. Ils n'avaient pas résisté longtemps à l'humidité de ce coin de Normandie. Aujourd'hui, il ne restait plus que leur souvenir et deux vases d'Anduze que l'on utilisait comme porte-parapluies.

Ils furent accueillis avec des hourras et des taquineries. La mère de Rose se précipita pour l'embrasser « la première ».

– Tu n'as pas eu trop froid en voiture découverte ? J'ai eu peur que tu verses !

Chère maman !

– Vous ne rendez pas grâce à mes qualités de driver, protesta Charles, faussement outré.

– Mais si, Charles, mais si. Mais elle est si fragile, cette enfant.

– Eh bien, ils se seraient relevés ! intervint Beau-papa. C'est arrivé à une de mes tantes. Elle a versé dans un fossé en revenant de ses noces et la pauvre femme s'est retrouvée couverte de boue !

– Allons, mon ami, n'accaparez pas la mariée, l'interrompit la comtesse. Plusieurs personnes la demandent.

Et ce fut la tournée des invités, des jeunes et des moins jeunes. Charles s'éclipsa discrètement et alla rejoindre le groupe de ses cousins. Rose répondit avec gentillesse aux questions, écouta les conseils et, au bout d'une heure, ne se rappelait plus les détails. Elle regardait avec envie Charles qui tenait une assiette bien remplie de choses appétissantes de la main gauche et qui pérorait entre deux bouchées.

Béatrice, interceptant son coup d'œil, lui glissa :

– Je t'ai fait mettre de côté des petits fours et des sandwichs. Tu les emporteras.

Rose lui jeta un regard reconnaissant.

La réception passa très vite. Il y avait tant de monde à saluer. Outre la famille – et ils devaient être une bonne centaine – il y avait tous ceux qui faisaient la vie du village : le maire et son adjoint, le curé qui avait expédié son enterrement aussi vite et aussi décemment que possible et que sa belle-mère gavait de bonnes choses, les fermiers des environs avec toute leur famille et leurs fillettes endimanchées, frisées et enrubannées comme des agneaux un jour de foire, quelques relations d'affaires de Charles que l'on reconnaissait facilement, car on aurait dit qu'ils s'étaient tous habillés chez le même tailleur, et des inconnus qui ne parlaient à personne et qui se servaient copieusement. Sans doute des pique-assiettes professionnels!

Béatrice lui fit signe en tapotant sur une montre imaginaire à son poignet. Rose essaya de se dégager des charmantes et volubiles tantes qui la retenaient dans un coin de l'orangerie. N'y arrivant pas, Rose les interrompit carrément. Tant pis pour le savoir-vivre!

– Je m'excuse, mais maman me demande.

– Mais vous êtes tout excusée, ma chère enfant. Bien sûr, votre charmante maman… Alors, vous promettez de venir nous voir…

Ouf! Rose essaya d'apercevoir Charles, sans succès. Il n'était plus là. Elle ne voyait pas non plus les cousins. Pourvu qu'ils ne soient pas en train de préparer une blague, songea Rose.

Elle alla discrètement embrasser sa mère.

– Fais bien attention à toi, ma chérie, lui dit-elle, en essuyant discrètement une larme.

Son père avait, aussi, les yeux humides :

– Et s'il n'est pas gentil avec toi, n'oublie pas, tu auras toujours ta place à la maison.

– Oh! papa!

Rose regardait autour d'elle. Il fallait qu'elle salue et remercie ses beaux-parents.

– Ma chérie, ta belle-mère a demandé que tu files à l'anglaise, reprit sa mère.

– Tu crois?

– Oui, oui. Cela vaut mieux, sinon les invités vont se croire obliger de partir.

– Bon. Tu la remercies de ma part.

– Ne t'inquiète pas, Charles l'a déjà fait. Tu fais bien attention à toi. Tu me promets?

– Allez! Il faut la laisser maintenant, interrompit son père. Ne fais pas attendre ton mari, ma grande, et rappelle-toi ce que je t'ai dit.

Il prit sa femme d'un bras ferme et l'entraîna.

Rose passa par la cuisine et en profita pour embrasser Louise, la cuisinière, qui était aussi émue que sa propre mère.

– Ne faites pas attention, Madame Charles, les mariages, ça me fait toujours pleurer.

« Madame Charles ? » songea Rose. Eh oui ! Elle était *Madame Charles*, pour la vie.

Elle ne rencontra personne dans l'escalier, personne dans les couloirs. Elle ouvrit prudemment sa porte. Elle craignait que Philippe ou un des cousins aient prévu une blague idiote. Elle eut même un regard vers le haut du chambranle – s'ils avaient mis un seau d'eau ? Ils en étaient capables, ces bougres de bougres !

La pièce était tranquille. Rose se dévêtit rapidement – « Mon Dieu, il était déjà cinq heures ! » – et posa sa robe sur un fauteuil.

On frappa à la porte. Rose s'immobilisa et ne répondit pas. On frappa de nouveau.

– C'est moi, Béatrice.

– Entre, entre. J'ai eu peur que ce ne soit un des garçons.

– Ne t'inquiète pas, ils sont en train de décorer ta voiture.

– Et Charles ? Tu l'as vu ?

– Non, mais il doit t'attendre. Dépêche-toi !

– Tu sais où on va ?

– Oui. Mais je ne te le dirai pas. Allez, fais vite. Je descends ta valise ?

Rose se vêtit rapidement.

– Qu'est-ce que tu as à me regarder comme ça ? dit-elle.

Béatrice avait la main sur la bouche. Et elle éclata de rire.

– Tu t'habilles comme ça ?

– Oui, répondit Rose fermement.

– Eh bien, vous faites un beau couple, tous les deux !

Elles se dépêchèrent.

– On ne va pas au garage ? demanda Rose, surprise de voir que Béatrice l'entraînait vers une porte basse du château.

– Non. Vous prenez la voiture d'oncle François. Tu te vois sur la route avec la voiture de Charles et les casseroles attachées à l'arrière?

En effet, la voiture d'oncle François était là. Et il n'y avait personne.

– Écoute, monte, dit Béatrice. Charles a dû se faire accrocher par quelqu'un. Tiens, voilà tes sandwichs. Allez, ma chère. Sois heureuse. Bon voyage et bon vent...

Rose termina la phrase : « La paille au derrière, et le feu dedans! »

Elles éclatèrent de rire.

– Allez, je te laisse.

Rose s'installa, mit un plaid sur ses genoux, car il commençait à faire frais et entama d'un bon appétit ses sandwichs.

– Toujours aussi gourmande? l'interrompit Charles, en ouvrant la portière.

– Pour la vie, mon cher, pour la vie! Qu'est-ce qui s'est passé? Tu ne pouvais pas les lâcher?

– C'est Philippe qui ne me lâchait pas. Je l'ai envoyé me chercher quelque chose aux cuisines pour m'en débarrasser. Allez! On file, parce qu'il va rappliquer.

Bien leur en prit. Charles démarra. En passant dans la cour, Rose se retourna. Sur le perron, elle vit Philippe et les cousins qui levaient les bras au ciel.

– On les a bien eus, ma chérie, hein?

Il desserra sa cravate. Il était toujours en habit.

– Tu n'as pas eu le temps de te changer? On va avoir l'air chouette en arrivant à l'hôtel! s'exclama Rose.

Charles ne répondit pas. Il lui jeta un coup d'œil rapide.

– Toi, tu es bien jolie avec cette petite veste que je ne connaissais pas.

– Allez! Tu peux me le dire maintenant! Où va-t-on Charles?

– Surprise!

Rose reprit un sandwich.

– Je pense que tu n'en veux pas. Je t'ai vu te gaver à la réception, pendant que tu m'avais lâchée avec les tantes.

– Eh! Moi, j'ai dû écouter pendant des heures un collègue de travail qui essayait de me convaincre de marier sa fille au château, sans parler de l'adjoint au maire – que je n'ai pu éviter cette fois-ci – qui voulait m'entretenir d'un problème pour lequel je ne peux rien faire. Et je t'épargne le discours de tante Yvonne sur les devoirs de l'époux. Et les astuces vaseuses de Maxime! Et les ricanements de Philippe! Je ne suis pas prêt à recommencer une journée comme ça!

Rose le regarda, faussement choquée.

– Mais non! Tu sais bien que ce n'est pas ce que j'ai voulu dire, reprit Charles, en lui mettant la main sur la cuisse.

Rose remonta le plaid.

– Serait-on prude, ma chérie?

– Conduis! Et regarde où tu vas, sinon les prédictions de ma mère vont se réaliser.

Il rit.

Dix minutes après, ils s'arrêtaient devant la propriété de l'oncle François.

– Ma mère a pensé que tu serais fatiguée et a demandé à l'oncle de nous laisser le château pour la nuit. Ce qui a fait aussi son bonheur, car «il comptait bien s'amuser avec les vieilles tantes», lui a-t-il répondu! Alors, on partira en voyage demain, dit Charles.

– Fameuse, ton idée, apprécia Rose.

Elle réfléchissait :

– C'est pour ça que tu ne t'es pas changé, cachotier, va ! Les garçons ne se doutent de rien ?

– Ne t'inquiète pas. Papa a dit qu'il les mettrait aux oubliettes s'ils venaient nous embêter, rétorqua-t-il en descendant de voiture.

Il ouvrit la portière à Rose.

Altière, elle sortit et passa devant Charles sans le regarder.

– Nom de crénom ! Tu pars en voyage de noces en jodhpurs ? s'exclama Charles.

– Surprise, mon cher ! Tu m'as dit d'emporter mes jodhpurs. J'obéis, c'est tout.

– Tu fais bien, tu fais bien. Alors je ne vais pas être obligé de t'attacher ou de t'enfermer comme les grands-mères ? la taquina-t-il.

– Idiot !

Le lendemain matin, alors qu'ils prenaient leur petit-déjeuner, la domestique apporta un paquet volumineux :

– Ça vient du château. Il paraît que Mademoiselle Rose l'avait oublié. Ils m'ont bien dit que c'était très important. Ils vous ont aussi ramené la voiture, Monsieur Charles, ajouta-t-elle.

Elle resta là, les deux pieds collés au plancher, aussi curieuse qu'eux.

Charles et Rose se regardèrent. Rose défit le paquet. Enveloppés de faveurs, se trouvaient une bride neuve et un mors reluisant. Un cadeau ?

Elle chercha la carte et lut à haute voix :

« Ma chérie – c'était l'écriture de Maxime – si ton mari ne se conduit pas bien, passe-lui la bride. Philippe t'offrira le fouet. »

Sa curiosité étant satisfaite, la domestique repartit.
Charles rit et lui demanda gentiment :
– Tu trouves que je ne me suis pas bien conduit?
Rose rougit.
Charles se leva et vint l'embrasser.
– Il est temps de partir.
– Où va-t-on cette fois-ci?
– Surprise!
Tout le voyage de noces se passa ainsi.

Ils s'arrêtèrent à Bayeux où ils firent un festin *Au Lion d'or*, puis continuèrent par petites étapes jusqu'en Angleterre. Ils passèrent trois jours à Londres où ils se conduisirent comme de vrais touristes. Ils visitèrent la Tour, allèrent au théâtre, marchèrent dans la Cité et se perdirent dans les ruelles des *Inns of Court*. À midi, ils s'arrêtaient pour déjeuner dans des pubs. C'était sympathique. Ils prirent le thé chez *Fortnum & Mason* et au *Savoy*. Le grand luxe!

Le voyage-surprise continua. Ils se rendirent dans le Sussex, invités chez les cousins qui envoyaient le pudding chaque année. Ils restèrent trois jours chez eux. Ces cousins étaient de fervents cavaliers et ils avaient une écurie extraordinaire.

Rose eut l'impression d'être en selle toute la journée. Ils montaient le matin et remontaient l'après-midi. Ils rentraient fourbus pour le thé. Ils se changeaient et allaient souper dans une propriété voisine. En trois jours, elle assista à deux soirées dansantes. Malgré leur gentillesse, elle fut presque heureuse de les quitter et de retrouver un peu de calme.

Ensuite, ils vagabondèrent de haras en haras, car Charles voulait remonter l'écurie de son père. Ils s'arrêtèrent une nuit à Bath. Le lendemain, ils visitèrent les bains romains et le *Royal Circus*. Rose adora la ville et admira l'élégance de son architecture. Elle aima aussi l'ambiance bien particulière de la ville, à la fois décontractée et distinguée. Puis, ils déjeunèrent dans à un excellent restaurant, proche des thermes romains, où Rose goûta pour la première fois à un *Welsh rarebit*.

Ils reprirent la route en direction du pays de Galles, quand subitement, au pied de la Severn, Charles décida de faire demi-tour :

– On rentre !

– Et les châteaux du pays de Galles ? Et les Costwolds ? Et Salisbury ? Et…

– L'année prochaine !

Ce qu'ils ne firent jamais.

Ils revinrent d'une traite. Charles avait des rendez-vous. La vie reprenait. Rose allait habiter chez ses beaux-parents.

Le voyage de noces était fini.

# 12

# L'enfance est finie

L'arrivée du jeune couple prit la tournure d'un retour aux habitudes. Charles rangea ses affaires dans l'appartement où Rose habitait depuis deux mois. Ils descendirent ensuite prendre le thé avec la comtesse. Beau-papa les rejoignit. Ils leur offrirent les souvenirs qu'ils avaient achetés, passant outre la recommandation qu'il leur en avait été fait.

– Mais voyons, nous vous avions dit de ne rien rapporter, réprimanda la comtesse, qui tendit la main pour saisir le paquet de *Fortnum & Mason* qui lui était destiné.

– Un *tea-cosy*! s'exclama-t-elle. Et mon thé préféré... du *Queen Mary*! Tu n'as pas oublié, mon petit Charles. Merci, mes enfants.

– Nous vous avons aussi rapporté quelque chose qui va vous intéresser, dit Charles en leur tendant un parchemin roulé. Ce sont les cousins anglais qui m'ont chargé de vous le donner. Ils voulaient le faire depuis longtemps, mais ils craignaient qu'il ne se perde par la poste.

La belle-famille de Rose n'avait pas plus confiance dans la République que dans ses institutions modernes. Les PTT ne valaient pas la sécurité du messager à cheval à qui on confiait un pli en mains propres et qui le défendrait au péril de sa vie.

Ses beaux-parents se penchèrent sur l'arbre généalogique et essayèrent de retrouver, perdus derrière les écussons armoriés, les liens entre leur famille, poussant un petit cri lorsqu'ils y parvenaient.

Le jeune couple avait gardé la meilleure surprise pour la fin. Lorsque Beau-papa apprit que Charles avait acheté deux poulinières qui arriveraient au château dans six semaines, la joie fut à son comble.

La vie quotidienne recommença. Charles repartit et Rose reprit ses activités comme si rien ne s'était passé.

Cependant, elle avait, depuis son retour, quelques «inconvénients mal placés» et ne savait à qui en parler. Ce n'était pas le genre de choses qu'on racontait à sa mère au téléphone, d'autant plus, qu'à cette époque-là, on passait encore par la «demoiselle du téléphone» – comme ils la nommaient – pour avoir une communication avec Paris. Béatrice n'était pas mariée; la bonne sœur, pas question; et le reste de la famille ne comportait que des mâles.

À la fin, elle aborda sa belle-mère :

– Mère, pourriez-vous m'indiquer le nom d'un médecin et m'y emmener?

Sa belle-mère la regarda :

– Bien sûr, Rose.

Elle ne posa aucune question. Rose soupira.

Deux jours après, elles partirent en voiture avec le garde-chasse, car aucune des deux femmes ne savait conduire. Arrivés à Verneuil-sur-Avre, la comtesse fit arrêter la voiture sur la place. Elles descendirent. Sa belle-mère attendit que le garde-chasse s'éloigne pour entraîner Rose dans un dédale de rues.

Elle la laissa devant la porte d'un cabinet médical :

– Demandez le Dr Untel. Il vous attend, Rose. Vous verrez, il est très aimable, c'est mon médecin. Lorsque vous aurez fini, retrouvez-moi à la pâtisserie. Prenez tout votre temps. Je vais profiter de ce que je suis à Verneuil pour aller voir ma nièce.

Tout se passait en catimini. Rose appréciait sa discrétion, mais se disait que ça prenait des allures de conspiration.

Le médecin était un vieux barbu qui lui posa quelques questions, ne l'examina pas, diagnostiqua une affliction de jeune mariée, recommanda la continence pour quelques jours et lui donna une poudre de perlimpinpin qui – paraît-il – était efficace.

Rose, en avance, tourna sur la place, entra un moment dans l'église et rejoignit sa belle-mère. Cette dernière ne lui posa aucune question et lui offrit un éclair au chocolat accompagné d'un :

– Il faut bien vous nourrir maintenant, ma petite Rose.

« Flûte ! se dit Rose, elle pense peut-être que j'attends un bébé. »

Rose se tut, mangea de bon appétit et accepta de bon cœur un deuxième éclair.

Les choses rentrèrent dans l'ordre. Mais Rose se dit qu'il fallait qu'elle apprenne à conduire. Elle alla voir le garde-chasse qui accepta de lui montrer les rudiments de la conduite dans la cour du château. Elle eut le tournis à force de tourner en rond, mais trouva que c'était moins compliqué que d'apprendre à monter à cheval. Et au moins, la voiture ne vous fichait pas par terre, sa seule vengeance était de caler.

En juin, elle alla à Paris pour passer son bac et le réussit. Elle n'avait pas suffisamment travaillé et ses notes s'en ressentirent.

– L'important est d'être reçue, la consola son père.

Elle continua à monter tout l'été et si Belle-maman se posa quelques questions sur sa taille qui était toujours aussi mince, elle n'en dit rien. Une seule fois, elle fit une réflexion à Beau-papa :

– Je voudrais bien que Rose ne monte pas des chevaux trop difficiles.

Le comte regarda sa femme, les yeux ronds.

– Qu'est-ce que c'est que cette histoire? Rose se débrouille très bien. Elle a une assiette légère et une main douce. Je peux lui laisser monter des chevaux que je ne confierais pas au lad. Il me les abîmerait. Ma bourgeoise, parlez de ce que vous connaissez. Occupez-vous de vos broderies et de vos bonnes œuvres et laissez-moi le soin des chevaux!

Il était vraiment en colère.

– Voyons, mon ami, Rose est une jeune femme.

– Croyez-vous que je ne le sache pas?

Et il reprit, finaud :

– Si vous pensez que quelques chutes vont l'empêcher de vous donner des petits-enfants, vous vous trompez! Toutes les femmes de la famille sont montées à cheval jusqu'au jour de la naissance de leur enfant.

Rose était cramoisie.

Le comte acheva sa femme en l'apostrophant :

– Vous vous rappelez, ma mie, la tante Éloïse qui a accouché en pleine chasse à courre? Vous l'avez connue. Son affaire faite, elle a confié le nouveau-né à un piqueur qui passait. Puis elle a continué la chasse et, à l'hallali, elle a eu les honneurs du pied. Le plus surpris a été son benêt de mari qui réalisa qu'il était père, en entendant couiner le marmot et en le découvrant dans les bras du piqueur.

« Vite fait, vite défait ! » s'était-il exclamé.

« Quelle famille ! Quelle famille ! » se disait Rose.

Il se radoucit :

– Et puis, ma mie, dit-il à sa femme, comment je pourrais monter ces poulains ? Lourd comme je suis, je leur casserais le dos. Vous comprenez cela, n'est-ce pas ?

Rose continua à monter à cheval. Simplement, à chaque fois qu'elle faisait une chute, et elle en fit beaucoup cet été-là, car ils débourraient trois chevaux, dont un fichu pur-sang qui sursautait à la moindre feuille, Beau-papa s'exclamait :

– Personne ne t'a vue tomber !

Il l'aidait à se remettre en selle, puis il s'attendrissait :

– Ça va, Rose ? Ce n'est pas trop dur ?

Elle le rassurait d'un sourire. Elle en serait quitte pour se faire une autre compresse d'arnica, ce soir.

Une fois, le pur-sang, ferré de neuf, fit un écart et glissa sur l'herbe. Rose se trouva la jambe prise en dessous. Le cheval roula sur elle, l'écrasant de tout son poids. Heureusement, elle avait pu déchausser à temps. Elle se releva. Le cheval s'ébrouait, aussi surpris que Rose. Elle n'était pas blessée, juste un peu courbaturée.

Le soir, lorsqu'elle se déshabilla, elle vit deux grosses taches noires à la pointe de ses hanches. Elle avait eu de la chance.

Charles, lorsqu'il la vit le week-end d'après, s'exclama :

– Tu as l'air d'une dinde truffée, ma chérie.

Les taches prirent ensuite une teinte jaune verdâtre absolument horrible. Charles, le week-end d'après, commenta :

– Ça a l'air d'un poisson crevé.

Vexée, Rose lui rétorqua :

– Décide-toi, Charles, la dinde ou le poisson ?

– Je vais attendre de voir à quoi tu vas ressembler la semaine prochaine avant de me décider, répondit-il avec à-propos.

Charles vint souvent cet été-là. Rose, à part monter les chevaux et accompagner sa belle-mère de temps à autre, n'avait aucune charge de maison. Son lit était fait, les repas servis à table et le linge lavé, repassé et rangé dans ses tiroirs. Aussi, dès que Charles arrivait, elle ne le quittait plus d'une semelle.

Maxime qui les vit ensemble, les taquina au début.

– Alors, c'est toujours le grand amour?

Il passa ensuite à :

– Je croyais que la bague au doigt, c'était la corde au cou?

Puis, il commença à se poser quelques questions.

– Dites-moi, les amoureux, si le mariage, c'est la vision que vous m'en offrez, je suis partant. Il n'y a pas de raison qu'il n'y ait que Charles qui soit verni dans cette famille! Tu n'aurais pas une sœur? demanda-t-il à Rose.

– Elle est unique, rétorquait Charles et le moule est cassé. Et je ne te la prêterai pas.

– Alors, j'attendrai que tu aies un accident de chasse, lui répondit Maxime, du tac au tac.

Rose intervit.

– Dites-moi, Messieurs, j'aurais peut-être mon mot à dire. Vous vous croyez au souk en train d'acheter une chamelle?

Maxime faisait semblant de réfléchir :

– Tout compte fait, elle n'a pas si bon caractère que ça. Je te la laisse.

Et Maxime repartit vers ses conquêtes.

Philippe écrivait peu. Une tante donna quelques nouvelles d'Aubert. On avait l'impression qu'ils avaient été engloutis par le désert.

Les parents de Rose firent plusieurs courts séjours. On eut dit que maintenant qu'elle était mariée, sa mère avait abdiqué toute tentative d'éducation et leur relation s'en trouva améliorée.

Quant à son père, il était « heureux de la voir heureuse », selon sa jolie formule. Et il se rengorgeait, quand il entendait Beau-papa vanter ses mérites de cavalière.

– Elle est fière et courageuse, ma petite Rose, disait son père.

– Bien brave, bien brave, et courageuse sur l'obstacle, reprenait Beau-papa.

– Et Charles est un gentil garçon…

– Un brave garçon, vous avez raison…

Et ça continuait sur ce ton.

En général, les pères entamaient ces laudes après le souper. Repus, leur vocabulaire n'était pas très étendu.

Lorsque les intéressés les entendaient, ils se regardaient, essayant de ne pas rire.

– Dis, Charles, tu crois qu'on va béatifier comme cela devant nos enfants ?

– Sans doute, ma chérie. Mais pour l'instant… et il lui tapotait le ventre discrètement.

– Écoute, mon cher, ce n'est pas faute… lui chuchotait Rose.

Charles, émoustillé, lui glissait : « On monte ? »

Ils filaient en douce, en se tenant par la main. Les parents faisaient semblant de ne rien voir.

L'été passa et ce fut l'été d'un bonheur insouciant. En septembre, Charles n'avait toujours pas reçu sa nomination. Un des directeurs voulait l'envoyer à Paris, un autre à Lyon et ils voulaient avoir raison tous les deux. Charles attendait, Rose attendait. Ils décidèrent – ou plutôt Charles décida et Rose accepta – qu'elle prolongerait son séjour au château jusqu'à la fin de l'année, date à laquelle il était impératif que les directeurs aient pris une décision.

L'automne arriva avec ses brouillards. La pelouse devant le château ressemblait à une patinoire verte sur laquelle les pas des chevaux laissaient leurs traces. L'humidité pénétrait jusqu'aux os. Dehors, les sons devenaient cristallins. Lorsqu'on entendait aboyer des chiens ou parler des gens cachés par les nappes de brouillard, on avait l'impression qu'ils étaient tout proches. Le brouillard s'estompait et on réalisait qu'ils étaient au loin.

La vie dans les fermes et au château ralentissait. La cuisine embaumait les épices et la pomme caramélisée.

Rose se sentait lasse. Heureusement, les trois jeunes chevaux qu'elle avait aidé à débourrer venaient d'être vendus. Il ne lui restait plus que sa jument à sortir tous les matins.

« Je suis comme les marmottes, songeait-elle, j'hiberne ».

Un matin en se réveillant, Rose se sentit patraque. Elle se recoucha. Albertine qui venait recharger le poêle à bois s'étonna de la trouver encore au lit.

– Alors, Madame Charles, vous êtes-t-y malade ? Vous êtes bien pâlotte !

– Ça va, Albertine. J'ai dû attraper froid, hier.

Albertine, tout en chargeant le bois, s'empressa de lui faire part des dernières nouvelles. Cette fille était une vraie gazette.

– Il y a eu un grave accident sur la route de l'Aigle.

Ma mère m'a dit qu'il y avait eu trois morts et qu'ils étaient tellement mêlés que les gendarmes les ont emmenés avec des bouts de carrosserie.

Rose détestait entendre ce genre de nouvelles avant d'avoir pris un solide café, mais c'était comme un besoin qu'avait Albertine. Les drames alentours la rendaient intéressante.

Rose se leva, la tête lui tourna un peu et, subitement, elle sentit un liquide couler entre ses jambes. Il y avait une large tache de sang sur le tapis. Albertine la vit, ouvrit la bouche et reprit ses esprits :

– Madame Rose, recouchez-vous! Je vais chercher Madame la Comtesse, dit cette brave fille.

Le reste de la matinée se passa dans l'affolement. Au château, c'était toujours du théâtre. On ne se décidait pas s'il fallait déranger le médecin pour un incident aussi mineur. Belle-maman hésitait. Elle lui avait collé un coussin sous les pieds et attendait que l'hémorragie s'arrêtât. Rose, qui perdait son sang, se sentait de plus en plus faible.

Beau-papa, inquiet, se décida à venir lui-même aux nouvelles et entrouvrant la porte, sans se montrer, l'encouragea du couloir :

– Remettez-vous vite, Rose, votre jument s'ennuie.

Albertine s'était empressée d'affoler – avec succès – tout le personnel. Et on devait déjà savoir dans les chaumières que la jeune dame du château était en train de faire une fausse-couche.

La cuisinière prit la décision qui s'imposait et envoya le garçon d'écurie chercher le médecin.

Il arriva vers onze heures, souleva le drap et le rabattit aussitôt.

– Vous n'aurez plus qu'à en faire un autre, ma petite, fut son commentaire.

Il ressortit aussi vite.

Rose l'entendit parler à sa belle-mère, qui l'attendait à la porte. Puis, Belle-maman rentra et vint gentiment s'asseoir à côté de Rose en lui tenant la main. Elle avait une tête d'enterrement. Rose s'endormit.

Pendant deux jours, la cuisinière lui fit porter du bouillon de poulet. Le troisième, Rose était remise sur pied et elle passa le reste de la semaine à regarder par les fenêtres et à s'ennuyer au château. La cuisinière, sachant que Rose aimait particulièrement la tarte aux pommes, en servit tous les jours, jusqu'à ce que le comte y mette le holà.

– Mais, qu'est-ce qui vous prend, Louise, de servir des tartes aux pommes tous les jours? Vous ne savez plus faire autre chose?

– Monsieur le Comte, c'est pour Madame Rose. J'fais bien des «beunes» tous les jours pour Monsieur le Comte, sans que personne ne vienne dans ma cuisine me dire c'que j'dois faire, répondit-elle, d'un air outré, les deux mains sur les hanches.

La cuisinière n'avait pas bon caractère. Le comte battit en retraite.

– C'est bon, Louise, c'est bon.

Sur un haussement d'épaules, elle retourna à ses fourneaux.

La tarte n'apparut plus qu'occasionnellement sur la table. Mais les gâteries continuèrent. L'oncle François envoya un pudding – un de ses fameux puddings anglais imbibés de rhum – que l'on réservait pour les grandes occasions. Une femme de l'ouvroir lui fit porter un pot de gelée de sureau «pour arrêter les sangs». Rose, après avoir ouvert le pot, reniflé l'odeur et examiné la consistance peu ragoûtante de la gelée, le mit prudemment de côté. Il ne s'agissait pas, qu'en plus, elle s'empoisonnât!

Le curé se dérangea pour lui rendre visite. Sa mère l'appela de Paris. Mais personne n'avait prévenu Charles. Lorsqu'il arriva le samedi, il fut tout étonné d'apprendre, en même temps, qu'il avait été père et qu'il ne l'était plus.

– Tu n'es pas trop désolée, ma chérie?

Il la consola d'un air pataud, ne sachant trop que dire devant ces histoires de femmes.

– On va en refaire un autre, maintenant qu'on sait comment s'y prendre.

Rose ne sut ce qui déclencha une crise de fou rire : cette dernière phrase qui ressemblait à une recette de cuisine, l'air emmouscaillé de Charles ou les émotions passées?

Charles, rasséréné, reprit son ton habituel.

– Je suis content que tu le prennes ainsi. Ma mère m'a dit que cela lui était arrivé souvent et, tu vois, je suis là.

– Je vais bien, Charles. Le médecin a dit que je pourrai remonter dès lundi.

Ce qui le fit rire.

– Ça, c'est la preuve indéniable que tu vas très bien, ma chérie, lui dit-il, d'un ton sarcastique.

– Écoute, mon vieux! Moi, je suis sans toi au château et si tu ne veux pas que je meure d'ennui, il faut que je m'occupe. Monter à cheval et passer la matinée avec Beau-papa est distrayant, crois-moi!

– Je vois aussi que tu as repris ton bon caractère, ça me rassure.

Ils rirent tous les deux. Rose se fit câline.

– Dis-moi, Charles, as-tu eu des nouvelles?

– Oui. C'est Paris, en janvier.

– C'est sûr?

– Presque sûr. Mais ne dis rien encore. Quand la décision sera prise officiellement, on ira tous les deux à Paris chercher un appartement.

– Ce n'est pas si facile que ça à trouver, lui répondit Rose.

– Fais-moi confiance.

Novembre arriva. Un matin, sa belle-mère apparut livide au petit-déjeuner. Le comte ne s'en aperçut pas. Rose ne dit rien.

Le petit-déjeuner se passa dans le silence. Albertine, qui faisait le service à table, avait les yeux rouges. Mais que se passait-il?

Après le repas, la comtesse leur demanda de passer au salon. C'était inhabituel. Le comte regarda – enfin – sa femme et sa figure se ferma.

Une fois qu'ils furent assis, la comtesse commença par un interminable préambule. Il était visiblement arrivé un accident grave. Mais à qui?

Le comte, impatient et inquiet, éleva la voix :

– Ne vous conduisez pas comme une fille de notaire et dites ce que vous avez à dire. Allez-vous accoucher, bon sang!

La comtesse rougit, blanchit et lâcha tout d'un trait :

– C'est Aubert!

Rose avait eu si peur que ce soit Philippe, qu'elle en fût presque soulagée, puis, au même instant, eut honte de cette pensée. Elle vit, sur le visage du comte, qu'il avait eu la même réaction.

– Mon Dieu! Le pauvre garçon, s'écria le comte.

– Il faut penser à sa mère, reprit la comtesse.

– Oui, oui, vous avez raison, ma mie. Occupez-vous-en et faites ce que vous pensez bon.

Rose était figée.

– Saloperie de guerre! reprit-il. Foutue République! Juste bonne à faucher des jeunes et à faire pleurer des femmes, se fâcha-t-il.

– Vous êtes injuste, mon ami.

– Et pour lui, vous croyez que c'est juste, hein?

Puis il baissa le ton :

– Ils l'ont ramené?

– Oui, lui répondit la comtesse.

– C'est déjà ça! Au moins, sa mère aura un endroit pour aller pleurer.

Il vint vers sa femme, l'entoura de ses bras et, d'une voix douce, lui dit :

– Allez, ma mie, notre Philippe passera à travers. La camarde ne le verra même pas, il n'a pas de consistance. C'est un poète.

À posteriori, Rose trouva que c'était là une bien curieuse façon de consoler la mère de Philippe. «Comme les hommes sont maladroits et démunis devant la douleur des femmes», songea-t-elle.

Rose sortit de son engourdissement, se leva et alla embrasser sa belle-mère. Son beau-père lui mit la main sur l'épaule, pesant de tout son poids sur elle.

– Allons, les chevaux doivent sortir quand même!

Puis, agrippant Rose par l'épaule, il l'emmena hors de la pièce. La porte était à peine refermée que l'on entendit des sanglots.

La figure du comte se crispa un instant, puis il lâcha enfin Rose en lui ordonnant :

– Dans dix minutes, à l'écurie.

Rose partit se changer. Elle marchait comme une somnambule. «Ne pas penser. Il ne faut pas que j'y pense» se répétait-elle.

Durant la journée, tout le monde essaya de faire bonne figure, mais le silence tombait lourdement entrecoupé de conversations fausses. Le soir arriva enfin. Après le dîner, elle quitta rapidement le salon, embrassa ses beaux-parents et se réfugia dans sa chambre.

Et là, elle pleura et pleura.

Le lendemain, ils partirent à Breteuil pour l'enterrement. Chacun essayant de porter dignement sa douleur. Après la messe des funérailles, la belle-mère de Rose exigea qu'elle n'allât pas jusqu'au cimetière.

Rose les attendit dans une salle du château entourée de femmes qu'elle ne connaissait pas. Il y eut ensuite un déjeuner servi dans une salle dont on avait, selon la coutume, recouvert les miroirs.

Le retour en voiture se fit dans le silence. Arrivé au château, le comte l'embrassa et lui dit :

– Allez, ma petite, et ne pleurez pas. Cela ne fera pas revivre ce pauvre Aubert.

L'enfance de Rose était finie.

# PLÉNITUDE

# 13

# « Chez Marie et Béa »

Marie et Béatrice, les deux cousines, avaient récemment ouvert une boutique de mode à Verneuil, tout simplement baptisée : « Chez Marie et Béa ».

Les tantes de la famille avaient, dès qu'elles l'avaient su, soutenu l'entreprise des deux jeunes filles en venant ostensiblement fréquenter la boutique. Elles laissaient leur chauffeur attendre avec la voiture devant la porte du magasin, ce qui ne manquait pas de créer des embouteillages monstres. Au début, les gendarmes vinrent voir l'objet de la cacophonie – en ce temps-là, on pouvait klaxonner à satiété – et demandèrent aimablement au chauffeur de circuler et de dégager la rue. Le chauffeur s'expliquait et restait sur place, fidèle aux ordres de sa maîtresse. Les gendarmes attendaient quelques minutes, puis se décidaient à entrer dans la boutique. Surgissait alors, au milieu des froufrous, la propriétaire du véhicule, qui ne pouvait décemment sortir dans la rue aussi peu vêtue. Il arriva même qu'un gendarme, gêné, se cacha la vue derrière son képi pour respecter les convenances. Quinze minutes après, le problème était réglé. La tante jetait alors à haute voix :

– Je reviens jeudi prochain pour l'essayage !

Ce qui ne tombait pas dans l'oreille d'un sourd. Le jeudi d'après, la même comédie recommençait. Ces dames ne faisant pas preuve de bonne volonté, les gendarmes se virent dans l'obligation de verbaliser. Et les tantes revinrent toutes en leur demeure avec un procès-verbal. Lorsqu'elles firent part à leur mari du montant de l'amende et de la raison pour laquelle elles devaient la payer, ces derniers montèrent sur leurs grands chevaux.

– Mais qu'est-ce que c'est que cet imbécile de gendarme? Pour qui se prend-il? Les petites cousines essayent de contribuer au développement de la région et un petit « cul-terreux de mes deux » les en empêche! Ah! Si c'est comme ça, il va entendre parler de moi. Je vais, de ce pas, chez le préfet!

Et le préfet reçut en un mois pas moins de douze visiteurs irrités, avec lesquels il chassait le dimanche. Et qui lui rappelèrent, qu'il n'y a pas si longtemps – c'est-à-dire juste avant que la préfecture n'existât – ils étaient maîtres dans la région.

Le préfet bien embêté, mais bon diplomate arrangea la chose :

– Croyez-moi, mon cher Untel, je vais faire tout ce qui est en mon pouvoir pour que ce genre de désagrément ne porte pas ombrage à votre charmante épouse que nous verrons avec grand plaisir dimanche, ma femme et moi. Mais, mettez-vous à ma place! Je sais que ce jeune gendarme s'est montré un peu trop zélé. Mais je ne peux malheureusement pas faire de différences. Si ça ne tenait qu'à moi… Que puis-je dire, n'est-ce pas, au capitaine de gendarmerie qui, en toute bonne foi, a fait respecter l'ordre? Mais oui, mon cher, j'apprécie que vos deux jeunes cousines contribuent au développement de notre belle région… Ma femme me disait encore, hier, combien il est agréable de pouvoir suivre la mode, sans avoir à se déplacer jusqu'à la capitale…

Trois jours plus tard, un article paraissait dans le journal local qui fut repris au niveau de la province et dont un extrait parut dans une publication parisienne.

La teneur générale rendit tout le monde heureux. Le préfet appuyait des initiatives originales qui valorisaient la région, la gendarmerie faisait son devoir, et la publicité pour la boutique – qui n'était pas expressément nommée, mais l'article contenait tant de détails, que l'on devinait aisément – était faite.

Béa dit en riant :

– On devrait baptiser la boutique : « Aux froufrous de la préfète » !

Le stratagème des tantes avait atteint son but. On en parlait partout !

Marie et Béatrice furent de plus en plus occupées et durent engager deux petites aides. Le préfet avait raison : elles contribuaient au développement de la région.

Les deux sœurs, invitées par Mère, venaient souvent au château. Rose s'en réjouissait, car elles étaient charmantes et amusantes et racontaient avec humour les petits faits de leur vie de boutiquière. Même le taciturne François, lorsqu'il venait en permission, souriait en les écoutant.

L'année qui suivit le mariage de Rose et de Charles, François eut droit à une longue permission. Rose s'en étonna, car la guerre d'Algérie battait son plein. François repartit en Algérie. Deux mois après, il était de retour au château. Il avait démissionné de l'armée.

Quelques mois plus tard, il demandait la main de Béatrice.

La comtesse jubilait que son fils aîné se fût enfin décidé – il avait quarante ans – et Rose était ravie à l'idée que Béatrice devienne sa belle-sœur.

Cependant Charles était d'un autre avis :

– Jamais couple n'a été aussi mal assorti, se plaisait-il à répéter.

« C'était si vrai ! » pensait Rose. François avait la rigueur d'un ancien officier de carrière et un désenchantement inné des plaisirs de la vie, que les tragiques moments qu'il avait vécus en Algérie n'avaient fait qu'empirer. Il était sévère et mince « comme un jour sans fin » disait la cuisinière, ce qui n'enlevait rien à ses qualités morales. Et Béatrice la pétillante, l'amusante Béatrice, de seize ans plus jeune que lui, Béatrice toute en blondeur et en rondeur et dont les hommes admiraient sa carnation et son décolleté et dont les femmes appréciaient son amour de la vie, son allant, ses idées un peu farfelues parfois et son rire que peu de chose arrivaient à étouffer, allait être son épouse.

Un jour, Rose avait surpris une conversation entre ses beaux-parents :

– Mais, ma mie, qu'avez-vous eu comme idée le jour où vous avez voulu accoter mon pisse-froid de fils à cette Vénus qui a un plongeant à damner un saint ?

– Justement, mon ami, justement, lui avait-elle répondu avec finesse.

– Savez-vous, ma mie, que sans en avoir l'air, vous avez, parfois, l'âme d'un Machiavel ?

Rose avait entendu sa belle-mère glousser. Elle s'était éloignée, sur la pointe des pieds.

Sitôt François fiancé, Mère, encouragée par le succès de ses entreprises matrimoniales, décida de s'attaquer à son puîné, Philippe.

Aux fiançailles de François et de Béatrice, le frère de l'un s'était retrouvé naturellement apparié avec la sœur de l'autre, la brune Marie. Marie était mince, aimable et toujours habillée du dernier chic.

Était-ce la vue de ce jeune couple qui avait donné des idées à Mère ? Toujours est-il qu'elle fut subitement prise d'une fringale de mode qui la porta naturellement à s'adresser à « Marie et Béa ».

Philippe accompagna sa mère. Et cela se répéta jeudi après jeudi, car la comtesse était difficile à habiller. Il manquait un détail, le tombé n'était pas parfait, l'ourlet un peu court, l'ourlet un peu long, la taille trop pincée… les raisons ne manquaient pas.

Philippe venait à chaque fois. Il s'asseyait sur un tabouret, tripotait une étoffe, répondait aux questions que ne manquaient pas de lui adresser les deux sœurs, attendait patiemment sa mère. Ensuite, il l'accompagnait à la pâtisserie et dévorait de bon appétit éclairs et babas, avant de revenir au château.

Au bout d'une douzaine de visites, l'habitude fut prise et Philippe, dont la mère avait enfin trouvé un modèle à sa satisfaction, continua à prendre le chemin de la boutique, puis de la pâtisserie, comme une mule à la noria. Il invitait, naturellement, une des cousines à se joindre à lui. Béatrice étant souvent occupée au moment précis où Philippe arrivait, c'était Marie qui partageait avec lui éclairs et babas.

Cela dura plusieurs mois. Tous s'interrogeaient, tant sur l'indécision de Philippe que sur le tour de taille de Marie qui résistait au régime !

En décembre 1960, François et Béatrice se marièrent par une journée glaciale. Neuf mois après, jour pour jour, Béatrice mettait au monde des jumeaux. Le garçon fut baptisé François, comme son père, et la petite fille, Rosalinde.

Beau-papa était satisfait et Mère soulagée : la lignée était assurée.

Mais Philippe ne se décidait toujours pas.

– Et si Marie était compromise? avança Charles, un soir, à sa mère à bout d'idées.

– Il n'en est pas question, le sermonna la comtesse. Mon pauvre petit, où vas-tu chercher des idées pareilles? Ça se fait peut-être dans les affaires, mais pas dans la famille!

Le temps passa. Un jour, on apprit que Maxime avait enlevé Marie.

– Je vous l'avais bien dit! s'exclama Charles. C'était le seul moyen.

Trois mois après, Maxime et Marie se marièrent discrètement. Un petit garçon naquit un peu prématurément.

Le baptême eut lieu au château. Philippe fut le parrain.

Sa mère, qui n'avait pas perdu espoir de le marier, tenta sa chance avec une autre cousine que l'on pressentit pour être la marraine. Rien n'y fit.

Philippe continua à rendre visite à Marie, la mère de son filleul. Deux ans plus tard, naquit une jolie petite fille, Marguerite-Rose qui avait les cheveux bruns de sa maman et les yeux bleu myosotis de la comtesse. Maxime était déjà reparti, depuis belle lurette, vers d'autres conquêtes. Cette fois-ci, c'est Rose qui fut choisie comme marraine.

La comtesse avait lâché prise.

Le jeune Philippe et sa sœur Marguerite-Rose vinrent souvent au château partager les jeux de leurs cousins, les jumeaux de Béa. La comtesse les accueillait à bras ouverts, mais elle ne put jamais refréner un léger sentiment de gêne lorsque la petite Marguerite-Rose la fixait de ses grands yeux bleus innocents.

## 14

# Vie parisienne

Charles et Rose s'étaient installés à Paris. Ils avaient d'abord vécu dans un appartement, prêté par tante Yvonne, dans le 17e arrondissement, dont elle avait hérité au décès d'un de ses frères. Rose avait été quelque peu surprise de la décoration lorsqu'elle l'avait visité la première fois. Elle ne fit pas de remarque, trop heureuse d'avoir un nid à Paris, mais elle s'empressa, à peine installée, de mettre dans des grands cartons les innombrables bibelots qui avaient dû ravir la cocotte de l'époque.

Charles protesta :

– Mais pourquoi les as-tu cachés? J'aime bien ces bibelots. Celui-là, en particulier…

Il sortit du carton une horreur en céramique délicatement peinte qui ne laissait aucun doute sur les activités du couple représenté.

– Galanterie 1900, fut son commentaire.

– C'est cochon, tout simplement, lui rétorqua Rose.

– Ça donne un air coquin à notre relation, ajouta-t-il. Si j'invite un client ici, il croira que je suis chez ma maîtresse…

– Charles, arrête! Je ne peux décemment pas recevoir mes parents dans tout ce bric-à-brac. Qu'est-ce qu'ils vont penser? Et tante Yvonne?

– Ma petite fille, ne te fais pas trop d'idées sur la vertu de tante Yvonne. J'ai entendu bien des histoires racontées par mes oncles...

Rose avait du mal à s'imaginer la vieille femme qu'elle connaissait en galante compagnie. Se pouvait-il que l'on devienne si laide en vieillissant? Vite, vite, elle se précipita dans les bras de Charles pour conjurer l'image d'un couple de vieillards.

Charles profita de l'occasion et l'entraîna vers le lit recouvert de velours rouge cramoisi.

Rose ferma les yeux. Elle n'avait pas encore eu le temps de décrocher les miroirs du plafond!

– J'habite dans un lupanar, avait-elle rétorqué à une amie qui s'étonnait qu'elle eut trouvé aussi facilement un appartement à Paris.

L'amie l'avait regardée, estomaquée.

– Viens voir, si tu ne me crois pas.

Elle était venue prendre le thé. Rose lui avait fait faire le tour du propriétaire, ne lui épargnant ni le large lit, ni les cordons en soie attachés à la tête de lit, ni les miroirs – relégués dans le fond du placard – ni cette curiosité dans la salle de bains dont Rose avait dû se faire expliquer l'usage par son savant mari. Rose sortit les cartons et déballa quelques bibelots. Elles passèrent un excellent après-midi à rire comme deux couventines en goguette.

– Je ne savais pas que tout ça existait, lui dit innocemment son amie.

– Moi non plus, lui répondit Rose.

– Ça ne te gêne pas d'habiter au milieu de tout ça?

– On s'y fait.

– Eh bien, ma chère!

Rose servit le thé dans un ravissant service de porcelaine, peint à la main, représentant des scènes de l'Olympe. Sur la tasse étaient peintes des déesses court-vêtues dont les voiles laissaient deviner les formes. Son amie approcha la tasse de ses lèvres lorsque ses yeux se figèrent sur la soucoupe. Le bouc en l'état s'offrait à son regard.

C'est alors que Charles, dont le dernier rendez-vous avait été annulé, les surprit. Son amie se leva brusquement, piqua un fard, trouva une excuse et s'enfuit.

– Je suis désolé, dit Charles. On dirait que je lui ai fait peur?

Rose rit et désignant le service du doigt :

– Pas toi, Charles, le bouc!

Son amie, très choquée, fit courir le bruit que « Rose avait épousé un satyre ».

Cela revint aux oreilles de Rose qui, rancunière, ne l'invita pas au baptême de Jean, son premier-né.

Quelques années plus tard, elle croisa accidentellement cette amie dans la rue.

– Comment vas-tu, Rose? Toujours mariée avec Charles?

– Mais oui, j'aime mon satyre. Et toi?

Son amie la regarda, étonnée, puis se souvint.

– Oh! Rose, Rose, si tu savais! Tu as le temps? Viens, allons prendre un café. Je vais te raconter.

L'amie en question s'était mariée avec un satyre – un vrai – avait divorcé, s'était remariée et était actuellement séparée, car son dernier époux vivait conjugalement avec un jeune homme.

Rose ouvrit des yeux, grands comme des soucoupes.

– Mais, tu cumules! Ce n'est pas possible!

– Malheureusement, c'est vrai. Et toi? Toujours dans ton petit appartement? Tu te rappelles?

Elles rirent au souvenir de cet après-midi.

– Non, j'ai deux enfants, maintenant. On a dû déménager.

Après la naissance d'Isabelle, l'appartement était devenu trop petit. Les affaires de Charles étant florissantes, ils avaient pu acheter un appartement, avenue Henri-Martin. Chaque enfant avait sa chambre, ce qui était un luxe, à Paris, dans les années soixante. Charles trouvait ça normal.

Comme il était très gourmand et qu'il recevait beaucoup, il demanda à sa mère de lui envoyer Albertine. Rose avait donc maintenant à son service une cuisinière, une femme de ménage et une jeune fille au pair – que Rose, prudente, choisissait plutôt laide – pour s'occuper des enfants, auxquelles s'ajoutaient les extras que l'on faisait venir au besoin.

Rose trouvait qu'ils menaient grand train.

– Mais, non, ma chérie, mener grand train à Paris, ce n'est pas ça!

– Je ne suis pas idiote. Je sais bien que nous ne sommes ni chez les Rothschild ni à l'Élysée! Mais je trouve quand même que nous recevons beaucoup et que nous dépensons beaucoup d'argent.

– Je suis obligé de bien recevoir, cela fait partie des affaires, ma chérie. Je ne vais pas recevoir le directeur de… avec du saucisson et du gros rouge!

– Ce n'est pas ce que je te dis!

Charles prenait son air charmeur :

– Tu n'aimes pas être servie? Je pensais que ça te plaisait… Je fais ça aussi pour toi.

Que répondre à ce genre de réflexion?

– Je ne veux pas que tu te fatigues trop. Tu as déjà les deux enfants à t'occuper, reprenait-il. Au fait, j'ai oublié de te prévenir, mais j'ai invité les clients allemands et quelques personnes du bureau le 20. Fais quelque chose de bien. Je compte sur toi. C'est un contrat important. Maintenant je file, ma chérie. Je t'aime.

Il l'embrassait et disparaissait.

Rose se retrouvait avec ses plans bouleversés. Le 20, c'était dans six jours. Ça tombait en plein dans les petites vacances des enfants. Rose avait prévu aller au château. Tant pis ! Elle les y enverrait avec la jeune fille au pair.

Voyons, ils allaient être... Rose faisait le calcul. Dix-huit avec les épouses des cadres du bureau. Les Allemands seraient-ils accompagnés ? Charles n'en savait sans doute rien. À elle de se débrouiller. Un cocktail ? C'était insuffisant, mais ça aurait été si pratique... Bien que trouver des serveurs au dernier moment... Le mieux serait de commencer par un cocktail et de servir ensuite un dîner assis par petites tables. S'ils étaient plus, les domestiques pourraient toujours ajouter une table pendant qu'ils prendraient le cocktail dans le salon. Maintenant, le menu. Elle verrait ça avec Albertine... Et puis elle commanderait l'entrée chez le traiteur et on finirait par des sorbets. Albertine allait protester. Mais si Rose voulait avoir des serveurs au dernier moment, c'était le seul moyen.

– À six jours ? Madame ! Mais c'est impossible ! Même si je pouvais vous fournir le menu, je n'ai plus personne pour le service.

Rose prenait l'air affolé.

– Laissez-moi regarder mes commandes... Il y a ce dîner chez les Untels. Ils ont réservé depuis six mois, madame !

Il la regardait en insistant sur les six mois. Rose prenait l'air ennuyé d'une élève qui rend ses devoirs en retard.

Le traiteur continuait à haute voix, au profit de tous les clients présents :

– Et puis, j'ai l'ambassade de X qui donne un cocktail ce soir-là... Deux cents personnes... J'ai aussi le dîner des... le cocktail de... et puis aussi...

Rose écoutait patiemment en pensant qu'être traiteur dans le 16e arrondissement était vraiment un bon métier. Puis le verdict tombait :

– Je suis désolé, mais c'est impossible. J'aurais bien pourtant voulu vous rendre ce service...

Rose prenait l'air désespéré. Il lui était même arrivé, une fois, d'essuyer une larme de coin. Elle attendait, se mordait un doigt et subitement sa figure s'éclairait et elle annonçait triomphalement :

– J'ai trouvé ! Vous allez me préparer les bouchées du cocktail et l'entrée. Quelque chose de bien ! Mon mari reçoit des clients étrangers très importants. Il faut que ce soit parfait.

Le mot « étrangers » faisait appel à l'orgueil du traiteur français et le « que ce soit parfait » touchait directement à son portefeuille. Il allait pouvoir d'une pierre deux coups, montrer à ces barbares d'étrangers qu'il n'y avait qu'en France, à Paris, chez lui, que l'on mangeait bien et s'enrichir en proposant un menu et des plats hors de prix à une pauvre petite dame désespérée, dont il achèterait sans doute le château dans quelques années.

Rose lisait les pensées du traiteur sur sa figure. Il passait sa main sur son menton, puis lâchait avec un grand sourire :

– Entendu. Ça va pouvoir se faire. Alors, nous disons...

Et voilà ! La comédie, dont aucun des acteurs n'était dupe, était terminée. Rose aurait les bouchées, l'entrée et les serveurs. Charles serait satisfait.

Restait Albertine, mais ça, c'était plus facile. Éventuellement, elle lui laisserait préparer une partie du cocktail, quitte à mettre quelques bouchées du traiteur de côté pour la jeune fille au pair et les enfants. Elle pourrait aussi en emporter le lendemain à sa mère qui, sans façon, serait ravie de finir les bouchées au foie gras et au caviar. Rose lui raconterait la soirée, tout en picorant.

La vie continuait. Les jeunes filles au pair se succédaient.

Une petite Anne était née, quatre ans après Isabelle. C'était une enfant toujours sage, qui ne pleurait jamais.

Avec trois enfants et la vie trépidante parisienne, Rose aspirait au calme. Aussi allait-elle, dès qu'elle le pouvait, prendre une bouffée d'air frais au château. Elle avait gardé l'usage de son petit appartement dans l'aile gauche. Et c'était avec plaisir qu'elle retrouvait à chaque fois, Béa et sa belle-famille. Les enfants, sitôt arrivés, reprenaient leurs jeux avec leurs cousins, là où ils les avaient laissés la dernière fois. Ses beaux-parents vieillissaient. Beau-papa se tassait et Rose avait l'impression qu'il s'empâtait chaque année. Mère, de deux ans plus jeune que lui, avait gardé sa sveltesse, mais se déplaçait de plus en plus difficilement.

« C'est à cause du climat humide », disait-elle en réponse à ses petits-enfants qui ne comprenaient pas pourquoi une grand-mère aussi gentille ne pouvait pas les suivre dans leurs galopades.

Les enfants avaient tellement associé cette phrase à l'incapacité de bouger, qu'un jour, Jean, qui devait être âgé de six ans et ne voulait pas se lever pour aller à l'école, avança cette excuse :

– Je ne peux pas aller en classe, maman. Je suis malade. J'ai attrapé «le-climat-humide».

Ils avaient tous bien ri. Même Charles utilisait cette nouvelle «maladie» comme excuse, lorsqu'il ne voulait pas se rendre à un rendez-vous.

Charles, très pris par ses multiples occupations, n'accompagnait pas souvent Rose au château. Elle ne s'en plaignait pas, heureuse d'avoir un peu de temps à elle, contente de pouvoir partager des confidences, faire part de légers soucis et conseiller ou recevoir un conseil de Béa qui était devenue sa meilleure amie, en sus d'être sa belle-sœur.

Béa ne se plaignait jamais. Elle avait gardé son rire et sa joie, malgré son mari, François, qui devenait de plus en plus morose. Il avait les cheveux tout blancs et les portait coupés très court, comme à l'armée. Les enfants en avaient un peu peur et se cachaient ou se faisaient petits lorsqu'ils le croisaient dans les corridors. On le voyait partir pour de longues promenades solitaires dans les bois dont il ne revenait qu'à la tombée de la nuit. Au salon, il était pour ainsi dire muet et ne répondait que par politesse à ses parents. Il ignorait les autres qui finirent par le laisser dans son coin.

Rose plaignait Béa et l'admirait de garder sa joie de vivre.

Cet automne-là, aux vacances de la Toussaint, Rose avait remarqué que, sans en avoir l'air, Béa s'arrangeait pour que les enfants ne restassent jamais seuls avec François.

Inquiète, un jour où elles se trouvaient seules, Rose lui avait posé la question :

– Mais, Béa, qu'est-ce qui se passe?

À cette simple phrase, Béa avait éclaté en sanglots.

– Ne dis rien si c'est trop douloureux, avait vite reprit Rose. Est-ce que je peux faire quelque chose pour t'aider?

– Non. Tu ne peux rien, malheureusement. J'en ai parlé à mon médecin qui me répond qu'on ne peut rien faire tant que François ne veut pas consulter. Et François s'est mis dans de telles colères quand je lui en ai parlé, que je ne dis plus rien.

– Il n'est pas violent avec les enfants?

– J'essaye de rester toujours avec eux quand ils sont ensemble.

– Oh! Mon Dieu! Ma pauvre Béa!

Elle regarda Rose d'un petit sourire triste.

– En as-tu parlé à Mère? reprit Rose.

– Elle s'en doute, va! Elle le connaît. Elle a été très gentille, mais c'est difficile, tu comprends, c'est son fils. Moi, je ne suis que la belle-fille!

– Oui, mais, sans nous, elle n'aurait pas de petits-enfants, rétorqua Rose. Regarde-moi! Me voilà encore grosse du quatrième. Il – ou elle – aura moins de deux ans avec Anne.

Béa sourit.

– Tu parles comme une vachère!

– Parfaitement! Si je ne suis bonne qu'à faire des petits pour madame la comtesse, ma chère belle-mère!

Béa rit :

– Oh! Rose, Rose. On ne t'a pas changée! Tu te rappelles quand tu es partie en voyage de noces en jodhpurs?... Qu'a dit Charles en découvrant sa jeune épouse aussi cuirassée qu'une aïeule avec sa ceinture de chasteté?

– Il a été un peu surpris, mais il a bien ri. Tu le connais!

Et Rose ajoute, un peu amère :

– Des jodhpurs, ça s'enlève facilement. Et ça, Charles y est pas mal fort, dit Rose d'un ton désabusé.

Béa la regarde :

– Tu crois qu'il te trompe?

– Sans doute. J'aime mieux ne rien savoir. Il m'aime. Ça, j'en suis sûre et quand il est là, il est très gentil avec les enfants. Il a été ravi de celui-là, ajoute Rose en pointant son doigt vers son ventre. Mais la grosse question, c'est « quand il est là ». Il est toujours par monts et par vaux, toujours pris par de multiples occupations. Tu ne vas pas me dire qu'il a des rendez-vous d'affaires presque tous les soirs ou le dimanche?

Béa ne répond pas. Puis en chuchotant, elle avoue :

– J'aimerais bien que François en fasse autant.

– Oh!

Rose se tait. Béa reprend :

– Oh! si tu savais, Rose, j'ose à peine le dire, mais il me fait peur.

– Ce n'est pas étonnant avec la tête qu'il a!

Béa sourit courageusement.

– J'ai tellement peur, Rose, que le soir, j'attends qu'il s'endorme, puis je me glisse dans la chambre des enfants et je ferme la porte à clé. Sinon, je ne pourrais pas dormir.

– Mon Dieu, Béatrice, c'est horrible! Et Philippe? Il ne peut pas faire quelque chose?

– Voyons, Rose! Tu connais Philippe. Ce n'est pas le courage personnifié. François est son frère aîné. Il ne fera rien. Et puis, si je lui en parle, il va se précipiter pour le dire à Marie et je ne veux pas que ma sœur soit au courant. Elle a eu bien assez de soucis conjugaux comme cela, avec son Maxime!

– Qu'est-ce qu'il devient, celui-là?

– Je l'ai rencontré à Breteuil récemment. Il était, comme toujours, en galante compagnie. Il fait beau vieillard accompagné de jeune tendron.

Rose rit, imaginant la scène.

– Je te promets, Rose! Tu peux rire, la fille avait l'air d'avoir seize printemps!

On entend les petites voix dans le couloir :

– Maman! Maman!

Les deux jeunes femmes se lèvent, s'embrassent. Béa s'essuie rapidement les yeux. Les enfants arrivent.

– Regarde, maman, ce qu'on a trouvé!

Et Jean lâche sur le tapis un jeune chiot.

– Où l'avez-vous pris?

– Dans la corbeille de la chienne, répond Rosalinde.

– Mais, vous êtes fous! Vous allez vous faire manger! On ne prend pas un chiot à sa mère.

– Elle n'a rien dit, rétorque Jean.

– On va le garder, hein, maman? supplie Isabelle.

– Elle ne voulait peut-être plus de son bébé, dit Rosalinde, alors on l'a adopté.

– C'est sûr! Maintenant que vous l'avez touché, elle ne va plus en vouloir.

– Et puis, regardez-le, il pisse sur le tapis!

– Oh! ces enfants! Ces enfants! On ne peut pas vous laisser seuls, sans que vous fassiez une bêtise.

Le petit François prend le chiot dans ses bras et dit avec grand sérieux :

– Il pisse parce qu'il a peur.

Les deux mères se regardent, muettes. Béa est livide. Elle entoure son fils de ses bras :

– Maman est là, mon chéri.

Il la regarde d'un sourire confiant.

Les autres petits diables s'agitent :

– On le porte à la cuisine. Louise a dit qu'on pouvait le mettre dans la vieille huche à pain, dit l'un.

– Et on va le nourrir au biberon.

– C'est ça. Allez, les enfants.

Les deux femmes restèrent seules.

Pour la première fois, Béa laissa voir ouvertement sa détresse. Elle se détourna vers la fenêtre.

Rose s'approcha, lui prit le bras, la secoua.

– Béa! Ce n'est pas le moment de te laisser aller. Il n'y a que toi pour protéger les enfants. Tu as vu François? Qu'il s'en soit rendu compte, c'est normal. Il n'est pas idiot, ton petit bonhomme!

Béa se retourna, désespérée :

– Oui. C'est ça qui me fait mal.

Elles pleurèrent toutes les deux.

– Écoute, dit Rose. Pourquoi ne viendrais-tu pas un moment chez moi, à Paris? On trouvera bien une raison... Que ma grossesse me fatigue et qu'il n'y a que toi qui peux me remplacer... Tu n'es pas indispensable, ici!

– Merci, Rose. Mais ce n'est pas possible. Les enfants vont à l'école, ici. Et puis, que dira François? Il faudra bien que je revienne.

– Promets-moi de faire bien attention à toi. Et si ça ne va pas, hurle : «Au feu!» Ça les fera sortir de leur chambre!

Béa rit :

– Rose, tu as toujours de ces idées!

Sitôt de retour, Rose, tout en taisant les confidences que lui avait faites Béatrice, parla à Charles de son frère.

Charles finit par lui promettre de voir ce qu'il pouvait faire, lorsqu'ils iraient tous ensemble au château pour les fêtes de Noël.

Le premier dimanche de décembre, au moment du déjeuner, le téléphone sonna. Charles, qui était heureusement là, prit l'appel. Rose l'entendit dire « un instant » et le vit revenir fermer la porte de la salle à manger.

Les enfants, étonnés et curieux, se turent. Rose tendit l'oreille. Qui pouvait appeler un dimanche ? Et pourquoi Charles avait-il fermé la porte ? Il ne recevait jamais de téléphone personnel à la maison. S'il trompait Rose, il le faisait très discrètement et aucun des enfants ne se doutait de quoi que ce soit.

On entendait Charles parler par monosyllabes, mais on ne comprenait pas les paroles.

– Mangez, les enfants, dit Rose.

Charles entrouvrit la porte et appela :

– Rose ?

Elle se leva.

– Vous ne bougez pas de table. Je reviens, dit-elle aux enfants.

Elle ferma la porte de la salle à manger. Charles était assis près du téléphone, la tête basse. Rose comprit tout de suite qu'un malheur était arrivé. Son cœur se serra et elle sentit son ventre durcir, comme pour une contraction.

« Mon Dieu, songea-t-elle, pourvu que je n'accouche pas maintenant. C'est beaucoup trop tôt, il est prévu pour février… »

Elle prit une grande respiration et dit d'une voix fluette :

– Qui c'est, Charles ?

– C'est François.

Rose eut les jambes qui flageolaient.

– C'est François qui t'appelait?

Charles releva la tête. Il était blanc, même ses yeux étaient décolorés.

– Non. C'était Philippe. Le garde-chasse a trouvé François dans le bois. Il a eu un accident.

Puis, devant l'air interrogateur de Rose, Charles hocha négativement la tête, incapable de prononcer le verdict.

Rose serra tendrement Charles. Il posa sa tête contre son ventre. Le bébé remua.

Charles dit d'une voix enrouée :

– Si c'est un garçon, on l'appelle François.

Rose ne répondit pas. Elle songeait à Béatrice qui était en vie, à ses enfants, au petit François qui n'aurait plus peur, à Béatrice qui pourrait dormir sans craindre cet époux qui avait tellement changé qu'elle ne le reconnaissait plus, ce François inconnu qui l'effrayait.

« Appeler son bébé François? Sûrement pas », songea Rose. Elle trouverait une raison, sans dévoiler à Charles pourquoi. Elle ne voulait pas qu'il portât le nom de son beau-frère. Mais elle ne dirait rien à Charles. Qu'il garde le souvenir de son frère aîné en oubliant le côté morbide et maladif que les événements de la vie et la vision de la cruauté des hommes avaient déclenché chez cet esprit sensible.

# 15

# Béatrice

Les semaines qui suivirent le décès de François furent très difficiles. On crut que Béatrice allait devenir folle. Elle s'agitait dans tous les sens comme une phalène qui tourne autour de la lumière. Mais, après ces années de tension et de peur, elle était attirée par l'ombre et essayait de résister à l'attraction épouvantable que son mari mort exerçait sur elle. Elle avait un besoin maladif de protéger le petit François et l'emmenait partout avec elle. Elle laissait Rosalinde qui, abandonnée au château, traînait dans les couloirs et finissait par se réfugier dans les bras de sa grand-mère.

Le comte s'était enfermé dans un mutisme absolu. Il désapprouvait silencieusement que l'ordre des choses eût été bouleversé. Comme il ne pouvait ni par décence ni par éducation exprimer sa rancœur et sa douleur, il se taisait.

Philippe fuyait le château aussi souvent qu'il pouvait décemment le faire et allait se réfugier auprès de la chaleur de Marie et de ses deux jeunes enfants.

Charles faisait d'incessants allers et retours entre le château et Paris. Tous les problèmes courants lui tombaient dessus. Comme il n'y avait plus d'intendant au château depuis que François était revenu d'Algérie et que ce dernier avait disparu, c'était le garde-chasse qui de facto le remplaçait. Il appelait Charles quotidiennement à Paris et essayait de régler les problèmes par téléphone.

– Demandez à mon père, lui répondait invariablement Charles.

Le lendemain, le garde-chasse rappelait. Le comte avait passé la main du temps de François et n'était plus au fait des multiples questions de fermages, baux, contrats de coupe de bois et autres affaires. Il ne savait même pas qui était actionnaire à la chasse! « Et tout cela l'embêtait », selon les propres paroles du comte que le garde-chasse avait rapportées à Charles.

– Vous m'emmerdez. Fichez-moi la paix, lui avait-il répondu.

Charles, très pris par ses affaires, menait bataille sur les deux fronts. Rose le voyait se lever la nuit et marcher de long en large pendant des heures, essayant de trouver des solutions.

Lorsqu'il revenait se coucher, il dormait d'un sommeil tellement agité que Rose, qui en était à la fin de sa grossesse, n'arrivait pas à trouver une position confortable pour se rendormir. Elle se levait à son tour. Elle allait se faire chauffer une tasse de lait, puis revenait au salon, s'installait du mieux possible dans un fauteuil, s'emmitouflant dans un plaid et essayait de somnoler jusqu'au lever des enfants.

Le matin, lorsqu'elle se regardait dans la glace de la salle de bains, elle se trouvait une mine épouvantable :

– Tu as l'air d'une chouette avec ces cernes, disait-elle à son reflet.

– Maman parle toute seule! Maman parle toute seule! s'empressait de chantonner un des enfants qui l'avait entendue.

Charles, fatigué, intervenait, se fâchait pour un rien et tous les matins au petit-déjeuner, s'exclamait :

– Ça ne peut plus durer!

– Est-ce que Philippe pourrait aider ton père si on lui expliquait?

Charles haussait les épaules.

Rose fixait sévèrement des yeux son fils qui, la bouche déjà ouverte, allait dire : « ça ne se fait pas ». Il avait reçu sa première gifle récemment dans les mêmes conditions, mais il avait, semble-t-il, la mémoire courte. Le gamin comprenait, lui faisait un sourire et haussait les épaules. Rose le fixait encore plus sévèrement, mais il s'en moquait. Il savait bien qu'elle n'allait pas désapprouver chez le fils, un geste que le père se permettait.

– Maman, pourquoi Rosalinde ne vient pas habiter chez nous? proposa Isabelle qui était en admiration devant cette cousine de trois ans son aînée.

– Elle a une mère, ma chérie.

Charles regarda Rose d'un air de dire « pour ce que sa mère vaut... cette petite est laissée à elle-même et traîne toute la journée sans que personne s'en inquiète ».

Rose lui répondit par une mimique muette.

Rose se tourmentait plus pour Béa que pour ses enfants. Elle se disait, peut-être à tort, que les enfants survivraient, qu'ils avaient une faculté de récupération, une force de vie qui les feraient passer à travers l'horreur de ces moments. Mais que si Béa ne retombait pas sur ses pieds et ne revenait pas à une vie normale, là, les enfants seraient perdus. Ce n'était pas la comtesse, malgré toute sa gentillesse et son affection pour ses petits-enfants, qui pourrait remplacer leur mère.

« Peut-être y avait-il une part de vrai dans ce que venait de dire Isabelle, avec son bon sens de petite fille », songeait Rose. Elle devrait proposer de prendre Rosalinde pour quelque temps. Ce serait plus gai pour l'enfant d'être entourée par ses jeunes cousins plutôt que par une grand-mère qui pleurait son fils. Fallait-il aussi inviter le jeune François ? D'un côté, cela vaudrait mieux. Rose trouvait triste que les jumeaux soient séparés à un moment où ils avaient tant besoin l'un de l'autre. D'un autre côté, que deviendrait Béa sans son fils ? Elle qui se raccrochait à sa petite présence pour se remettre du drame.

– Il s'est tiré une balle dans la tête, tu sais, avait-elle confié à Rose quelques jours après l'enterrement. Le garde-chasse a arrangé les choses par respect pour ma belle-mère. Elle n'aurait pas pu supporter, elle qui est toujours fourrée chez ses curés, qu'il ne soit pas enterré chrétiennement. Moi, après tout ce que j'ai vécu, après avoir entendu, nuit après nuit, les soliloques de François qui revivait les atrocités qu'il avait vues et auxquelles il avait participé en Algérie, moi, je ne crois plus. François m'a laissé un mot – je l'ai déchiré – me disant qu'il m'aimait, mais qu'il craignait tellement de faire un geste fatal qu'il préférait « en finir », comme il l'a écrit, que de tuer des innocents. Tu comprends, toi, que je devienne folle ? Il m'aimait et je ne l'ai pas aidé ! Je me fais des reproches. J'aurais dû insister pour qu'il consulte un médecin… Et puis, j'ai peur que les enfants fassent la même chose. Est-ce que tu crois que le suicide, c'est héréditaire ?

Rose avait essayé d'aider sa belle-sœur comme elle avait pu, mais les mots qu'elle avait trouvés étaient une infime consolation dans le monde de l'atroce dans lequel se débattait Béatrice.

– Il faut laisser le temps au temps, lui avait dit Rose en terminant, ne sachant plus quoi rajouter.

Curieusement, c'est cette phrase-là qui avait touché Béatrice.

– C'est une belle phrase, ça! lui avait-elle dit. Rose, merci! Tu ne peux pas savoir comme ça m'a fait du bien de te parler de tout ça.

Et le temps passa. Béatrice s'éloigna – «pour quelque temps, seulement», disait-elle – du château. Elle alla d'abord avec ses enfants, dans une maison en Bretagne que lui prêta Maxime. Ce fut le futile Maxime qui avait trouvé la solution et qui, avec un grand cœur et une sensibilité que l'on n'aurait jamais devinés chez ce chenapan qui comptait «plus de cœurs brisés que de jours dans l'année» – comme disait la famille – vint au secours de sa jolie cousine et belle-sœur. Cela fit bien parler dans la famille.

La maison était située au bord de la mer, à proximité d'un petit village. Dès leur arrivée, Maxime accompagna sa belle-sœur pour inscrire les enfants à l'école et, comme ils portaient le même nom – une cocasserie de leur cousinage – l'instituteur le prit pour le père. Ils décidèrent de ne pas se dévoiler plus avant, sachant trop bien que la présence d'une jolie femme chez cet homme à la réputation sulfureuse alimenterait les commérages au village et que ce serait les enfants qui en souffriraient. Mieux valait laisser planer le doute.

La maison était suffisamment retirée pour que Béatrice, qui n'avait nulle envie de rendre des mondanités, mais qui aspirait à la tranquillité, puisse se reposer et retrouver un équilibre. Elle était située à une quinzaine de kilomètres d'une petite ville où elle pouvait aller faire ses courses, voir un médecin ou un dentiste et s'acheter quelques vêtements, car elle avait beaucoup maigri en quelques semaines et elle flottait dans ses jupes.

La maison était très agréable. Bien proportionnée, élégante, elle était entourée d'un grand jardin qui descendait doucement vers une crique, où foisonnaient les hortensias en saison. Maxime, qui tenait à son confort, avait fait installer le chauffage central dans toute la maison. Il y faisait bon, il y faisait chaud. Il y avait une grande pièce baignée de soleil – quand il se montrait –, avec une véranda, d'où l'on avait une vue magnifique sur l'océan. Des coussins de chintz accueillants, une bonne bibliothèque, des disques... Un endroit où elle n'avait pas de souvenirs... et une lumière si douce, dehors, qu'elle ne choquait pas le cœur fragile de Béatrice. Béatrice avait trouvé son havre.

– Tu restes ici autant que tu veux, ma chérie, disait Maxime. Considère-toi chez toi. Je te demande seulement, ajouta-t-il, de ne pas faire de travaux sans m'en avertir. Pour le reste, tu peux changer ce que bon te semble.

Pour la première fois depuis la mort de François, Béatrice éclata de rire. L'idée de faire des trous avec un bulldozer était par trop saugrenue! Et se faire appeler «ma chérie», même si cela était un automatisme chez Maxime, faisait du bien. Béatrice reprenait vie.

– Et puis, ma chérie, laisse tout ce noir de côté, cela me rend dépressif, lui disait comiquement Maxime. Demain, je t'emmène à la ville voisine et tu vas me faire le plaisir de t'habiller correctement. J'aime avoir une jolie femme sous les yeux.

– Oh! Maxime! Maxime! Si ma belle-mère t'entendait! Ça ne m'étonne pas que tu aies une réputation épouvantable.

Il riait. Elle réfléchissait, elle qui avait aimé suffisamment la parure pour monter une boutique de mode avec sa sœur.

– Tu crois que je pourrais porter autre chose que ça, disait-elle en désignant sa jupe noire ? Je ne voudrais pas choquer les gens.

– Ma jolie, les gens se moquent éperdument de toi. Tu crois que, moi, je fais attention au qu'en-dira-t-on ? Il y a belle lurette que j'ai envoyé tout ça balader !

– Oui, mais c'est plus facile pour toi, tu es un homme. Je tiens, moi, à ma réputation et je ne veux pas que les enfants souffrent de mes gestes… ce noir est si laid !

– Écoute ma chérie, tu ne feras pas revivre François en te vêtant du voile des veuves. Il t'aimait ce chéri et te veut heureuse et gaie pour ses enfants… Mais non, ne pleure pas… Qu'est-ce qu'ils vont penser de tes yeux rougis quand ils vont rentrer de classe ? Que leur grand cousin est un barbare ?

– Comme l'Affreux, disait Béatrice d'une voix étranglée, qui, par de lointaines ramifications, partageait le même ancêtre.

Béatrice hésita deux jours, se regarda longuement dans la glace et finit par téléphoner à Rose.

– Qu'est-ce que tu en penses, toi ? lui demanda-t-elle. Tu crois que ça aurait choqué François ?

Rose n'hésita pas un instant. Si Béa s'intéressait à sa personne, c'était le premier pas pour sortir de son marasme…

– Vas-y donc, sors du noir. Tu peux quand même porter le deuil décemment avec des couleurs discrètes qui seront plus gaies pour tes enfants. Le deuil de Louis XVI se portait bien en violet et les Japonais portent du blanc.

– C'est ce que tu ferais à ma place? hésitait Béa.

Rose éclata de rire :

– Si tu me voyais avec ma bedaine énorme, tu ne poserais pas cette question. Je suis tellement grosse que, debout, je ne vois plus mes doigts de pied! La seule chose qui m'irait en ce moment, c'est un sac de pommes de terre.

– Il te reste combien de semaines?

– Deux à trois, dit le médecin.

– Bon, j'espère que tout ira bien. Dis à Charles de m'appeler tout de suite.

Rose attendit quatre longues semaines. À la fin – elle avait plus de quinze jours de retard sur la date prévue – le médecin décida de la faire entrer à la clinique. Le bébé était mal placé et l'accouchement fut long et douloureux. Rose était épuisée et n'avait plus de souffle. Elle vécut la fin dans un état semi-comateux. Elle entendait les médecins discuter. L'un parlait de pratiquer une césarienne, l'autre voulait encore attendre un peu.

– Elle s'épuise, disait une infirmière.

Son corps ne lui appartenait plus.

– Son cœur est faible, disait une autre voix.

Rose ne savait plus si on parlait d'elle ou du bébé.

Enfin Agnès vint au monde. Un gros bébé de neuf livres.

Rose fatiguée, épuisée, vidée physiquement et moralement, allongée dans son lit, car les points la faisaient trop souffrir quand elle s'asseyait, regardait par la fenêtre de sa chambre de clinique et laissait errer ses pensées.

Elle avait tenu le temps qu'il fallait, mais maintenant, elle vivait le deuil de François et le deuil d'un mode de vie qui ne serait plus jamais le même. La mort d'Aubert avait marqué la fin de sa jeunesse insouciante. La mort de François, que marquait-elle ?

– Ma petite dame, il faut que vous arrêtiez de pleurer, lui disait l'infirmière, vous allez gâter votre lait. Regardez votre joli poupon.

Son médecin vint la voir et, attentif, prit le temps de s'asseoir. Il décida de la garder un peu plus longtemps à la clinique et la poussa à prendre une nurse pour les premières semaines. Il lui recommanda aussi d'attendre avant de mettre en route le suivant.

Rose, heureusement trop fatiguée pour lui dire ce qu'elle pensait, fut suffisamment lucide pour lui demander de l'aide.

– Docteur, j'ai quatre enfants, l'aîné va avoir neuf ans. Je ne veux pas les laisser orphelins. L'accouchement s'est bien mal passé et je pense avoir fait ma part sur terre. Je veux élever bien ceux que j'ai, mais, pour moi, la maternité, c'est fini.

Il la regarda, sondant sa sincérité et pesant le bien-fondé de son argumentation. Il finit par lui dire :

– Lorsque vous viendrez pour votre visite, rappelez-moi de vous donner le nom d'une de mes collègues. Elle vous suivra à ma place.

Et lui tapotant la main :

– Pour l'instant, remettez-vous vite.

« La contraception gênait sans doute ses principes religieux, songea Rose. Ça se voit que ce n'est pas lui qui accouche ! »

Agnès était affamée et Rose, trop fatiguée, ne put la nourrir longtemps. Le bébé fut mis au biberon, dès l'âge de trois semaines. Elle ne s'en porta pas plus mal que les autres et Rose se demanda pourquoi elle n'avait pas fait la même chose avec les trois aînés.

Aux vacances de Pâques, Rose fut très tentée d'aller chez Béa en Bretagne, mais sa belle-mère les attendait tous au château et voulait – ce qui est bien normal – faire connaissance du bébé.

La question du baptême s'était posée. Ses beaux-parents ne voulaient pas quitter le château et venir à Paris leur semblait une épreuve insurmontable. Rose, voulant ménager la sensibilité de sa belle-mère, avait hésité. Elle avait peur que la cérémonie ravive des souvenirs douloureux trop récents. Pouvait-on baptiser une jeune braillarde, affamée, dans la même église où avaient eu lieu, moins de quatre mois auparavant, les funérailles de l'oncle de l'enfant?

Rose s'en était ouverte à sa belle-mère :

– Mais, très certainement, ma petite fille. Nous comptons bien que le baptême ait lieu ici. J'ai prévenu notre curé. Il vous attend.

– Bien, Mère.

– Et nous recevrons après... uniquement la famille, évidemment... Je pensais, comme nous ne serons pas très nombreux, donner un déjeuner assis. Qu'en pensez-vous?

Rose songeait que sa belle-mère faisait preuve de beaucoup de courage.

Et c'est ainsi que le baptême eut lieu au château. Ce fut une excellente occasion pour Béatrice, qui avait accepté d'être la marraine, de revenir. Se retrouver dans la liesse, les cloches en chocolat pour les enfants et les dragées, facilitèrent son arrivée.

Amincie, elle était très élégante dans une robe noire de style redingote, éclaircie d'un très large parement blanc.

– Je ne voulais pas que ce soit triste pour ma filleule, dit-elle, en s'excusant presque auprès de sa belle-mère.

– Ma fille, lui dit la comtesse en la serrant dans ses bras, vous avez très bien fait. Dieu voit vos pensées et non votre robe.

Maxime l'accompagnait. Rose l'avait choisi comme parrain. Charles avait trouvé l'idée excellente :

– Encadrée par ces deux-là, la petite risque d'être amusante, lui avait-il dit. On a assez pleuré comme cela.

Charles ne pouvait pas supporter que sa femme pleure. Rose le savait. Et Isabelle, leur fille âgée de six ans, venait de le découvrir.

– Sèche ces larmes de crocodile, lui disait son père, qui n'était pas dupe.

– Ô! mon papa, rétorquait-elle.

Et elle se précipitait sur lui :

– Fais-moi un câlin, mon papa chéri. Il n'y a que toi qui me fais des vrais câlins.

Comment résister? Charles, par-dessus l'épaule de l'enfant, regardait Rose en souriant, en ayant l'air de lui dire :

– Quelle charmeuse! Elle s'y prend tôt, la chipie!

Rose souriait et lui indiquait le chiffre trois, avec ses doigts.

Le père faisait semblant d'être affolé par le nombre de filles qu'il aurait bientôt à consoler.

Pour l'instant, c'était la petite dernière qui cassait les oreilles des invités.

– Donnez-lui un biberon, dit Charles. Qu'elle se taise!

Les femmes le regardèrent, outrées.

– Donnez-moi ma filleule, dit Maxime.

Il prit l'enfant et approcha sa figure de la sienne. Agnès se tut immédiatement.

Ils éclatèrent tous de rire.

– Chez Maxime, tout est bon, du lardon au laideron, déclama Philippe à haute voix.

Ce qui fit rire l'assemblée de nouveau.

Agnès, affolée, se remit à pleurer et sa mère, suivie de Béatrice, l'emporta.

La gaieté était revenue au château.

«Oui. Mère avait eu raison, songea Rose. Quelle belle leçon de vie!»

Elles se dirigèrent rapidement vers l'ancien appartement de Rose, avec un bébé qui criait à pleins poumons.

– Elle en a de la voix, dit Béatrice.

– À qui le dis-tu! La cuisinière m'a dit : «Madame Rose, votre fille, elle crie plus fort qu'un cochon qu'on égorge!»

– On va en faire une chanteuse d'opéra, affirma Béa.

Rose changea rapidement la petite braillarde. Celle-ci comprit que le biberon s'en venait et se tut quelques instants.

– Tu me la donnes? J'ai envie de savoir si je sais toujours donner un biberon, lui demanda Béatrice.

– Voilà ta filleule, ma chère, lui dit Rose en lui tendant Agnès.

Béatrice posa délicatement la tête du bébé au creux de son bras gauche et lui donna à boire. Les deux jeunes femmes restèrent quelques instants silencieuses à écouter déglutir la jeune gloutonne et à apprécier le silence revenu.

– Charles a raison, dit Rose, le seul moyen pour la faire taire, c'est de lui donner à boire.

Béatrice releva la tête :

– Comment ça va avec Charles ?

– Pas mal. Il est débordé par ses affaires et le château, je suis débordée par les enfants, nous sommes tous les deux très heureux de pouvoir échanger une parole, seul à seule, de temps à autre.

Béatrice rit.

Rose reprend :

– Et toi, comment c'est la Bretagne ?

Béatrice ne répond pas tout de suite. Puis, d'une voix douce, lui dit :

– C'est très différent de la Normandie. La maison est agréable ; les enfants vont à l'école du village et ont l'air de bien s'habituer... C'est calme, quelquefois très calme... Je lis, je me promène, je reste à réfléchir pendant des heures sur un banc du jardin. Je suis devenue très paresseuse... J'ai l'impression d'être un peu endormie...

Puis, elle reprend sur un ton plus vif :

– Il faut absolument que tu viennes me voir. Pourquoi ne viendrais-tu pas aux grandes vacances avec les enfants ? Allez ! Dis oui, Rose. Cela me ferait si plaisir.

– Cela me ferait grand plaisir aussi. Je vais voir avec Mère, je ne veux pas avoir l'air de l'abandonner, alors que ça fait dix ans que je viens au château tous les étés, mais c'est une excellente idée et je te remercie.

– Mère ne va pas mal du tout, poursuit Béatrice. J'avais un peu peur de revenir et de les retrouver aussi accablés que...

Elle laisse sa phrase en suspens. Rose coupe vite :

– En tout cas, l'air de Bretagne a fait un bien fou à tes enfants. Ils ont une mine ! Et un entrain ! Tu les as vu repartir dans leurs galopades dès qu'ils ont retrouvé leurs cousins ?

Béatrice sourit. Elle hésite, puis :

– Oui. Ils vont bien. Ils sont heureux là-bas et puis... C'est bête ce que je vais te dire, mais figure-toi qu'ils se sont attachés à Maxime. Il n'est pas toujours là, mais il vient tout de même très souvent.

Rose attend.

– Oh ! non, ne va pas croire... Il n'y a rien entre Maxime et moi... Mais je l'ai découvert sous un autre jour. Il est d'une patience avec les enfants... et avec moi. Lorsque je passe par des moments difficiles, il ne dit rien. Il fait comme s'il ne me voyait pas pleurer, mais je sais qu'il est là. C'est un homme délicieux à vivre.

– C'est ce qu'avait dû penser ta sœur qui l'avait épousé et beaucoup, beaucoup d'autres jeunes femmes si j'en crois les histoires innombrables qui courent sur lui... Même ma fille ! Tu as vu Agnès ? Il la prend dans ses bras et elle est tout sourire !

Béatrice rit de bon cœur. Agnès s'est endormie. Elle la dépose délicatement dans son berceau.

Béatrice regarde par la fenêtre, perdue dans ses souvenirs. Elle relève la tête avec un pâle sourire :

– Je ne sais pas ce que j'ai ! Ça m'arrive tout le temps. Je passe du sourire aux larmes sans raison, explique Béatrice.

– Peut-être pas sans raison, lui répond Rose doucement... Si tu veux, lui propose-t-elle, j'irai avec toi cet après-midi sur la tombe de François.

– Rose, tu es adorable, mais j'y suis allée ce matin avec les enfants et Maxime nous a accompagnés, lui répond Béatrice, avec fierté.

– Chapeau pour Maxime ! Je vais finir par croire tout le grand bien que tu m'en dis. Il doit être comme le bon vin, il s'améliore en vieillissant.

– Il a un cœur en or, le défend Béatrice et il aime beaucoup les enfants. Tu l'as vu avec les enfants de ma sœur? D'accord, Philippe est sans doute son fils, mais Marguerite-Rose, allons donc! Il est adorable avec tous, les siens et ceux des autres. C'est un grand enfant lui-même!

– Et ta sœur Marie accepte bien que tu vives avec... enfin chez... son ex-mari? lui demande Rose.

– Que crois-tu? C'est à Marie que j'ai demandé conseil, cet hiver, lorsque Maxime m'a proposé la maison, lui rétorque Béatrice.

Rose est estomaquée.

– Eh bien! Ne fais pas cette tête-là, Rose! Je n'allais pas me fâcher avec ma sœur pour un homme, aussi délicieux soit-il, ajoute-t-elle, provocante.

Rose sourit.

Béatrice reprend :

– Je ne savais pas quoi faire, j'étais tellement perdue... C'est ma sœur qui m'a poussée à aller en Bretagne pour m'éloigner de cet endroit où je me cognais à des souvenirs douloureux à chaque coin. Et puis, Rose, on n'en parle jamais, parce que ça ne se fait pas, mais je n'ai aucune fortune personnelle. Tant que j'étais au château, tous mes besoins et ceux des enfants étaient pris en charge, mais si je voulais m'en éloigner...? Où pouvais-je aller? Mon père n'avait pas voulu que nous poursuivions des études et je n'ai aucune formation. Pourquoi crois-tu que ma sœur et moi avions monté cette boutique de mode? C'était la seule chose que nous pouvions faire. Lorsque je me suis mariée à l'héritier des R., je n'ai pas pu continuer. François désapprouvait que je sois une «boutiquière», comme il m'appelait. J'ai tenu aussi longtemps que je pouvais... mais, pour finir, j'ai dû laisser la boutique à ma sœur. Tu sais, Rose, l'indépendance des femmes passe par l'indépendance financière.

Rose réfléchit :

– Nous sommes des prisonnières de luxe dans des cages dorées. Mais nos mères l'étaient avant nous. Jamais, autrefois, une femme dans nos familles n'aurait travaillé ! Je me rappelle qu'au moment de mes fiançailles, j'avais dit à Charles que je voulais continuer mes études. Tu sais ce qu'il m'a répondu ? : « Je gagne suffisamment bien ma vie pour entretenir mon épouse et ça ne me plairait pas que l'on dise que ma femme travaille. » Mais, je n'ai pas désespéré, ajoute Rose. Peut-être un jour, quand les enfants seront plus grands, je reprendrai des études. Mais, pour l'instant, je n'ai pas un instant à moi.

– Ils sont beaux, Rose, tes enfants. Et un métier ne remplacerait pas le bonheur de les avoir, lui répond Béatrice. La famille, c'est encore ce qu'il y a de mieux. Viens, descendons prendre une coupe de champagne et boire à la santé de ma filleule !

## 16

# Vacances en Bretagne

En juillet, Rose, à la grande joie des enfants, alla en Bretagne chez sa belle-sœur.

Ils s'étaient entassés à six dans la voiture. Rose conduisait, la jeune fille au pair était assise à ses côtés et les quatre enfants, dont le bébé dans le couffin, étaient à l'arrière. « Tassés comme des sardines », se plaignait Jean. Ils avaient tous hâte d'arriver.

– Maman, est-ce qu'on va se baigner ?

– Maman, est-ce que tu vas m'acheter un filet à crevettes ?

– Maman...

Tout était bon pour les exciter : aller au bord de la mer – c'était la première fois –, retrouver leurs cousins, les grandes vacances... Même la jeune fille au pair, une Suédoise que Rose avait emmenée, se réjouissait de passer un mois au bord de la mer et le reste de l'été dans un vrai château. Elle s'imaginait, sans doute, pouvoir prendre de longs bains de soleil, nonchalamment étendue sur une plage, pendant que les gentils enfants dont elle avait la charge joueraient sagement, à côté d'elle, en faisant des pâtés.

Elle ne connaissait pas ces bons petits diables. Jean venait d'avoir neuf ans et formait avec les jumeaux de

Béatrice qui avaient le même âge, un trio très inventif. Isabelle, âgée de six ans, essayait de les suivre et servait de souffre-douleur, mais elle ne s'en plaignait jamais. Quant à la petite Anne, âgée de deux ans, elle était très facile, mais c'était un âge où il fallait beaucoup la surveiller, car elle partait à la découverte et disparaissait sans qu'on s'en rende compte. Le bébé Agnès n'avait que quatre mois. Et c'est Rose qui s'en occuperait.

Quant au climat, Rose l'avait prévenue :

– Ce n'est pas la Côte d'Azur, Solveig, vous savez!

Elle avait un charmant sourire, un joli prénom et un accent terrible :

– Che chais, madame. Chez nous, che me baigne dans la glache.

Solveig avait, aussi, bon caractère et Rose s'en réjouissait, car la dernière jeune fille au pair avait été d'une telle susceptibilité que Rose, qui prenait des gants pour expliquer les us et coutumes de la famille, avait dû s'en séparer, après que la jeune fille lui eut répondu cinq cents fois :

– Madame, chez nous, c'est comme cela que l'on fait.

Rose comprenait que ces jeunes filles avaient un mode de vie et des habitudes différentes dans leur pays respectif, mais elle demandait, pendant les heures où la jeune fille devait s'occuper des enfants, qu'il n'y ait pas de changements majeurs dans celles des petits. Un peu de bonne volonté et de souplesse de part et d'autre réglaient, en général sans problème, les différends. Solveig semblait ouverte à de nouvelles coutumes. Ce qu'il y avait de curieux, c'est que, dès le premier jour, les enfants – les deux aînés – se rendaient compte si la jeune fille au pair allait faire long feu ou si l'on serait obligé de s'en séparer au bout de quinze jours.

Rose fut heureuse d'arriver. Béatrice et Maxime vinrent au-devant d'eux. Béatrice portait un ensemble ravissant de couleur mauve qui faisait ressortir son teint laiteux. Maxime, en short, portait un nœud papillon écossais avec une chemise à manches courtes. Quel phénomène!

– Ravissant ton nœud, ne put s'empêcher de lui dire Rose, taquine, en l'embrassant. Très chic, avec tes bras nus! Est-ce que tu le portes aussi en maillot de bain?

Avec un grand sérieux, il répondit :

– C'est en votre honneur, mesdames. Pour répondre à ta question, Rose, celui que je porte pour me baigner est rayé bleu et blanc et il est assorti à mon maillot.

Il s'inclina vers Rose et vers la jeune fille au pair qui ouvrait de grands yeux.

Quel clown! Mais un clown qui n'avait pas la vue basse et qui admira à loisir les formes de Solveig dont il s'empressa de porter la valise.

Les deux jeunes femmes se regardèrent et éclatèrent de rire. L'été s'annonçait gai.

Rose regarda autour d'elle. Les deux aînés avaient déjà filé avec leurs cousins. Anne, tout heureuse de dégourdir ses jambes, fit quelques pas et s'éloigna vers un massif coloré de fleurs. Le bébé dormait dans son couffin. Rose, qui avait parquée sa voiture à l'ombre, ouvrit quand même les quatre portes pour qu'Agnès n'ait pas trop chaud.

– C'est bon d'être arrivée, dit Rose, en s'appuyant sur la voiture. C'est beau, ici, dis-moi. Je comprends que tu aies du mal à sortir de ta thébaïde.

– Tu n'as encore rien vu, lui répondit Béatrice. Viens, on va rentrer. Laisse tes valises là. Le jardinier ou Maxime les portera.

Les vacances commençaient.

Rose passa un mois délicieux. Tous les matins où il faisait beau – et il fit souvent beau – les enfants descendaient à la plage avec Solveig. Maxime, que la mer, Solveig ou la présence des petits attiraient, les accompagnait souvent. Ils remontaient pour le déjeuner que l'on servait dehors. L'après-midi, pendant que Anne faisait la sieste, Rose s'installait sur une chaise longue devant la maison, prenait un livre… et s'endormait!

– Encore à dormir, paresseuse? la réveillait Béatrice. Il est trois heures et on t'attend pour aller à la plage.

Rose sortait de sa torpeur et voyait Béatrice debout, à côté d'elle, qui tenait la petite Anne par la main. Anne était habillée de pied en cap et balançait son seau impatiemment. De l'autre main, Béatrice berçait délicatement la poussette d'Agnès, sur laquelle reposait, en équilibre, le panier du goûter.

– Je ne sais pas ce que j'ai! J'ai l'impression de ne pas avoir dormi depuis des siècles. Tu aurais dû me réveiller plus tôt… tu as tout fait! s'excusait Rose, confuse.

– Ce sont aussi tes vacances, disait gentiment Béatrice, et puis j'aime pouponner. Les miens sont devenus trop grands. Prends ce sac! J'y ai mis les bouteilles de jus et le thermos. On y va! Tes filles vont s'impatienter.

Elles se dirigeaient toutes les quatre vers la plage. À cause de la poussette, elles faisaient un détour assez long par une jolie route qui longeait d'autres propriétés et serpentait jusqu'à la mer. Elle étaient accueillies avec joie par les enfants qui attendaient le goûter. Maxime, qui aimait son confort, les rejoignait en même temps, avec des pliants et un plaid écossais qu'il jetait sur le sable.

Après le goûter, Rose laissait les deux petites à la garde de Solveig et partait en excursion avec Béatrice et les grands sur les rochers. Maxime, qui ne voulait pas mouiller ses espadrilles – rayées bleu et blanc! – restait prudemment avec Solveig. Lorsqu'ils revenaient, chargés de seaux remplis de crevettes, d'étrilles ou d'alevins pêchés dans les trous, Rose retrouvait sa petite Anne, assise sur les genoux de Maxime, la tête levée et le regard énamouré, buvant le son de sa voix, si tant est que l'on peut dire cela d'une petite fille de deux ans.

– Si elle n'était pas si jeune, Maxime, je dirais que ma fille est amoureuse de toi! lui faisait remarquer Rose.

Maxime souriait et lui répondait :

– C'est l'effet du nœud papillon! Ça marche à tous les coups. J'ai appris ça de l'oncle François. Tu te rappelles les nœuds et les lavallières terribles qu'il portait?

– Ça fait de l'effet à tous les âges, si je comprends bien, répondait Rose, avec une allusion, à peine voilée, à l'assiduité de Maxime auprès de Solveig.

Il riait et, d'un ton flirteur, lui répondait :

– Serait-on jalouse, ma chérie?

Ils éclataient tous de rire, même Solveig dont les progrès en français étaient indéniables.

Rose, qui voulait avoir le dernier mot, rétorquait :

– Tu es bien présomptueux, pour un célibataire de ton âge!

– J'ai de beaux restes, tu sais, ma chérie.

Rose abandonnait :

– Il est infernal!

On ramassait les seaux, les serviettes, les maillots de bain mouillés, les sacs, le panier, les pliants et on remontait vers la villa.

– On a l'air de vrais romanichels, disait Béatrice.

– Romanichels? Qu'est-ce que c'est? demandait Solveig.

– Ce sont des gens qui enlèvent les enfants qui ne sont pas sages, disait Rosalinde.

– Voyons, voyons! reprenait Maxime, et il leur donnait des explications plus objectives.

Arrivés en haut, on retrouvait Jean et François qui avaient pris le raccourci, que l'on appelait « le raidillon », non sans raison. C'était un chemin « où même une chèvre se tordrait les chevilles », disait Béatrice.

Puis on donnait les bains, deux par deux – François et Jean, puis Rosalinde et Isabelle – pour aller plus vite. Du moins le croyait-on, car la baignoire devenait le champ de batailles navales à coups d'éponges et de savons. Ensuite, le dîner des enfants était servi dans la cuisine. Ils arrivaient beaux, sentant bon et la raie bien faite dans leurs cheveux encore humides. Et enfin, on les couchait. En théorie, car pendant que les adultes prenaient un verre sur la terrasse, on entendait des cris étouffés et des petits pas dans le couloir. Les grands avaient repris, à coups de polochons, la bataille navale interrompue.

Maxime souriait, lui qui avait été enfant unique. Solveig interrogeait Rose du regard : devait-elle monter et essayer de rétablir l'ordre? Rose hochait négativement la tête. Ils finiraient bien par se coucher, épuisés par l'air marin et les journées bien remplies.

Le souper s'étirait. Rien ne les pressait. Rose montait se coucher la première. Malgré sa sieste, elle avait encore sommeil. Elle jetait un coup d'œil aux enfants, déposait un léger baiser sur leurs joues fraîches et éteignait la veilleuse qu'on avait laissé allumée, car Anne avait peur du noir. Sitôt dans son lit, elle s'écroulait et dormait d'une traite – Ô merveille! – jusqu'au lendemain.

Les jours de pluie, Maxime initia les enfants aux jeux

de son enfance. On joua aux charades choisies très simples pour les enfants, au mime, qui fit leur joie et les occupa des après-midi entiers, car Maxime exigea qu'ils fussent déguisés; au valet menteur, qui donna lieu à quelques injures et au furet – une mère retirait son alliance et la passait dans une ficelle – jeu auquel même la petite Anne put participer.

Maxime décida de préparer une saynète avec les quatre grands et interdit aux mères d'assister aux répétitions. Tout devait se faire dans le secret : ce serait une surprise! Les enfants et Maxime prirent des mines de conspirateurs, échangèrent des regards entendus, se taisant brusquement dès qu'une oreille ennemie apparaissait. Ils descendirent en ville avec Maxime, d'où ils revinrent chargés de paquets qu'ils enfermèrent en grande cérémonie dans un placard sur lequel ils posèrent un écriteau : « Attention, danger, explosifs ». C'était signé : « La bande des cinq »! Maxime avait retrouvé ses dix ans!

La grande soirée eut lieu dans les derniers jours de juillet. Béatrice et Rose reçurent un carton d'invitation dans les règles où il était même précisé « tenue de soirée » et durent, par écrit, assurer la Compagnie de leur présence. Elles furent expulsées du salon le matin du grand jour et entendirent à travers la porte fermée à clé – la confiance ne régnait pas, on sait que les mères sont curieuses! – un remue-ménage de meubles déplacés.

À quatre heures, Rose et Béatrice qui étaient dans la cuisine, virent un camion s'arrêter devant la grille du jardin.

– En voilà encore un qui va venir demander sa direction parce qu'il s'est perdu, dit Béatrice en regardant par la fenêtre.

En effet, deux minutes plus tard, on sonnait à la porte.

– Qu'est-ce que je t'avais dit? reprit Béatrice. Ils sonnent tous ici, parce qu'ils ont peur d'aller chez les voisins à cause des chiens.

Elle se dirigea vers la porte d'entrée.

– Je suis bien chez madame de R.? demanda le livreur.

– Oui.

– Où est la cuisine?

Béatrice répondit :

– Je n'ai rien commandé, c'est certainement une erreur.

Le livreur eut l'air ennuyé :

– Je suis bien au... Il donna l'adresse.

– Oui, c'est ici, dit Béatrice. Mais je ne comprends vraiment pas. Vous êtes sûr qu'il n'y a pas d'erreur?

– Madame, la maison Pastel et Cornu – c'était le meilleur traiteur de la ville voisine – ne fait jamais d'erreur, lui répondit le livreur, plus snob et hautain qu'un duc.

– Entrez, la cuisine est par là, lui répondit Béatrice, avec un haussement d'épaules.

– Je vais chercher Maxime, dit Rose.

Elle dut frapper à la porte tant et plus. La musique s'arrêta. Maxime entrebâilla la porte et passa le nez.

– C'est toi qui as commandé un festin chez Pastel et Cornu? demanda Rose.

– Mon Dieu! s'exclama Maxime, il est déjà quatre heures?

Il se faufila par la porte en disant à sa troupe :

– Vous ne touchez plus à rien. C'est parfait. On est prêt. Vous pouvez sortir. François? Ferme la porte à clé. Rendez-vous à neuf heures précises.

Il fila à la cuisine, suivie de Rose. Béatrice, appuyée sur le chambranle de la porte de la cuisine, les regarda arriver et leur dit, goguenarde :

– Ce ne sont plus des explosifs! C'est le débarquement!

Rose, stupéfaite, vit deux livreurs et un serveur qui virevoltaient sous les ordres d'un chef en toque. Une serveuse, habillée d'un coquet tablier en dentelle, était en train de demander où se trouvaient les nappes et la vaisselle.

Maxime envoya à Béatrice un baiser du bout des lèvres et lui dit :

– Ma chérie, tu as été prudente. Il ne faut jamais, dans une bataille, négliger les forces en puissance.

Puis, se tournant vers elles deux, ordonna :

– Et maintenant mes chéries, allez vous faire belle. Le raout est à sept heures. Et il y aura beaucoup de monde.

Puis il leur ferma la porte au nez.

Qu'avait-il encore inventé?

Rose était dans son bain, quand elle entendit frapper à la porte de sa chambre. Pensant que c'était un des enfants, elle cria : « Entre. » Elle entendit un pas lourd d'homme. Un serveur? Ses bijoux? Elle saisit une serviette et se redressa ruisselante, les pieds dans l'eau de la baignoire.

– Coucou! lui dit une voix qu'elle connaissait bien.

Elle vit apparaître Charles.

– Espèce d'idiot! Tu m'as fait peur!

– Quel accueil! dit-il en riant.

– Excuse-moi. J'ai eu une peur bleue. J'ai cru que c'était un voleur. Mais qu'est-ce que tu fais ici?

– J'admire Vénus sortant du bain.

Il l'embrassa gentiment.

Rose sortit de l'eau.

– Explique! C'est merveilleux que tu aies pu nous rejoindre plus tôt que prévu. Justement ce soir, tu vas pouvoir assister à une saynète que les enfants ont préparée.

Charles sourit. Rose comprit.

– Tu le savais! Maxime t'a prévenu?

– Oui. Et Père et Mère sont là aussi.

– Quoi? Tu as aussi été les chercher? Ils ont bien voulu venir!

– Et Marie et Philippe et ses deux enfants sont aussi arrivés, pendant que madame se prélassait dans sa baignoire, ajouta Charles.

Marie, invitée par sa sœur Béatrice, venait avec ses enfants passer le mois d'août à la mer.

– Oh! Charles! Quelle surprise!

– C'était un bon coup monté, hein?

– Merveilleusement réussi. Je ne me suis doutée de rien. Ce Maxime! Attendez-vous d'autres personnes? Combien sommes-nous, en tout?

Rose fit vite un calcul… Si nous sommes dix-sept…

– Où allons-nous loger tout ce monde?

La mimique de Charles lui fit comprendre que ces «détails» ne le préoccupaient pas.

Pour l'instant, Charles la regardait avec une petite étincelle dans les yeux qu'elle connaissait bien. Rose fit semblant de ne rien voir, s'empressa d'enfiler un peignoir et s'assit devant le miroir pour refaire son chignon.

Charles s'approcha d'elle et glissa les mains sous son peignoir, pesant sur ses épaules. Il lui déposa des baisers rapides dans le cou. «Il a l'air d'un pic-bois, songea Rose, qui écarta vite cette image de ses pensées».

Rose, troublée, essaya de protester :
– On n'a pas le temps, Charles!
Il se redressa, au défi :
– L'amour à la hussarde, ça te dit?
– Arrête de dire des cochonneries. Il faut qu'on descende, ils nous attendent...
– Eh bien, ils attendront! lui répondit Charles, royalement.

Rose n'eut plus qu'à refaire son chignon. Elle enfila une robe rapidement. Le maquillage? Elle s'en passerait... elle avait les joues assez rouges comme cela.
Ils étaient tous sur la terrasse, un verre à la main. Béatrice lui fit une grimace de connivence...
– As-tu pensé où tu vas faire dormir tout ce monde-là? lui demanda Rose.
– Non, ma chère, lui rétorqua Béatrice, mais notre hôte, qui a su commander un buffet pour dix-huit personnes a sûrement réservé des chambres à l'hôtel, parce que s'il ne l'a pas fait, ils dormiront sur le gazon! En juillet, il n'y a pas une place de libre à cinquante kilomètres à la ronde.
– On ferait peut-être mieux de s'en assurer, lui dit prudemment Rose.
Elle allèrent voir Maxime. Non, le cher homme n'y avait pas songé! La tête qu'il fit valait son pesant d'or.
Il se reprit immédiatement :
– Tu vas nous arranger cela, n'est-ce pas, ma chérie? dit-il à Béatrice.
Rose et Béatrice se regardèrent.
– Exécution! dirent-elles d'une même voix.
– Je vais prendre les deux petites dans notre chambre, dit Rose...

– Et de quatre, lui répondit Béatrice.

– Comme cela, ça libérera la chambre pour Mère et Père, continua Rose.

– Et de six! Je vais partager ma chambre avec ma sœur Marie, dit Béatrice, et nous pourrons faire dormir Marguerite-Rose sur le fauteuil Récamier que j'ai dans ma chambre.

– Et de neuf, enchaîna Rose. Les enfants, pas de problème. Rosalinde et Isabelle, pas de changement. On met les trois garçons dans l'autre chambre. Ils n'auront qu'à tirer un matelas par terre. Ça va chahuter, mais ça va faire leur bonheur! Ça nous fait combien?

– Quatorze qui ne dormiront pas sur le gazon, lui répondit Béatrice. Il reste Philippe… On va le mettre avec Maxime, ça lui rappellera le bon temps de l'armée. Quant à Solveig, évidemment, elle garde sa chambre.

– Eh bien, voilà! Les dix-sept sont casés.

– Nous ne sommes peut-être pas l'infanterie légère, mais question intendance, nous nous débrouillons bien!

La serveuse, pour la jeune troupe – le mot était de circonstance – avait dressé le couvert des enfants sur une table dans le hall. Elle l'avait recouverte d'une nappe en papier coloré, d'assiettes et de verres en plastique multicolores et avait accroché un bouquet de ballons au lustre. C'était la fête! Solveig, très gentiment, proposa de s'asseoir avec eux pour le dîner, ce que les mères acceptèrent avec reconnaissance.

– Cette fille est vraiment gentille, commenta Béatrice.

Dans la salle à manger, on avait agrandi la table avec toutes ses rallonges et utilisé un service d'assiettes de Quimper que Maxime avait acheté récemment. Au milieu de la table, il y avait un magnifique bouquet composé des fleurs du jardin. Comment avaient-ils eu le temps de faire tout cela? se demanda Rose.

Le dîner fut gai et délicieux.

De leur côté, les enfants étaient fous de joie, car Maxime avait commandé pour eux un souper « Nouveau Monde », composé de *hot dogs* et de frites, accompagné de Coca-Cola.

Mère trouva que ce n'était pas un régime sain pour les enfants, mais ses belles-filles lui assurèrent que c'était tout à fait exceptionnel.

Maxime s'éclipsa avant le café que l'on prit exceptionnellement à table. Un peu avant neuf heures, Solveig vint prévenir l'assemblée que le théâtre avait ouvert ses portes et elle invita l'aimable société à passer au salon.

La pièce était faiblement éclairée. On devinait un décor dans le fond composé essentiellement d'un gros fauteuil à oreilles trônant en plein milieu.

Munie d'une lampe de poche, Solveig dirigea Mère et Père vers les deux chaises de la première rangée. Beau-papa, qui jouait le jeu, lui donna un pourboire. Solveig refusa en riant.

Il insista :

– Ma petite, acceptez! Jamais ouvreuse n'a refusé un louis.

– Louis? demanda Solveig qui ne comprenait pas.

Beau-papa lui mit de force la pièce dans la main.

Mère prit la jeune Marguerite-Rose, âgée de quatre ans, à côté d'elle afin qu'« elle vit bien ». Philippe, son frère, avait rejoint le reste de la troupe.

On entendait des chuchotements dans le fond de la pièce. Puis, ce fut le silence et les trois coups fatidiques résonnèrent.

L'assemblée applaudit avant d'avoir rien vu. Deux lampadaires sur la scène furent allumés par une petite ombre qui se prenait pour un Sioux sur le sentier de la guerre. Rien ne se passait. Les adultes se mirent à chuchoter. On aperçut, derrière un paravent côté cour, deux mains qui poussaient Isabelle vers la scène. Elle avança, toute mignonne, vêtue d'une large jupe en crépon rose qui recouvrait un maillot de bain. Elle s'arrêta devant le cordon qui séparait la scène de la salle et fit un profond salut.

La foule applaudit de nouveau.

– Mesdames et messieurs, parents et amis, la Compagnie des Cinq de Bretagne vous salue bien bas, dit-elle avec une voix forte. Nous avons l'honneur, ce soir, de vous présenter une interprétation extraordinaire du *Malade imaginaire* de monsieur Molière.

Troublée, ou trouvant que cela faisait bien, elle roulait terriblement tous les R. Qu'importe ! Isabelle s'inclina de nouveau avant de se réfugier, à reculons, derrière le paravent.

Ils applaudirent. Quel public !

Puis, on entendit la voix de Maxime :

– Nous demandons au public de se tenir tranquille, sinon nous serons dans l'obligation de faire évacuer la salle.

Ce fut un éclat de rire général. Puis l'on se tut.

Une musique douce se fit entendre et les acteurs entrèrent en scène. Jean, d'abord, qui portait une veste en soie beige brodée de paons dont il avait retourné les poignets, sur une chemise blanche ceinturée d'une écharpe mauve. Il avait un ventre proéminent.

– Il a trop mangé ce petit en vacances ! chuchota Charles.

– Chut !

Il était vêtu, d'un pantalon foncé dont il avait retroussé les jambes. Les mollets gainés de grands bas blancs et chaussé de pantoufles, il semblait sortir d'un tableau ancien. Il alla s'asseoir dans le fauteuil, non sans quelques contorsions pour remettre en place sa bedaine.

Puis apparut sur scène une charmante soubrette, Rosalinde. Elle était habillée de jupes flottantes et d'une sorte de vertugadin – encore des coussins – qui lui faisait des hanches de matrone. Elle portait aussi un très joli chemisier blanc – qu'elle avait dû prendre dans les affaires de sa mère – au décolleté plongeant, retenu par un camée sur une poitrine bien rembourrée. Un mouchoir en dentelle de Malines – provenant sans doute encore des tiroirs de maman – était posé coquettement sur ses cheveux.

Rosalinde, qui était aussi maigre que feu son père François, avait, par le truchement du déguisement, pris les rondeurs de sa mère dans sa jeunesse. Dans la salle, Béatrice découvrait sa fille qui, pour l'instant, tournoyait autour du fauteuil de Jean en montrant de grands signes d'affolement.

Le troisième personnage fut François, tout de noir vêtu, avec des lorgnons qui oscillaient sur sa poitrine. Il portait les ineffables bas blancs et avait posé sur ses chaussures deux nœuds papillon de François. Il avançait d'un pas calme très pris dans ses doctes pensées. Il était suivi, pas à pas, par la petite Isabelle qui portait sa sacoche de médecin d'où dépassait une pompe à bicyclette!

La salle ne put retenir son engouement pour les déguisements et applaudit de nouveau.

– Monsieur! Monsieur! Voilà un médecin qui demande à vous voir, déclama Rosalinde ou plutôt Toinette, en s'adressant à Jean – pardon –, à Argan.

Argan ouvrit un œil.

– Et quel médecin?

– Un médecin de la médecine, reprit-elle en désignant son frère François, toujours plongé dans ses pensées.

– Un médecin de la médecine, répéta Isabelle.

La salle rit de bon cœur.

Maxime avait introduit beaucoup de jeux de scène et pris quelques libertés avec le texte et l'enchaînement des actes, car il n'avait que trois personnages. Isabelle, trop jeune pour tenir un rôle principal, ne faisait que répéter certains mots, ce qui, d'ailleurs, renforçait l'élément comique.

Toute la scène se déroula parfaitement. À la fin, la troupe salua bas. Maxime vint se joindre à eux et fit un discours charmant et court. Ils saluèrent de nouveau, sous les bravos et les applaudissements de l'assemblée qui s'était levée. Puis, les acteurs enjambèrent le cordon et vinrent dans la salle où ils furent chaudement embrassés et félicités. Quelle représentation!

Le serveur passa le champagne et des petits fours. Les enfants eurent l'autorisation de tremper leurs lèvres dans les flûtes. Aucun champagne n'aurait pu les exciter plus qu'ils ne l'étaient!

Pendant les trois jours suivants, il vécurent dans un tourbillon. Il y avait dix-sept personnes à table, enfin seize, si on ne comptait pas le bébé. Les serveurs étaient repartis et la femme de maison qui venait habituellement ne s'était pas montrée. Peut-être l'invasion l'avait-elle fait fuir, à moins qu'elle ne se fût vexée à cause de la commande du traiteur dont quelques âmes bien intentionnées au village l'avaient sûrement avertie sur l'heure. Ou alors, elle avait été soudoyée par un riche estivant. Pour l'instant, il fallait parer au plus pressé. Les enfants avaient faim. Les hommes avaient faim. On verrait plus tard…

Mère prit les choses en main. Elle envoya les hommes faire les courses, délégua une gardienne pour s'occuper des enfants et engagea les bonnes âmes restantes pour éplucher les légumes et préparer le repas du soir. À midi, elle institua d'office le système des sandwichs. Son mari, le comte, fit grise mine, mais affamé, s'en accommoda.

Il fit beau les trois jours, heureusement, ce qui permit d'installer la table dans le jardin pour le déjeuner et d'envoyer la bande des jeunes cousins jouer dehors.

La fin du mois de juillet était arrivée. Les vacances au bord de la mer étaient terminées. Rose, sa famille et la jeune fille au pair allaient passer le mois d'août au château. On s'entassa tous, dans deux voitures. Rose prit les enfants et Solveig avec elle, comme à l'aller. Charles fit monter dans sa voiture ses parents et son frère Philippe qui aurait bien voulu rester en Bretagne auprès de Marie. Mais si la famille fermait les yeux sur les visites bi-hebdomadaires de Philippe à son filleul, le jeune Philippe, et à sa mère Marie, à Verneuil, il n'était pas question de les laisser vivre ouvertement, maritalement.

C'était un secret de polichinelle dans la famille! Cependant, Mère tenait à ce que l'on respectât les convenances.

Curieusement, ces règles étaient différentes pour les femmes et les hommes. En effet, Maxime, le mari de Marie – ou plutôt l'ex-mari, puisqu'ils étaient séparés officieusement depuis plus de cinq ans – partageait la maison de Bretagne avec sa cousine et belle-sœur, Béatrice, « en tout bien, tout honneur », sans que personne ne trouva à redire, même si les sous-entendus allaient bon train.

Les hommes pouvaient vivre avec qui bon leur semblait. Les femmes devaient protéger leur réputation.

Comme Rose, qui n'avait pas la langue dans sa poche, s'en étonnait, sa belle-mère lui rétorqua :

– Ma petite fille, ce n'est pas pareil. Un homme peut compromettre une femme, mais c'est la femme qui est compromise. Or, il est indispensable pour les droits d'aînesse que le mari soit assuré de la filiation de son aîné. C'est lui qui héritera du titre et du château de ses ancêtres et des terres.

Rose avait appris en classe que le droit d'aînesse n'était plus reconnu en France depuis l'Assemblée constituante, mais elle s'était rendu compte que, tacitement, les nobliaux continuaient à passer outre. Cette législation était trop récente – pensez donc, elle ne datait que d'un siècle! Et elle ne correspondait ni à leurs valeurs ni à leur sens pratique : le partage d'un domaine amenait le morcellement des terres, l'éparpillement d'une puissance et la pauvreté pour chacun. La famille était une et indivisible.

– Et Béatrice? avait demandé Rose.

– Ce n'est pas pareil, Béatrice est veuve.

Seul le veuvage vous donnait un statut d'intouchable.

Pour l'instant, Philippe allait traîner sa douleur de jeune amant frustré, pendant un long mois. Il aurait des airs romantiques d'amoureux languissant, écrirait des poèmes à l'objet de ses pensées, guetterait le facteur et s'arrangerait pour rejoindre sa dulcinée le 15 août, sous un prétexte quelconque. Car il était jaloux, en plus, et s'inquiétait de savoir sa merveilleuse Marie sous le même toit que son ex-mari. Il ne faisait pas confiance à Maxime, on le comprend. Ce chenapan lui avait déjà soufflé Marie une fois. S'il allait recommencer?

L'absence ranime les amours. Au mois de mai suivant, neuf mois exactement après le week-end du 15 août,

Marie mit au monde une petite fille aux yeux violets, qu'elle appela Ludivine. Elle ne ressemblait à personne. Maxime la reconnut. Philippe gonfla le jabot. Il devait être assuré de sa paternité. Pour Marie, ce séjour au bord de la mer dans la propriété de son ex-mari était tombé à pic. Les convenances étaient sauves. Et Marie qui grillait d'impatience d'avoir un troisième enfant était comblée.

17

# Revers

Dès leur arrivée au château, Rose ressentit une sorte de malaise. Il régnait un faux calme. Même la cuisinière ne se mettait plus en colère !

Les beaux-parents de Rose avaient beaucoup vieilli. Beau-papa, qui était né avec le siècle, accusait ses soixante-dix ans et Mère, de deux ans plus jeune, avait l'air d'une vieille dame. On aurait dit qu'un peu d'eux-mêmes avait été enterré avec François, leur fils aîné et héritier du titre.

Solveig résuma un jour la chose, en disant :

– On dirait le château de la Belle au Bois dormant !

Charles, sarcastique, marmonna entre ses dents :

– Si elle pense que c'est Philippe qui va la réveiller d'un baiser !

Pour l'instant, Solveig, toujours aimable, s'occupait gentiment des trois filles et les emmenait souvent au village.

Jean s'ennuyait. Il avait essayé de se rapprocher de son oncle Philippe qui l'avait envoyé « paître ». Outré, Jean, du haut de ses neuf ans, lui avait répondu :

– Je ne suis pas un veau qu'on envoie au pré !

– Non, lui avait rétorqué Philippe, mais tu es plus embêtant qu'une bourrique !

Ces deux-là avaient l'épiderme sensible. Philippe se languissait de Marie et voulait souffrir en paix de leur éloignement respectif. Jean était comme un gamin qui ne savait pas comment s'occuper et il commença à faire des bêtises.

– Charles, occupe-toi un peu de ton fils, avait demandé Rose.

Mais Charles avait bien d'autres soucis. Dès son arrivée au château, il s'était plongé dans les affaires familiales afin d'essayer de « démêler les choses », comme il disait.

– C'est un capharnaüm ! se plaignait-il à Rose. Je n'y comprends rien ! Je n'arrive même pas à mettre la main sur les documents dont j'ai besoin. Les fermages ont des arriérés incroyables, des titres de propriété ont disparu et je ne te parle pas des comptes ! La balance n'a pas été faite depuis trois ans, au moins ! Je suis obligé de tout reprendre et de remonter jusqu'aux livres de l'intendant, qui, lui, travaillait correctement.

Il pouvait difficilement dire du mal de François, mais l'homme d'affaires en lui s'effarait de la situation.

– Beau-papa doit être au courant, lui disait Rose.

– Mon père se reposait sur François et, avant, sur l'intendant qui lui rendait les comptes une fois l'an.

– Et le garde-chasse ? Il doit savoir ce qui se passe pour les fermages et la chasse.

– Ne dis pas des énormités, s'il te plaît ! lui répondait Charles d'un ton exaspéré.

– Est-ce que je peux t'aider ?

– Oui, essaye de demander à maman si elle a une idée de ce qui s'est passé et si elle sait où François gardait les documents. Mais tu fais ça délicatement. Je ne veux pas l'inquiéter. Demain, je vais aller aux Impôts.

Je n'aime pas mêler le fisc aux affaires de famille, mais je ne vois pas comment je pourrais avoir une idée claire de la situation sans connaître les faits.

Charles revint très préoccupé de sa visite et répondit par un grognement lorsque Rose lui demanda, innocemment, comment ça allait.

– J'y retourne demain.

Et le lendemain, et le surlendemain. Charles s'était refermé comme une huître. Il passa toute la semaine à aller à Verneuil, puis les jours suivants à Breteuil.

– Charles, si tu vas à Breteuil demain, peux-tu nous emmener, ta mère et moi? demanda Rose. Mère voudrait aller voir les tantes.

Rose aurait pris sa voiture, si Mère ne s'y était opposée.

– Pourquoi y aller à deux voitures, ma petite Rose? Charles nous conduira.

Le jour suivant, Mère et Rose, accompagnées d'Isabelle, allèrent passer l'après-midi chez les tantes. Isabelle prit son goûter dans la cuisine, puis revint au salon. On lui donna de vieux livres illustrés et elle s'assit sur le tapis, dans un coin. Pendant ce temps, Mère, qui avait échangé des nouvelles d'une bonne partie de la famille, commença à poser des questions sur le petit neveu – l'ancien clerc de notaire que Rose avait trouvé si insipide autrefois.

– Il a épousé la fille de M^e^ J. et a pris la succession de son beau-père à l'étude. Nous avons dîné chez lui hier, confia une des tantes, et il nous a dit qu'il avait souvent vu Charles, récemment.

« Ô Mère! pensa Rose, vous vouliez savoir ce qui se passait. »

Mère posa sa tasse d'une main tremblante. Les tantes s'en aperçurent. La conversation continua, comme si de rien n'était, mais l'échange de paroles sonnait faux.

On se quitta, s'embrassa et on se promit de se rendre visite plus souvent. Sur le chemin du retour, seul, le bavardage d'Isabelle rompit le silence. Mère était dans ses pensées, Charles, aussi.

À l'arrivée, Mère s'adressa à Charles :

– J'ai à te parler.

Rose s'éclipsa, emmenant Isabelle.

Le soir, au dîner, Mère avait les yeux rouges et Charles faisait une tête d'enterrement.

– Ça ne va pas, Charles? demanda Rose alors qu'ils allaient se coucher.

Il ne lui avait pas adressé la parole, ou si peu, depuis des jours.

– Non, ça ne va pas, lui répondit-il d'un ton lugubre.

Il lui tourna le dos et fit semblant de dormir.

Personne ne disait rien à Rose. L'air lugubre de Charles et celui, renfermé, de Mère n'étaient pas de bon augure. Même la souriante Solveig commençait à parler de son retour en Suède. Jean s'était subitement assagi. Rose fut surprise de ce revirement et lui posa quelques questions. Elle crut comprendre qu'il y avait une histoire de faisans là-dessous, mais ne put rien en tirer de plus. Décidément, ils s'étaient tous donné le mot!

Rose, décidée à éclaircir cette histoire qui touchait son petit bonhomme, fit comme Mère. Au lieu des tantes, elle alla voir le garde-chasse. Elle aborda le sujet directement.

– Dites-moi, Louis, que s'est-il passé avec mon fils?

Le garde-chasse eut l'air gêné. Rose attendit.

– Eh bien, voilà, Madame Rose.

Et Rose apprit que son garnement de fils avait ouvert l'enclos des faisans pour leur rendre leur liberté. Le garde-chasse, en entendant la cacophonie des bêtes affolées que Jean pourchassait vers la porte, était sorti et avait vu de quoi il retournait. Il avait attrapé le garnement par le fond de sa culotte et l'avait envoyé balader par un coup de pied bien placé. Puis, il avait refermé la clôture et essayé de rattraper les quelques volatiles effarouchés qui s'étaient agglutinés le long de la clôture, désespérés d'avoir été séparés des autres prisonniers. Il avait aussi promis à Jean de l'enfermer avec les faisans – puisqu'il les aimait tant! – s'il recommençait.

– Vous comprenez, Madame Rose, je n'ai pas voulu vous ennuyer avec ça, parce que vous avez assez de soucis comme ça, en ce moment.

« Même le garde-chasse, songea Rose, en savait plus qu'elle. Mais elle ne pouvait décemment pas l'interroger. » Elle prit un air entendu et rentra au château.

Ça ne pouvait plus durer!

Le soir même, elle aborda Charles :

– Charles, parle-moi. Qu'est-ce qui se passe?

– Écoute-moi. Je veux que tu restes en dehors de tout ça. Ce sont des affaires de famille, lui rétorqua Charles.

Rose sursauta :

– Mais Charles, je suis ta famille et mes enfants, nos enfants, se reprit-elle, aussi!

– Bien sûr, ma chérie. Ce n'est pas ce que j'ai voulu dire, s'excusa Charles, en serrant Rose dans ses bras.

– C'est grave, Charles?

– Oui.

Un oui laconique.

– Et...?

– On en saura plus en septembre. Il y a un conseil de famille prévu le 7. Il y a des décisions à prendre et le fils de François est encore trop jeune... D'ici là, tu me feras bien plaisir en restant en dehors de tout cela.

Rose se le tint pour dit.

– Je repars demain pour Paris et je reviendrai pour les week-ends, ajouta Charles. Toi, tu restes jusqu'à la rentrée des classes des enfants.

Le 5 septembre, Béatrice et ses enfants arrivèrent au château. Le 6, Charles les rejoignit. Le 7, Rose vit arriver dans la cour du château des hommes habillés de noir qui tenaient à la main des porte-documents.

Ils s'enfermèrent dans le salon. Les femmes n'étaient pas conviées à la réunion, à l'exception de Béatrice qui représentait les intérêts de son fils mineur.

Rose partit se promener en entraînant ses enfants et ceux de Béatrice. La comtesse resta dans sa chambre.

À midi, Rose et les enfants revinrent, juste à temps pour voir les voitures des hommes en noir s'en aller. On passa à table comme si de rien n'était. Seule, Béatrice se fit excuser : elle avait mal à la tête.

Le soir même, Béatrice repartit avec les siens vers sa thébaïde en Bretagne. Rose avait, vainement, tenté de voir sa belle-sœur seule, mais n'y était pas parvenue. Béatrice l'évitait.

Le 10, Rose rentra à Paris avec les enfants. Charles les rejoindrait à la fin de la semaine, « lorsque tout serait réglé ».

À Paris, Solveig, qui décidément se plaisait en France, voulait s'inscrire à l'Alliance Française et proposa à Rose de rester jusqu'à Noël. Les enfants sautèrent de joie et Rose accepta, bien contente de la garder.

Charles revint trois jours après.

– Demande à la jeune fille de les accompagner en classe, ce matin. J'ai à te parler, annonça-t-il à Rose.

Et là, Rose apprit que François, pendant les neuf ans où il avait tenu les rênes du château, avait été la marionnette d'une arnaque d'envergure qui se disait être un organisme d'aide pour les familles des soldats et des harkis tués en Algérie. Il avait dilapidé ses biens ancestraux. Peu informé des engagements légaux qu'il avait pris ou s'en moquant, François avait dépossédé ses enfants et sa famille de leurs biens. Les nouveaux propriétaires du domaine étant l'organisme.

– Mais, c'est ton père qui avait la signature, rétorqua Rose, abasourdie.

– Père avait signé une procuration à François.

– Personne ne s'en est rendu compte ?

– Non. C'est très bien organisé. Tous les biens de François reviennent à l'organisme à son décès.

– Est-ce que l'argent a vraiment servi à aider des familles ? demanda Rose.

Charles eut un rire de dérision.

– Mon innocente… fut sa seule remarque.

– Mais, ce sont les biens de ton père ! Il y a des avocats pour contester cela. François était dépressif.

Rose trouvait que la dépression était la forme atténuée de « Il était fou ».

– Crois-moi. Nous avons tout examiné avec les hommes de loi. Les pièces et les actes sont légaux. Quant à dire que François ne savait plus ce qu'il faisait, ça, il n'en est pas question. Père a dit qu'il honorerait la signature de son fils et Mère l'a approuvé.

– Tout appartient à l'organisme ?

– Tout ce qui permet au château de vivre, oui.

– Les appartements à Paris, aussi ?

– Oui.

– Qu'est-ce qui reste ?

– Ce que ma mère a apporté en dot. Son père, qui était un fin renard, avait rédigé un contrat de mariage en communauté réduite aux acquêts. On ne peut donc pas toucher à la maison du bourg ni aux fermes qu'elle a apportées dans la corbeille de mariage.

– Et le château?

– Oui. Le château! François n'a pas osé y toucher. Les pierres sont toujours à la famille.

Le silence s'établit. Rose n'osait pas regarder Charles. Il se leva, lui tourna le dos. Elle le vit se servir un scotch – à dix heures du matin! – et l'avaler d'un trait.

– Je pars au bureau. Pas un mot à tes parents, ni à personne.

Rose resta assise, les deux mains croisées sur ses genoux. Elle n'arrivait pas à croire qu'il n'y avait aucun moyen pour contrer cette escroquerie. Puis elle pensa à sa belle-mère et à Beau-papa. Et là, elle pleura pour eux, pour tout ce que ça signifiait, pour mille ans envolés en fumée.

Elle laissa un mot pour la jeune fille au pair, mit une veste et partit marcher dans Paris. Lorsqu'elle revint en fin d'après-midi, elle s'était calmée et avait accepté l'inévitable.

– Puis-je téléphoner à Mère? demanda-t-elle le soir à Charles.

– Évidemment, ma chérie. Je n'en attendais pas moins de toi.

Deux jours après, laissant les trois aînés sous la surveillance de Solveig, Rose partit au château avec la petite Agnès. Rose et sa belle-mère parlèrent de tout, sauf du sujet qui leur tenait à cœur.

Beau-papa, qui ne parlait déjà plus beaucoup depuis la mort de François, était devenu muet. Lorsqu'il levait les yeux vers Rose, elle avait l'impression que son regard passait à travers elle et qu'il ne la voyait pas.

Les repas se déroulaient dans une atmosphère pénible. Beau-papa picorait et repoussait son assiette.

– Madame la Comtesse, vint gémir la cuisinière, je lui fais tous les plats qu'il aime et il me les renvoie à la cuisine !

Philippe, impressionné par la chape de silence qui s'était abattue sur le château, n'était pas plus loquace. Il se faisait un devoir d'assister à tous les repas, mais filait à Verneuil, chez Marie, dès qu'il le pouvait.

Les paysans baissaient la tête lorsqu'ils rencontraient quelqu'un du château et tortillaient, gênés, leur casquette entre leurs doigts. Seule, l'attitude du curé n'avait pas changé, et Mère continuait à aller à l'ouvroir.

Lorsque Rose vint passer les vacances de la Toussaint, elle fut surprise des changements survenus chez le comte. Ce n'était plus Beau-papa ! Amaigri, il s'était mis à ressembler à ses ancêtres, dont les portraits étaient alignés dans la galerie du château.

En décembre, un an après le décès de son fils, presque jour pour jour, le comte s'éteignit dans son sommeil.

Rose se fit la réflexion en accompagnant le cortège funèbre que seul son corps reposait dans le cercueil. Beau-papa était mort depuis plusieurs mois.

Du château au cimetière, toute la famille suivit à pied, sous une pluie fine, le corbillard tiré par quatre chevaux caparaçonnés de noir et dont la couverture de selle était estampillée de la couronne comtale.

C'était à quelques absents près, les mêmes personnes que celles qui avaient participé, dans la liesse, aux mariages de Charles et de Rose, puis de François et de Béatrice.

Mère reçut ensuite dans l'orangerie où elle avait fait disposer des braseros autour desquels les gens vinrent se réchauffer. Elle fit passer des grogs chauds que la cuisinière avait copieusement arrosés.

Rose entendit un des invités s'exclamer :

– C'est aux enterrements qu'on attrape la crève! Redonnez-moi un grog!

Les conversations allaient bon train. Plusieurs rappelèrent les souvenirs heureux du comte dans sa jeunesse. Ils vantèrent son astuce de Normand et ses bons et moins bons mots.

– Te rappelles-tu quand François...? disait l'un.

– Et quand il avait... renchérissait un autre.

– Et quand il a dit au gars du fisc : « Vous n'êtes qu'un péteux, Monsieur! »

Et tous s'esclaffèrent. Ils le firent revivre, ce joyeux et gai luron, cet homme qui réunissait en lui la grandeur d'un hobereau normand et la finesse d'un paysan.

À les écouter, Rose se dit que Beau-papa était revenu parmi eux.

Le curé eut le mot de la fin :

– Ce fut un bel enterrement, chère madame, dit-il à la comtesse, lorsqu'il prit congé.

Un oncle, en entendant ses paroles, envoya une bourrade irrespectueuse au saint homme, en ajoutant :

– Et une belle fin, mon cher! Je vous souhaite la même!

Le curé, qui avait autant abusé du grog que l'oncle, ne se formalisa pas et lui répondit :

– Moi de même, cher monsieur, moi de même!

Les invités partirent peu à peu. Rose, qui tout au long de la journée avait vainement essayé de s'approcher de Béatrice, la vit monter en voiture avec ses deux enfants et ne put que l'embrasser rapidement.

Mère partit à Breteuil emmenée par les tantes. Elle allait y rester quelques jours, puis viendrait « chez les Charles », à Paris, pour Noël. Philippe s'en alla avec Marie. Charles et Rose partirent les derniers.

En passant la grille, Rose se retourna et ne put se retenir de pleurer. Charles, qui conduisait, regarda devant lui et fit comme s'il ne s'en apercevait pas.

On entendit, alors, la voix d'Isabelle :

– Moi aussi, je l'aimais bien, Beau-papa.

# 18

# Fin d'époque

Tout se fit avec élégance et discrétion.

Mère prit la décision d'aller vivre dans la maison de son enfance, au bourg, que tout le monde appelait « la maison du notaire ».

Elle décida que Philippe s'installerait dans une métairie vacante qui avait appartenu à son grand-père maternel. Elle n'avait pas pu être relouée depuis le décès du dernier locataire, car il l'avait laissée dans un état épouvantable. Philippe l'habiterait dès que les travaux d'aménagement seraient terminés.

Mère passa les mois de janvier, de février et de mars à trier et à ranger les effets personnels du comte, les siens et ceux qui s'étaient accumulés depuis des décennies dans les nombreuses armoires et commodes du château.

Elle chargea Philippe du tri du contenu des malles du grenier où, depuis plusieurs générations, les hôtes du château avaient empilé ce dont ils ne voulaient plus, mais qu'ils avaient gardé, car « ça pouvait toujours servir ».

Philippe disparut dans les profondeurs du grenier et Mère fut obligée de faire sonner la cloche, comme au temps des enfants, pour le faire sortir de ses soupentes à l'heure des repas. Elle ordonna à la cuisinière de mettre de l'ordre dans ses placards et resserres et prévint le garde-chasse de procéder de même dans les dépendances.

Mère était une bonne organisatrice.

Elle fit venir ensuite monsieur le curé, lui suggéra de trouver des bras et un moyen de transport pour débarrasser ce qu'elle avait à lui donner. Il ramassa avec ses acolytes des monceaux de vêtements et d'objets de toutes sortes qui « pouvaient servir encore » et d'autres articles antédiluviens ou hétéroclites. Ces derniers étaient destinés à une vente de charité que Mère lui demanda d'organiser « en dehors de la propriété », à condition que le profit de la vente soit versé à la caisse de l'ouvroir.

Un cousin l'apprit et décida d'organiser une vente aux enchères. Elle aurait lieu sur la place de l'église. Le cousin prévint tout un chacun et le jour dit, il fit monter les enchères « pour une bonne œuvre », à des hauteurs astronomiques. Chacun paya de bon cœur un vieux broc ou une perruque qu'il n'utiliserait jamais.

Le curé se tordait les mains de joie, en jetant régulièrement des coups d'œil vers les cieux. S'il n'avait été un saint homme, il aurait crié au miracle ! Et ce fut le cabaretier de la place, agnostique ou, selon la parole du curé, « un mécréant bien-pensant », les mains chargées de bocks de bière, qui s'écria :

– Merci, mon Dieu !

Le curé applaudit. Voyait-il là une conversion ? Ou le remerciait-il de dire, tout haut, ce qu'il ne pouvait décemment exprimer en soutane ?

Mère passa ensuite au tri du mobilier. Elle choisit quelques meubles, tableaux et objets qu'elle aimait particulièrement et les fit porter à la maison du bourg. Puis elle mit de côté tous ceux qui lui semblaient correspondre à la part de sa fille, sœur Thérèse-Marie, et demanda aux bonnes sœurs de Briouze de venir les chercher.

Ce fut ensuite au tour des autres enfants. Mère aurait voulu que Béatrice, Rose – ou Charles – et Philippe fassent un partage à l'amiable entre eux. Elle écrivit à ses deux belles-filles dans ce sens, pour fixer une date.

Au jour dit, c'est Rose qui se retrouva seule avec sa belle-mère. Béatrice avait remercié, répondu qu'elle regrettait de ne pouvoir venir et demandé à Mère de faire selon son entendement pour pourvoir ses deux enfants, François et Rosalinde. Elle-même demandait seulement, si les autres étaient d'accord, de conserver pour son usage personnel un ravissant petit meuble qu'elle avait autrefois dans sa chambre et qui s'appelle « un bonheur du jour ». Ce fut donc Mère qui mit de côté ce qui allait être donné aux enfants de François et de Béatrice.

Quant à Philippe, il sortit de ses combles, à l'heure prévue. Après avoir embrassé Rose sur les deux joues et déposé un baiser respectueux sur le front de sa mère, il leur dit :

– Je suis célibataire. Je n'y connais rien. Choisissez pour moi !

Et il retourna, illico, vers ses trésors du grenier.

Mère et Rose choisirent ce qui pouvait convenir à Philippe pour meubler sa métairie.

Enfin, Rose fit son choix. Elle hésitait, car tout était souvenir. Mais les murs de l'appartement de l'avenue Henri-Martin n'étaient pas extensibles ! Pour finir, elle choisit une partie du mobilier de son ancien appartement de l'aile gauche, le secrétaire Napoléon qui avait appartenu au comte, que Charles voulait en souvenir de son père et des tableaux qui rappelleraient aux enfants leurs ancêtres. Béatrice les avait refusés, car elle les trouvait « trop encombrants ». Il est vrai qu'avec leur cadre, ils étaient horriblement lourds.

Puis Rose alla à la sellerie et emplit deux cartons de flots et de coupes, trophées dont personne ne voulait, mais qui rappelait à Rose une période de sa vie au château avec Beau-papa. Elle huma longuement l'odeur des cuirs briqués à laquelle se mêlait la senteur particulière du grésil dont on arrosait le sol pour tuer la vermine. Que de souvenirs!

Elle revint prendre le thé avec sa belle-mère.

Sur ce, Philippe redescendit de ses hauteurs, inquiet.

– J'ai oublié de vous dire que je compte garder pour moi toutes les archives.

– Bien sûr, mon grand, lui répondit sa mère avec sérieux.

Rose se retint pour ne pas sourire, puis à la réflexion, se dit que c'était une excellente chose pour la famille qu'elle ait son archiviste. Elle inclina la tête. Philippe, rasséréné, avala une tasse de thé tiède et repartit aussitôt.

– Oh! Mère! s'exclama Rose.

Mère sourit.

– C'est sa nouvelle passion, Rose. Et cela ne porte pas à conséquences, dit-elle, finaude. Ça ne boit pas de lait!

– Oh! Mère, Mère! ne put que rétorquer Rose, qui riait franchement et se promettait de rapporter le mot à Charles.

Ainsi, Philippe emporta toutes les archives du château dans sa métairie.

Le reste du mobilier fut éparpillé chez les cousins, oncles et tantes. Rien ne fut vendu, tout fut donné et resta dans la famille. Ce qui aurait pu être une curée, se passa dans une grande dignité.

Le château, que Béatrice refusa pour son fils, n'ayant ni les moyens ni le goût de l'entretenir, fut donné à une fondation « pour l'enfance heureuse » et allait abriter des générations d'enfants qui viendraient en vacances.

Quelques mois après le décès de Beau-papa, Béatrice quitta brusquement sa thébaïde en Bretagne en emmenant son fils. Elle partit en Angleterre. En passant à Verneuil, elle laissa sa fille Rosalinde à sa sœur Marie.

Maxime se retrouva seul dans sa maison bretonne. L'été arriva et, comme si de rien n'était, il invita la famille à la mer. Rose accepta et y alla avec les quatre enfants.

Les premiers jours furent difficiles, car l'absence de Béatrice se faisait sentir. Cette belle-sœur, avec laquelle Rose s'était si bien entendue pendant des années, s'était, à la suite des malheurs, évaporée.

« Elle a fui, songeait Rose, qui ne comprenait pas vraiment son attitude. Mais pourquoi me fuit-elle, moi ? »

– Béatrice est heureuse là où elle est, expliquait Maxime. Elle n'a jamais pu se remettre de tous les chocs qu'elle a vécus et des conditions dans lesquelles est mort François. Son séjour, chez moi, n'a été qu'une pause qui a permis à ce petit oiseau blessé de lisser ses ailes.

Heureusement, Marie arriva sur ces entrefaites avec ses trois enfants et Rosalinde, qu'elle avait adoptée dans les faits. Huit enfants dans la maison, dont les âges s'étalaient de dix ans à deux mois, ne permirent pas aux mères de s'enfoncer dans la nostalgie.

Huit jours après, à la grande joie de tous, Mère vint les rejoindre. Elle resta un mois entier en Bretagne.

Secrètement, elle se désolait de voir sa petite-fille, Rosalinde, ainsi ballottée depuis la mort de François et « larguée » par sa mère, comme un paquet dont on dispose. Elle avait toujours été proche de sa petite-fille, née et élevée au château, qui avait, à part le court intermède breton, toujours vécu à proximité d'elle.

D'ailleurs, toute la famille s'attendrissait – sans le montrer – sur le sort de Rosalinde qui avait, en quatorze mois, perdu son père, été abandonnée par sa mère et séparée de son frère.

L'enfant ne semblait pas s'en ressentir. Elle partageait son temps entre Verneuil, chez sa tante Marie pour les jours de classe, le bourg, chez sa grand-mère pour les week-ends, et la Bretagne, chez l'oncle Maxime pour les grandes vacances.

– J'ai trois maisons et trois mamans, disait-elle, la vraie, Marie et Mammy.

Cet été-là, sous l'influence de sa grand-mère, elle se mit à écrire régulièrement à son frère François, qui lui répondit fidèlement.

On apprit ainsi que Béatrice, traînant François derrière ses basques, avait fait la tournée des cousins anglais, puis s'était installée dans un *flat* de la banlieue londonienne.

À l'automne, François fut mis en grande pension, dans un collège anglais.

– Cela lui donnera de la stabilité, commenta Charles. C'est ce qui, avec la mère qu'il a, lui manque le plus. Et puis, cela vaut mieux, ajouta-t-il avec un air plein de sous-entendus.

Ce que personne ne disait, mais que tout le monde avait appris, c'est que la belle Béatrice ne vivait pas seule dans son *flat* londonien. Elle entretenait un peintre et accumulait les aventures.

L'été suivant, François vint rejoindre sa sœur et ses cousins en Bretagne et tout reprit comme à l'accoutumée. François, malgré ses pérégrinations semblait serein et bien adapté aux coutumes anglaises. Il vanta tellement son collège anglais à Jean que ce dernier supplia ses parents de l'inscrire en Angleterre avec son cousin. Rose hésitait, Charles refusa.

Les enfants grandirent, la vie continua.

Philippe, plongé dans les archives familiales, entreprit la rédaction d'un ouvrage sur l'histoire des de R. en remontant jusqu'à Guillaume le Conquérant! Pris par cette nouvelle passion, il délaissa quelque peu Marie et s'il continuait à voir souvent ses « neveux », il ne s'offusqua pas lorsque Marie alla de plus en plus souvent en Bretagne.

Marie renouait tranquillement avec son ex-mari, Maxime, dont elle n'avait jamais été officiellement séparée et qui – pour l'état civil – était le père de ses trois enfants.

Rose se fit la remarque que l'abattant et la beauté de Béatrice avaient desservi Marie. Les deux sœurs étant souvent ensemble, on avait tendance à les comparer. Mais Béatrice ayant fugué en Angleterre, la place était libre et Marie la prit.

Maxime devint l'oncle gâteau pour les petits et les moins jeunes, sans distinction, qui se réjouissaient tous d'être invités chez lui. Été après été, la maison de Bretagne devint le point d'ancrage de la famille.

Aux petites vacances de la Toussaint, de Noël et de Pâques, toute la famille se retrouvait en Normandie. Rose avait ses quartiers chez sa belle-mère dans la maison du bourg.

Les neuf cousins – que Mère avait joliment décrit comme les neuf perles de la couronne comtale – vivaient indifféremment au bourg, chez « Mammy » ou à la métairie, chez Philippe ou à Verneuil, chez « tante Marie ».

Mère, dans sa générosité et avec à-propos – puisque son fils Philippe était sans doute le père des deux derniers enfants –, considérait Marie comme sa belle-fille. Et elle englobait tous les enfants, cousins et neveux, dans sa chaude affection.

Mère mourut dix ans après son mari. La famille serra les rangs.

Mère avait donné naissance à dix enfants. Cinq étaient morts en bas âge, sa fille unique était rentrée dans les ordres. Elle avait perdu deux fils : Henri, à l'âge de quinze ans d'une péritonite et François. Seuls restaient Charles et Philippe, ses deux belles-filles, Rose et Béatrice, sa belle-fille par la main gauche, Marie, et ses neuf petits-enfants, les fleurons de la couronne.

Comme Philippe avait reçu la métairie et les terres attenantes en avance de hoirie et que la veuve de François avait été dédommagée financièrement au moment de la cession du château, c'est à Charles et à Rose que Mère légua la petite maison du bourg.

Chacun de ses petits-enfants, ainsi que les enfants de Marie, hérita d'un objet ou d'un meuble que Mère avait choisi en tenant compte de leur goût. Une large part – le maximum de la quotité disponible – fut attribuée aux bonnes œuvres de Mère.

Rose fut très heureuse du don de sa belle-mère. Non pas tant pour la maison, bien qu'elle l'aimât beaucoup, mais à cause de l'idée que Mère l'aimait comme une fille. La « maison du notaire » n'était pas uniquement un don qui provenait du partage d'un héritage, mais une passation morale d'une femme au grand cœur.

Rose avait hérité du flambeau.

# MATURITÉ

# 19

# 1998

« Une journée bénie des dieux », s'exclame Rose à haute voix. Elle vient de se réveiller et aperçoit le soleil qui filtre à travers les persiennes. Dans ce petit coin de Normandie, une journée ensoleillée est toujours une bénédiction.

Rose réfléchit. Que va-t-elle faire aujourd'hui ? A-t-elle le temps d'aller jusqu'à Verneuil avant l'invitation à déjeuner de Philippe ? Ou ferait-elle mieux d'arracher l'herbe qui envahit la plate-bande située derrière la cuisine ? Ou bien, puisqu'il fait si beau, elle pourrait aller à pied jusqu'à la métairie de Philippe. Ou bien…

Elle sourit.

« Dire qu'autrefois, j'étais tellement occupée que je ne me posais jamais cette question », songe-t-elle. Elle revoit en pensée les petits matins où, jeune fiancée, elle se levait à l'aube, descendait prendre un café dans la cuisine du château, puis partait vers les écuries où de nombreuses tâches l'attendaient, ou bien les matins où elle jonglait – il n'y avait pas d'autre mot – avec les besoins divers de quatre jeunes enfants qui partaient à l'école.

Et les chevaux, c'était comme les enfants : il fallait les nourrir chaque matin.

Rose s'esclaffe à cette pensée incongrue. Il lui arrive souvent, maintenant qu'elle est seule, de laisser vagabonder sa pensée avec des résultats plutôt cocasses.

« La mémoire est une chose curieuse, songe-t-elle, et qui ne respecte aucun ordre chronologique ». Un peu comme ces vagues au bord de la mer qui déposent à vos pieds des grains de sable brassés des milliers de fois, mais disposés dans un ordre différent.

Qu'une odeur, un bruit, une phrase arrivent et, oups ! voilà les souvenirs qui affluent. Et des souvenirs, Rose en a !

« Ce qu'il y a de merveilleux avec les souvenirs, c'est que les moments heureux sont des trésors précieux et les moments tristes sont, parfois, moins douloureux », songe-t-elle.

Rose soupire. Le regard perdu dans les raies que le soleil dessine sur le mur de sa chambre, elle secoue la tête.

– Allez, ma chère, ne t'enfonce pas dans la nostalgie, se gourmande-t-elle à haute voix. Tu ferais mieux de te lever, paresseuse ! et d'aller te faire un bon café.

Si ses enfants l'entendaient ! Eux, qui la taquinent parce qu'elle a tendance à parler toute seule.

« Arrête, maman, tu n'es pas assez vieille pour être sénile », lui avait dit un jour Isabelle, sa fille aînée, exaspérée.

Et Jean, son fils, avait ajouté :

– Maman, remarie-toi ! Au moins, tu auras quelqu'un avec qui parler.

– Maman n'épousera jamais quelqu'un d'autre après papa, avait tranché Isabelle.

Puis, elle avait ajouté en s'adressant à son frère sur un ton agressif :

– Ça te va bien, toi, de parler mariage, alors que tu n'es pas fichu de vivre plus de six mois avec la même fille !

Jean s'était moqué de sa sœur :

– Ce n'est pas parce que mademoiselle Isabelle a épousé le comte de machin-chouette, mon cher beau-frère, qu'elle a puissance pour me donner des leçons.

– Allons, allons, les enfants, vous n'avez plus l'âge de vous disputer, était intervenue Rose. Regardez votre oncle Philippe ou Maxime, ou Béatrice… À chacun son bonheur, mes chéris.

Ils avaient rompu les chiens, par gentillesse pour elle, sans doute, mais Rose avait bien vu qu'ils étaient restés chacun sur leur position.

Jean est jaloux et Isabelle est tellement sûre d'elle-même que, parfois, elle devient arrogante. Son principe, c'est : « Quand on veut, on peut. »

Rose, avec maturité, sait bien que ce n'est pas toujours possible.

Parfois, Rose se demande où est passée la bonne harmonie familiale. Est-ce qu'elle a fait quelque chose de travers à un moment donné ? Est-ce une question de génération ? Ou est-ce les événements de la vie qui ont tout chamboulé ?

Rose ne peut repenser, sans angoisse, à cet après-midi de septembre qui a bouleversé leur vie, quatorze ans auparavant. Les enfants étaient rentrés à Paris. Rose était restée pour fermer la maison du bourg. Charles avait pris trois jours pour la sacro-sainte ouverture de la chasse.

Il s'était levé d'excellente humeur :

– As-tu vu ? Il n'y a pas un nuage. On va avoir une belle journée !

Puis, il avait ajouté :

– Ça ne t'ennuie pas, au moins, que je te laisse seule? Tu ne vas pas t'ennuyer?

« L'hypocrite! avait-elle pensé. Il était aussi impatient de partir à la chasse qu'un enfant devant ses cadeaux de Noël. »

– Mais voyons, Charles! Je vais en profiter pour ranger et fermer la maison. Allez, dépêche-toi, ils doivent t'attendre.

« Ils », c'était les trois mousquetaires qui partageaient l'amour de Charles pour les battues et les journées en plein air. Que la chasse fût fructueuse ou non, peu leur importait. Ce qui comptait, c'était cette journée passée entre hommes.

Il l'avait embrassée, distraitement. Il était déjà ailleurs en pensée.

Quel grand enfant!

Sur le pas de la porte, il s'était retourné :

– Je te rapporte des faisans, ma belle.

Rose s'était affairée toute la journée. Albertine était venue l'aider et à elles deux, elles avaient rangé, nettoyé, préparé la maison pour l'hiver.

Lorsque Rose repense à cette journée-là, elle s'étonne de n'avoir rien pressenti de particulier, de n'avoir pas deviné.

Vers trois heures, elle avait entendu des portières de voiture claquer. Puis, des pas lourds qui s'étaient arrêtés devant sa porte.

« Ils rentrent tôt, ils doivent être fourbus », avait-elle pensé.

Elle était allée leur ouvrir la porte avec un grand sourire.

Il y avait là, le gros Jean – le parrain de son fils aîné – et les inséparables, comme Charles les avait surnommés, André, l'avocat, et Pierre, son frère, le médecin. Les trois hommes étaient à contre-jour et elle distinguait mal leur visage.

– Rentrez, messieurs. Vous avez du café dans la cuisine et des boissons au salon.

Ils s'étaient avancés, bottés. Jean tenait par les pattes une paire de faisans, la goutte de sang perlant au bec.

« Ils vont dégouliner sur le plancher, a pensé Rose. Quel idiot, ce Jean ! »

La porte était restée ouverte.

– Qu'est-ce que vous avez fait de Charles ?

Ils n'ont pas répondu. Même ce bavard d'André était muet. Ils étaient blêmes.

Brutalement, Rose a eu peur.

Elle se rappelle que Pierre s'est avancé.

– Où est Charles ? a-t-elle demandé.

Pierre l'a prise par les épaules et, la fixant, lui a dit en détachant les syllabes :

– Il n'a pas souffert. Il s'est affalé d'un coup.

– Où est-il ? est-elle arrivée à murmurer.

– Nous l'avons conduit à l'hôpital.

Comme Rose le regardait, muette, Pierre a ajouté :

– C'est une crise cardiaque, je te dis qu'il ne s'en est même pas rendu compte.

Rose, statufiée, avait baissé la tête et fixé le plancher. Elle regardait, sans la voir, la tache de sang qui se formait goutte à goutte.

Pierre l'a secouée. Il lui a répété :

– Rose ! Charles est mort. Il est mort. C'est fini pour lui.

L'un d'eux a ajouté :

– Viens, on va te conduire à l'hôpital.

Elle a alors vu le gros Jean se diriger précautionneusement vers la cuisine.

– Ce sont ses faisans. Je te les ai rapportés.

Rose n'avait pas été capable d'y toucher. Ils étaient restés sur la table de la cuisine. Quelques jours plus tard, Albertine les avait jetés à la poubelle, avait ouvert grand les fenêtres et copieusement vaporisé les pièces avec du « sent-bon » – comme disent les enfants – à la violette. L'odeur n'avait pas manqué de faire sourciller les personnes venues lui rendre visite. On se serait cru chez une cocotte.

Charles enterré, André avait retrouvé sa faconde, Pierre parlait trop et trop fort, comme s'il voulait meubler le silence et Jean, le fidèle Jean, se tenait silencieusement près de Rose, l'air penaud.

Albertine, qui servait le café, le nez rougi à force de l'avoir essuyé, s'était approchée de lui et lui avait dit d'une voix sans réplique :

– Monsieur Jean, la prochaine fois, ne laissez pas les faisans sur la table de cuisine.

Oh ! Albertine !

Rose, après, avait pensé que Charles ne s'était jamais remis du décès accidentel de leur fille, Anne, survenu l'année d'avant, un jour de printemps où elle s'était rendue à bicyclette à Verneuil chez ses cousins.

Parfois, en colère et frustrée, Rose le traitait de lâche pour l'avoir abandonnée ainsi, elle qui souffrait. Cela aurait été si bon de le lui dire, en face… Même une dispute avec l'être aimé, des rancœurs, des mots valaient mieux que ce silence. Cela, imaginait Rose, aurait fini dans des baisers. La méthode si efficace que Charles employait lorsqu'il ne voulait pas discuter.

Rose avait essayé d'être courageuse, mais l'absence de ces êtres chéris était horrible. Mère, Anne, Charles, c'était trop! Elle avait l'impression de vivre un deuil sans fin.

Rose se mit alors à paniquer dès qu'un enfant était en retard. Le pire était devenu une réalité.

Le décès d'Anne était si injuste et la disparition de Charles si douloureuse qu'il arrivait parfois à Rose de ne pas y croire. Elle avait vécu comme un zombie pendant plusieurs mois, accomplissant mécaniquement des tâches, ses pensées tournées vers les absents.

Les besoins des autres enfants, ses responsabilités de chef de famille, les difficultés financières qui avaient suivi la mort de Charles – elle avait dû vendre l'appartement de l'avenue Henri-Martin – avaient été des fardeaux qui l'avaient obligée à faire face à la vie.

Quelques mois après le décès de Charles, Isabelle, qui allait avoir vingt ans, partit à Bordeaux suivre des cours de droit. Jean prit un appartement avec un ami à Paris. Seule la plus jeune, Agnès, resta avec Rose. Elles louèrent un appartement dans le 15e arrondissement.

Dès qu'elle le pouvait, Rose allait en Normandie. Dans la maison de feue sa belle-mère, elle se sentait bien. Elle était chez elle.

Et la vie reprit.

En 1989, en juin et en septembre, à deux mois d'intervalle, Isabelle et Agnès se marièrent.

Ce fut Philippe qui conduisit ses nièces à l'autel. Isabelle se maria dans l'église du bourg, là où sa mère et sa grand-mère s'étaient mariées.

Isabelle faisait ce que l'on appelait « un beau mariage ». Elle épousait un lointain cousin, le comte Henri de N., qu'elle avait rencontré à Breteuil quelques mois auparavant chez une tante, nommée Yvonne. Lorsque Rose le sut, elle rit bien et se dit que, décidément, toutes les tantes Yvonne étaient des marieuses invétérées ! Isabelle avait vingt-cinq ans, elle était très jolie et sûre d'elle. Son époux avait plus de trente ans. Il faisait un peu fin de race, mais était charmant. Elle était licenciée en droit, et lui, était dans la diplomatie.

Le mariage d'Agnès fut bien différent. Elle épousait un étudiant rencontré sur les bancs de la fac. Elle avait dix-neuf ans et lui, vingt-quatre. Rose avait vainement tenté de raisonner sa fille afin qu'elle attendît un peu.

Agnès lui avait rétorqué :

– Maman ! Toi, tu t'es bien mariée à dix-huit ans.

– Ton père avait une situation.

– Denis aura terminé sa maîtrise, l'an prochain, lui avait-elle répondu et il va trouver un poste dans l'enseignement.

– Finis tes études, au moins.

Rien n'y fit. Elle s'était entichée de lui.

En septembre, Rose assista donc au mariage de sa dernière fille qui eut lieu à Puteaux, dans la circonscription du fiancé. Rose avait tellement insisté, qu'il y eut une bénédiction religieuse. Mais ils refusèrent la messe, car Denis n'était pas croyant.

Rose, qui adorait sa fille, essayait de trouver des qualités à ce gendre, mais il la hérissait. On eut dit qu'il en voulait au monde entier. Il était désagréable, autoritaire et brassait bien des idées révolutionnaires, sans les mettre en pratique, d'ailleurs. Sa famille n'était pas plus agréable. Sa mère avait l'air d'une poissarde et le père, d'un imbécile timide et muet. Ils étaient, surtout la mère, aux petits soins pour Agnès.

Rose eut une pensée pour Charles et fut presque heureuse qu'il ne vit pas le mariage de sa dernière fille. Comme si – tout mort qu'il était – Rose avait encore à le protéger de la douleur que l'attitude de sa fille lui aurait infligée.

Jean, quant à lui, menait la joyeuse vie d'un célibataire, désargenté, mais beau garçon. Il avait un bagout de montreur de foire qui attirait, pour un temps, de charmantes demoiselles. Elles se lassaient – à moins que ce fût lui qui se lassa – et elles disparaissaient de sa vie, aussi vite qu'elles y étaient entrées.

Après le mariage d'Agnès, Rose rendit visite à la propriétaire de son appartement qui ne fit aucune difficulté pour le reprendre sans attendre la fin du bail. Rose dit adieu à Paris et partit s'installer en Normandie, dans sa chère maison du bourg.

Une autre vie commençait.

« Aujourd'hui, songe Rose, je suis bien, ici. »

J'ai tous ces souvenirs vécus, cette richesse d'émotions, de joies et même de moments tristes qui vous font encore plus apprécier d'être en vie.

– Et puis, j'ai l'avenir devant moi, se dit-elle, en se levant et en se regardant dans la psyché.

« Bien que j'aie l'air d'un zèbre, songe-t-elle avec humour, en voyant sa silhouette rayée de traits d'ombre et de lumière. »

– Zèbre ou pas, à cinquante-huit ans, j'ai tout l'avenir devant moi, affirme-t-elle de nouveau, à haute voix.

Quoi qu'en pensent les enfants qui considèrent avec une facilité déconcertante toute personne née avant 1960 comme des *has been*, des personnes qui « ont été ».

Rose déteste ce terme, comme si d'avoir été vous empêchait d'être ! Ou de devenir !

Le devenir, pour l'instant, c'est cette invitation à déjeuner chez son beau-frère, Philippe. Et, à rêvasser comme cela, il va falloir qu'elle se dépêche. C'est décidé, elle ira à la métairie à pied. Les chemins creux de Normandie sont toujours boueux au printemps. Qu'importe ! Elle mettra des bottes et prendra ses escarpins avec elle. Et puis, une jolie robe ! Indispensable, pour aller chez Philippe…

20

# La métairie

Ce cher Philippe! «Il est comme le bon vin, songe, Rose. Il s'est bonifié en vieillissant.» Non pas qu'il fut acide autrefois – bien que ses piques n'étaient pas toujours du meilleur goût, se rappelle-t-elle – mais l'âge et le fait de ne plus être soumis à l'autorité parentale lui ont donné une rondeur qui lui manquait.

Philippe est un être ambigu. Il apprécie sa solitude et passe de longues heures à déchiffrer de vieux papiers et à écrire, corriger, réécrire et déchirer son histoire des de R. qui, selon l'opinion de Rose, ne verra jamais le jour. Pensez donc, cela fait un quart de siècle que Philippe a commencé ce projet! Rose suppose qu'inconsciemment, il ne veut pas le terminer parce que ce serait, encore une fois, enterrer sa famille.

Philippe apprécie aussi, à petites doses, les visites impromptues – pour la plupart – des membres de la famille, les conversations à bâtons rompus et les confidences de ses jeunes neveux et nièces.

– Oncle Philippe, puis-je venir passer quelques jours chez toi? demande une nièce.

– Oncle Philippe, j'ai besoin d'un conseil. J'arrive. Cela ne te dérange pas? demande un autre neveu.

– Mon cher, lui dit Béatrice au téléphone, je serai de passage dans la région le tant. Puis-je venir te voir?

Et sûre de l'accueil, elle n'attend même pas la réponse.

– Je serai chez toi du 15 au 20. Merci, mon cher. Je t'embrasse.

– Dis-moi, mon vieux, je dois aller à Verneuil voir Marie et les enfants, mais comme je ne suis pas seul, peux-tu me recevoir quelques jours? lui demande Maxime.

La situation de Maxime et de Marie n'est pas simple. Marie est l'épouse officielle de Maxime et la tendre amie de Philippe depuis toujours. Marie a longtemps été de l'un à l'autre. Aujourd'hui, elle vit seule à Verneuil.

Les deux aînés de Marie habitent dans la région. Philippe – qui porte le même nom que son parrain –, célibataire, est notaire à Évreux. La jolie Marguerite-Rose vit à Breteuil. Elle est mariée à Hervé de L. et a trois jeunes enfants. Quand à la dernière, Ludivine, née des amours de Philippe et Marie, elle est ravissante… et actrice à Paris. Alors, Marie est toujours sur la route… comme autrefois quand elle allait de Normandie en Bretagne.

Il faut dire que la vie conjugale avec Maxime n'a jamais été de tout repos. «Maxime est un homme délicieux», pense Rose, ainsi que toutes les femmes qui le connaissent. Léger, charmant, agréable, souvent futile, jamais contrariant, il vogue dans ses amours éphémères comme une barque sans gouvernail.

– C'est un homme de cœur, disent unanimement les membres de la famille.

– Et il a le cœur large, rajoutent-ils, avec humour.

Aujourd'hui, il a soixante-dix ans. Et se sent «aussi vert qu'un jeune homme», selon ses propres paroles.

Vient-il à Verneuil en galante compagnie? Il appelle Philippe.

Et Philippe ouvre sa porte, ou plutôt la porte de la métairie est toujours ouverte.

– Tu devrais tenir un *bed and breakfast*, lui avait dit un jour, avec à-propos, Béatrice.

– Moi? Aubergiste! Jamais, lui avait répondu Philippe, outré.

Puis, il s'était adouci et avait ajouté avec plein de bon sens :

– Et si j'avais l'imprudence de suivre tes conseils, ma chère Béatrice, où irais-tu pour tes séjours en Normandie?

Autrefois, Philippe disait que sa mère recevait « à château ouvert ». Maintenant, c'est lui qui perpétue les traditions familiales.

« Aujourd'hui, c'est en l'honneur de Béatrice, de passage en Normandie, que Philippe a organisé ce déjeuner. Qui d'autre sera là? se demande Rose. Ce sera la surprise! »

Marchant d'un bon pas, elle s'émerveille de tous les signes de renouveau : le vert si pâle des feuilles de pommier, une touffe de jonquilles au pied d'un arbre, des fleurs de coucous le long du chemin, un jeune agneau qui vacille sur ses pattes, une portée de poussins jaune pâle piailleurs…

Rose songe qu'un jour peut-être, elle perdra cette faculté d'être émerveillée par les choses simples… En attendant, la vue de ce paysage normand, un matin de printemps, la réjouit.

En arrivant à la métairie, Rose voit plusieurs voitures stationnées dans la cour. Elle remarque que l'une d'elles s'est arrêtée sur le gazon et que les pneus avant se sont enfoncés dans la terre humide. Elle sourit.

« Sûrement pas un habitué de notre gadoue normande, pense-t-elle. »

Elle soulève le marteau de porte et frappe – Philippe n'a jamais voulu installer de sonnette. Pas de réponse. Elle tend l'oreille, aucun bruit. Elle décide de faire le tour : ils doivent être dans le jardin. Ils n'y sont pas.

– You-hou ! appelle Rose.

Une fenêtre s'ouvre à l'étage. C'est Béatrice.

– Ils sont tous partis au ruisseau. Attends-moi. Je descends.

Rose regarde dans la direction indiquée, mais comme le terrain est en pente, elle ne voit que la cime des saules.

Béatrice surgit, élégante, parfumée.

– Bonjour, ma chérie, dit-elle à Rose.

– Bonjour, Béa. Comment vas-tu ?

Après un rapide baiser, Béatrice se rejette en arrière avec un grand rire de gorge :

– Très bien, ma chère. Très bien. Et toi ?

Sans attendre la réponse, elle prend le bras de Rose :

– Viens, allons au-devant d'eux.

– Tu vas te tremper les pieds, dit Rose en jetant un coup d'œil aux escarpins délicats de sa belle-sœur.

Béatrice rit de nouveau :

– Il faut vivre dangereusement, ma chérie. La vie est si courte.

La voix de Béatrice s'est cassée sur la fin de la phrase.

Elles ne sont plus assez intimes pour que Rose lui pose une question.

Rose baisse le nez et tranche :

– J'aime autant les attendre ici. Je suis venue à pied depuis le bourg...

Elle se dirige vers une chaise du jardin et Béatrice la suit.

Elles parlent de la pluie et du beau temps et sont, toutes deux, bien soulagées lorsqu'elles entendent les voix des autres.

En tête vient Maxime avec une charmante personne, perchée sur de hauts talons.

– Ma petite Rose, lui dit Maxime, tu as l'air plus jeune que jamais!

Il l'embrasse sur les deux joues.

– Permets-moi de te présenter Valérie.

Rose, dont le regard s'est attardé sur les souliers boueux de la charmante personne, relève la tête et rencontre le sourire moqueur de Béatrice.

S'approche ensuite un inconnu d'une cinquantaine d'années en grande conversation avec Philippe.

« Genre intellectuel américain, présume Rose qui vient d'entendre les dernières paroles ». Sans doute le propriétaire de la voiture mal garée. Les présentations lui donnent raison. Il s'agit du Dr Paul M. de l'université de Nouvelle-Angleterre.

Puis, elle aperçoit Ludivine, la fille de Marie, accompagnée d'un jeune homme barbu. Un acteur? Son nom ne dit rien à Rose. Il est vrai qu'elle va si peu au cinéma.

– Tu es sûre que tu ne veux pas rester à déjeuner? demande Philippe à Ludivine. Et vous, monsieur?

– Non, nous devons partir, maintenant. Mais je reviens te voir dimanche. Promis, lui répond-elle en l'embrassant.

– Alors, passons à table sans plus tarder, décide Philippe.

Le déjeuner est servi dans une ancienne serre que Philippe vient de transformer en salle à manger. La pièce est simplement, mais joliment décorée. On sent la main d'une femme. Rose se dit que Marie a dû passer par là, à moins que Philippe n'ait suivi les conseils d'une de ses nièces. Une table de jardin ronde en fer forgé blanc, des chaises assorties, recouvertes de coussins en chintz, des stores couleur blanc cassé. Des pots de géraniums roses aux feuilles liserées de blanc sont posés sur une desserte. Deux fauteuils en rotin recouverts du même chintz fleuri que les chaises complètent l'ensemble. C'est joli, frais et harmonieux.

Rose fait un petit signe discret à Philippe pour lui dire qu'elle trouve l'aménagement très réussi. Il lui répond par un sourire qui le fait ressembler à un chat.

Autour de la table ronde, les conversations sont animées. Maxime rapporte des anecdotes avec un humour léger et amusant; Béatrice, dont le vin a délié la langue, lui répond avec brio et l'Américain qui parle le français avec un accent prononcé, mais qui comprend bien des finesses, participe gaiement à la conversation. La jeune Valérie ne se vexe pas d'être un peu mise à l'écart et semble goûter le plaisir d'écouter son cher et tendre. Philippe, en hôte attentif, mais décontracté est heureux de la réussite de son déjeuner. Quant à Rose, elle écoute.

Après le café, Maxime annonce son intention d'aller à Verneuil voir son épouse, Marie. Que va faire Valérie? L'Américain, qui semble intéressé par l'architecture des vieilles villes françaises et qui a compris la situation de Maxime, suggère qu'il sera heureux de profiter de l'occasion pour visiter Verneuil.

– Et peut-être, cette jeune femme française pourra me guider? dit-il en s'adressant à Valérie.

Valérie, qui a déjà, le matin, goûté aux plaisirs d'une promenade dans la campagne normande, accepte avec empressement.

Ils partent tous les trois dans la voiture de Maxime. Rose et Béatrice desservent la table.

– Mes belles-sœurs chéries, que comptez-vous faire cet après-midi ? demande Philippe.

Et il ajoute :

– Si ça ne vous ennuie pas que je vous laisse, j'ai quelques lettres à terminer…

Rose sourit. Elle sait très bien que les « quelques lettres » sont une façon élégante de dire qu'il va faire une sieste.

– Je vais raccompagner Rose au bourg, dit Béatrice. Je crois que j'ai trop abusé de ton excellent vin… Un peu d'air frais m'éclaircira les idées… Va dormir, mon petit chou.

Rose éclate de rire. Béatrice n'était pas dupe !

– Mets des bottes, dit prudemment Rose à sa belle-sœur.

– Certainement. J'en ai pour deux minutes.

« Quel revirement de la part de Béatrice ! songe Rose. Elle était tellement sur la défensive avant le déjeuner. »

Sur le chemin, Béatrice s'arrête brusquement :

– Je ne me rappelais pas que ce coin était aussi beau, dit-elle. Ce n'est pas la baie de Rio, ajoute-t-elle avec humour, mais…

– Ce sont nos souvenirs, dit Rose doucement.

Béatrice ne répond pas.

Elles repartent en silence.

– Si je te disais que je me languis parfois de tout cela, reprend Béatrice au bout d'un moment, en balayant l'horizon d'un large geste.

Puis, elle ajoute :

– Tu es heureuse au bourg ? Moi, je n'aurais pas pu… Je n'ai pas ta force.

– Voyons, Béatrice! Les situations n'étaient pas les mêmes. Et puis, vivre à Londres…

Béatrice l'interrompt :

– Oui. J'aime Londres. Ne m'écoute pas. C'est juste un moment de spleen… J'ai trop bu, tout simplement.

– Et tes enfants, comment vont-ils? rompt Rose.

– Eh bien, François a toujours sa galerie d'art à Chelsea. Il vient me voir de temps à autre, avec son ami.

– Ah!

François est gay et il ne s'en cache pas.

– Quant à Rosalinde, continue Béatrice, elle est plus *british* que son époux! De temps en temps, je vais dans le Sussex leur rendre visite. Ils ont deux enfants. Et toi? Parle-moi des tiens. Est-ce que tu les vois souvent?

– Pas assez souvent à mon goût, répond Rose. C'est la vie! Je ne sais pas si tu l'as su, mais Isabelle habite Montréal avec sa famille. Henri a été nommé là-bas, en septembre dernier.

– Le corps consulaire, ça voyage…

– Ils ont trois enfants, reprend Rose. Des jumeaux, Henri et Hervé qui viennent d'avoir huit ans et puis une adorable petite Amandine de cinq ans. Je m'ennuie d'eux. Je vais aller les voir dans trois semaines. Ils ont une grande maison à Montréal et ils m'ont invitée.

– *Good for you!* lui répond Béatrice. Et ton autre fille?

– Eh bien! Elle vit toujours avec son Denis et ils ont deux enfants. Flore, une merveilleuse enfant de huit ans que j'aime beaucoup et un petit Paul de quatre ans. Ils habitent Versailles. Denis est prof dans un collège.

– Tu n'appréciais pas beaucoup ce gendre-là, si je me souviens bien. Ça va mieux?

Rose répond par une moue et enchaîne :

– Quant à Jean, il habite Paris, il est toujours célibataire et va sur ses trente-sept ans. Je le vois peu, sauf lorsqu'il a besoin d'argent!

Béatrice rit.

– Eh bien, tu ne te fais pas d'illusions!

– Rien ne sert de se cacher derrière un miroir, lui répond Rose.

– Ah! les miroirs… rétorque simplement Béatrice… Les miroirs du bonheur, murmure-t-elle.

Rose la regarde interrogativement.

Béatrice est plongée dans ses pensées.

Elles sont arrivées au bourg.

– Viens-tu prendre un thé à la maison? demande Rose.

– Non. Je te remercie.

– Veux-tu que je te reconduise à la métairie? Je peux sortir la voiture, insiste Rose.

– Non, ne te dérange pas.

Béatrice se penche vers Rose et l'embrasse. Rose se rend bien compte que Béatrice veut se débarrasser d'elle. Quel drôle de caractère, pense-t-elle. Elle n'était pas aussi versatile, autrefois.

– Viens plus souvent, lui dit gentiment Rose, avant de la quitter.

– Tu peux venir à Londres aussi, lui rétorque Béatrice. *Bye, dear!*

Et sur ces mots, elles se quittent.

# 21

## Agnès

Rose rentre à la maison. Sa rencontre avec Béatrice l'a plus remuée qu'elle ne veut l'admettre. Il y a bien des années, Rose avait été blessée par Béatrice, cette belle-sœur avec laquelle elle s'entendait si bien qui, un jour, l'avait fuie sans explication. Aujourd'hui, Rose ne comprend pas plus l'attitude et les mouvements d'humeur changeants de sa belle-sœur qu'elle ne l'avait compris alors. Béatrice boirait-elle ?

Que les êtres sont complexes et qu'il est difficile parfois de communiquer avec ceux que l'on aime et que l'on croit connaître !

Les pensées de Rose vont vers sa fille. Pas Isabelle, car Rose ne se tourmente pas pour sa fille aînée qui dirige sa vie avec cœur et raison. Non, celle pour laquelle Rose s'inquiète, c'est Agnès.

Agnès qui s'est jetée dans ce mariage avec Denis, il y a bientôt neuf ans. Agnès qui était si tendre et timide lorsqu'elle était enfant. Agnès que la vie inquiétait et qui avait toujours besoin d'être rassurée. Agnès qui s'était tellement sentie dépouillée lors du décès de sa sœur Anne, de vingt-deux mois son aînée. Rose repense aux années-Agnès qui ont suivi : le décès de Charles, le départ de ses frère et sœurs, la vente de l'appartement de l'avenue Henri-Martin dans lequel Agnès avait vécu depuis sa naissance... Tant de choses étaient arrivées en si peu de temps!

Agnès s'était jetée à la tête de Denis comme une noyée saisit une bouée. «On ne se demande pas alors de quelle couleur est la bouée, songe Rose, en souriant amèrement.»

Rose a esquivé la question de Béatrice, tout à l'heure, car il est toujours délicat de dire à un tiers – même de la famille – ce que l'on pense du mari de sa fille, sauf si c'est en bien, évidemment.

Mais Rose a beau se raisonner, non, ce Denis, elle ne l'aime pas. Il a un caractère désagréable : on ne peut jamais discuter avec lui, même de sujets neutres. Il sait tout, il tranche, il donne son avis avec assurance, mais sans nuance ni générosité. Il est exagérément autoritaire avec ses enfants, mais aussi avec sa femme et pas toujours à bon escient.

Rose s'inquiète de la transformation d'Agnès. D'une jeune femme qui manquait de confiance en elle, il en a fait une femme craintive. Peu loquace, Agnès, en présence de son mari, est pour ainsi dire muette.

Rose se demande ce qu'elle peut faire. Sa fille Agnès ne lui dit rien, ne se plaint jamais, mais elle n'a pas l'air heureuse. Ses cheveux – qui étaient sa parure – sont relevés en un chignon sévère; elle s'habille comme une couventine et la figure lisse, elle affiche un air de résignation discret. «Non, sa fille n'est pas heureuse», se répète Rose.

Au milieu de cela, il y a Flore, leur fille. Rose se demande parfois comment ces deux parents, d'aspect si sévère, sont arrivés à donner naissance à la pétillante petite Flore.

Blonde, bouclée, les yeux rieurs, pas la langue dans sa poche, Flore est une bulle de champagne. Rose l'aime beaucoup. Vive, intelligente, gentille avec sa maman et son petit frère Paul, que Rose trouve grincheux, Flore est un vrai trésor.

Rose repense à la dernière fois qu'elle les a vus. Le déjeuner s'était déroulé dans une atmosphère électrique. Denis avait été tout feu tout flamme, à cause de problèmes qu'il avait avec les autorités du collège où il enseigne.

– Ces imbéciles ont besoin d'une leçon ! Ils ne croient à rien, s'était-il exprimé violemment.

Rose avait vu Agnès se recroqueviller sur sa chaise. Paul avait regardé son père, bouche bée.

Denis avait passé sa colère sur sa famille :

– Ferme la bouche quand tu manges, avait-il vertement dit à son fils.

– Et toi, Flore, lève-toi et va me chercher du fromage dans la cuisine, je suis pressé.

Il avait fixé Agnès. Elle avait baissé la tête.

La soumission de sa fille avait choqué Rose. Rose avait alors fixé froidement Denis.

Il lui avait répondu par un sourire moqueur :

– Évidemment, Belle-maman, vous ne comprenez rien, vous ne savez pas ce que c'est que de travailler !

Rose avait préféré se taire.

« Mais, morbleu, que ces discussions à table étaient déplaisantes ! » avait-elle pensé.

Denis s'était alors levé. Il avait jeté sa serviette sur la table et il était parti en claquant la porte.

Flore était revenue avec le fromage.

– Alors, qu'est-ce qu'on fait, maman ? On mange du fromage ?

Agnès s'était excusée et était sortie de la pièce.

Rose avait fini le repas avec les deux enfants. Lorsque Agnès était revenue, Rose avait vu que sa fille avait les yeux rougis. Flore l'avait sans doute remarqué aussi, car elle avait spontanément été embrasser sa mère. Paul, qui ne voulait pas être en reste, s'était précipité et s'était accroché aux jambes d'Agnès.

L'ambiance de l'après-midi avait été fausse. Mère et fille se sentaient gênées. Pour rompre ce malaise, Rose avait proposé une promenade dans le parc. Flore avait sauté de joie et couru chercher son manteau. Paul ne se sentant pas bien, Agnès était restée à la maison avec lui.

Flore et sa grand-mère étaient parties d'un pas vif, car le temps était frais. Rose s'étonne toujours que Versailles soit encore plus humide que la Normandie. Elles entrèrent dans le parc par une porte de côté et continuèrent en direction des bassins. Il y avait peu de monde.

Au bout d'un moment, Flore s'approcha de sa grand-mère et se mit à lui poser des questions :

– Dis, mammy, c'est vrai que si on n'est pas gentil, on va brûler en enfer ? Dis, mammy, pourquoi à l'école, la maîtresse répète toujours que les filles peuvent faire tout ce que font les garçons ? Papa dit que ce n'est pas vrai. Pourquoi papa dit qu'une fille, ça ne vaut rien à côté d'un garçon ? C'est vrai que je ne vaux rien ? Et maman, alors ?

Rose avait répondu du mieux qu'elle avait pu, sans remettre en question l'autorité paternelle. Ce que pensait Rose de son gendre n'était pas pour les jeunes oreilles de Flore. La petite avait l'air bien assez troublée, comme cela. Rose se promit d'en toucher un mot à Agnès, en espérant que cette dernière ne se rétracterait pas comme une huître, à son habitude.

Les questions avaient continué.

– Dis, mammy, pourquoi je ne peux pas avoir un chien à la maison? Papa m'avait promis que j'en aurais un pour mon anniversaire et maintenant, il ne veut plus. Il dit que les chiens, ce n'est pas pour les chrétiens.

Rose s'était étonnée de cette dernière phrase. Elle croyait son gendre agnostique et avait constaté qu'Agnès n'allait plus à la messe.

Puis était venue la phrase qui avait faillit faire sortir Rose de ses gonds :

– Dis, mammy, tu as déjà menti, toi? Papa a dit que grand-mère était morte parce qu'elle mentait tout le temps et que le bon Dieu avait voulu se débarrasser d'elle.

Il s'agissait de la mère de Denis qui était décédée l'année d'avant.

Rose s'était contenue et avait essayé délicatement de tempérer la phrase de son père qui, visiblement, avait troublé Flore. Et il y avait de quoi! songeait Rose. La mère de Denis était comme elle était, mais elle avait été – autant que pouvait en juger Rose – une bonne grand-mère pour ses petits-enfants. C'était bien de Denis de manquer de respect envers la mémoire de sa mère, de cette façon sournoise et vicieuse.

Rose, cette fois-ci, était décidée. Agnès allait l'écouter, que cela lui plaise ou non.

Puis, Flore avait ajouté une phrase que Rose avait trouvée curieuse :

– Les autres le disent aussi.

– Quels autres, avait demandé Rose. Tes cousins?

– Oh, non! pas eux, mammy. Les gens de la religion.

– Tu vas à la catéchèse, maintenant?

– Oui.

– C'est la dame de la catéchèse qui a dit ça? s'était étonnée Rose. Tu es sûre?

– Ce n'est pas une dame, mammy. C'est un monsieur. Tu ne sais pas que les femmes n'ont pas le droit d'enseigner la parole de Dieu?

« Qu'est-ce que c'était que cette histoire? avait pensé Rose. La catéchèse était faite par des femmes depuis des années! »

Elle avait essayé d'en savoir plus, mais la fillette s'était recroquevillée sur elle-même.

Flore, qui lui faisait si confiance, jusqu'alors!

L'enfant, voyant l'air déçu de sa grand-mère, l'avait embrassée et lui avait soufflé dans l'oreille :

– Je te dirais bien tout, mais c'est un secret. Ils ont dit qu'ils m'enfermeraient dans les oubliettes du château si j'en parlais à qui que ce soit, même à toi!

Rose avait ri.

– Ma chérie, tu as une imagination fertile... Tu es une coquine qui m'a bien fait marcher.

Flore avait baissé la tête, sans rien dire. Et elles étaient rentrées chez Agnès en silence. Rose était troublée.

Juste avant d'arriver, Flore sortit de son mutisme :

– Tu ne dis rien à maman ni à papa. Hein? Tu me promets. Promets-moi, mammy, l'avait-elle suppliée.

Rose avait promis et cherché comment elle pourrait aborder le sujet avec Agnès, sans trahir les confidences de Flore.

Mais Denis lui avait coupé l'herbe sous le pied, car il était déjà revenu. Il les avait regardées toutes les deux d'un air suspicieux. Agnès avait encore les yeux rouges. Que se passait-il?

L'atmosphère était lourde, Rose était partie.

Elle était retournée en Normandie. Depuis, elle se tourmentait.

Elle avait téléphoné régulièrement à Agnès, avait parlé à Flore, mais n'était pas arrivée à aborder ce sujet délicat, malgré toutes les perches qu'elle avait tendues.

Juste avant son départ pour le Canada, Rose les avait appelés. Elle avait longuement parlé avec Flore qui était très intéressée par le voyage de sa grand-mère.

– Tu me diras, mammy, comment c'est le Canada. Regarde bien tout pour pouvoir me raconter. Tu embrasses tante Isabelle. Dis-lui que je vais lui écrire. Bon voyage, ma mammy chérie.

Et elle avait rajouté :

– Tu m'aimes, hein, mammy?

– Mais oui, ma chérie.

– Tu m'aimeras toujours?

– Mais oui, bien sûr.

– Toujours, toujours? Tu promets?

– Je t'aime pour la vie, je te le promets.

Que se passait-il? Flore était-elle inquiète? Ce besoin d'être rassurée ainsi n'était pas coutumier chez Flore.

Enfin, Rose verrait cela à son retour.

Elle partait au Canada.

## 22

# Montréal

À l'arrivée, les formalités de douane terminées, Rose récupère sa valise et se dirige vers la sortie. Sitôt la porte opaque passée, Rose aperçoit Isabelle. Elle est là, avec les trois enfants. Isabelle l'a vue et s'approche.

Ils sont en tenue estivale, songe Rose incongrûment, avec un regard sur la veste chaude qu'elle porte sur le bras.

Isabelle se penche vers sa mère et l'embrasse en lui posant les deux questions classiques :

– Le voyage s'est bien passé? Tu n'es pas trop fatiguée?

– Tout va bien, ma chérie. Je suis si heureuse de vous revoir.

Rose regarde les enfants qui se tiennent cois. Amandine a l'air d'une poupée avec sa robe fleurie et son nœud en velours vert qui retient, à grand-peine, sa cascade de cheveux châtains aux reflets roux. Rose remarque ses beaux yeux bleu myosotis semblables à ceux de son arrière-grand-mère, la comtesse de R. Les garçons sont un peu plus loin. Les cheveux en brosse coupés court, en culottes courtes avec une chemise à carreaux dont les pans sortent de la culotte, bien campés sur leurs jambes maigres aux genoux écorchés, le regard taquin, Rose songe que ces deux-là ne doivent pas être aussi sages que l'image qu'ils donnent d'eux à l'instant.

Rose se baisse et Amandine se précipite dans ses bras, lui entoure le cou et ne la lâche plus!

– Bonjour, ma chérie, lui dit Rose en la serrant tendrement dans ses bras.

– Et nous, alors? dit un des garçons.

Et les jumeaux se bousculent pour embrasser leur grand-mère.

À l'extérieur de l'aéroport, Rose est saisie par une bouffée d'air chaud.

– Quelle surprise! s'exclame-t-elle. Je ne pensais pas qu'il faisait si chaud au Canada.

– On se fait une fausse idée du Canada, lui répond Isabelle. L'été nous avons souvent des vagues de chaleur. En général, cela ne dure pas longtemps. C'est plus rare en juin, mais tu vois!

Rose regarde sa fille attentivement. Elle est belle, avec son allure simple et fière. Elle porte une robe de cretonne fleurie – de circonstance par cette chaleur – et des sandales. Elle a l'air en vacances. « Peut-être, songe Rose, a-t-elle un peu grossi. »

La petite Amandine aussi a les joues bien remplies et des fossettes que Rose a envie de croquer. Les deux garçons, par contre, sont grands pour leur huit ans et minces.

Rose répète :

– Merci, ma grande, de m'avoir invitée. Je suis tellement contente de vous revoir tous. Comment va Henri?

– Il va bien, merci maman. Il est très content de ce poste, surtout après notre expérience précédente.

Henri a passé deux ans dans un pays où les conditions de vie étaient si difficiles pour sa famille, qu'il avait demandé sa mutation.

– Tu vas voir, maman, la vie est agréable à Montréal, reprend Isabelle. J'ai pu me faire quelques amies en dehors du cercle diplomatique. Je mène une vie plus normale : les enfants vont à l'école. Finis les cours par correspondance ! Les deux grands vont au collège à Outremont et Amandine va à l'école du quartier. Elle est très contente et s'est fait plein d'amies. La vie est facile, ici. Je peux sortir librement. Plus besoin de chauffeur !

– Tu n'as pas eu trop de mal pour trouver une maison ?

– Non, ça s'est fait très facilement. Des amis nous ont conseillé d'acheter une maison plutôt que de louer un appartement, même si ce n'est que pour quelques années. C'est ce que l'on a fait à cause des enfants. On habite un quartier agréable, aéré. On est près de tout et on se croirait presque à la campagne. La maison est grande. Les enfants ont chacun leur chambre. Enfin, les jumeaux ont choisi de dormir dans la même chambre et d'utiliser l'autre pièce comme salle de jeux. On a une chambre d'invités que tu vas occuper. Tu vas voir tout ça… On a un grand jardin. C'est le rêve, quoi !

– Et papa fait plein de barbecues dans le jardin, l'interrompt un des garçons. Il a même fait des *hot dogs* qu'il avait piqués sur un morceau de bois, comme en camping.

– Oui, mais ils étaient tout brûlés. Moi, j'aime mieux aller au McDo, intervient son frère.

– Moi, j'aime mieux les gâteaux de maman, dit Amandine.

Rose et Isabelle sourient.

En descendant de voiture, Rose remarque la robe tendue sur la poitrine d'Isabelle.

« Que je suis bête, se dit Rose. Mais oui, évidemment! Cet air de plénitude! Elle est enceinte. »

Isabelle, qui a vu le regard de sa mère, lui fait un sourire de connivence.

– Je voulais te faire la surprise, lui dit-elle.

Les jumeaux, toujours attentifs à ce que disent les grandes personnes, s'exclament :

– Alors, on peut lui dire? Ce n'est plus un secret?

– C'est une merveilleuse surprise, leur répond Rose qui embrasse Isabelle.

– Pour quand est-il? demande-t-elle.

– Pour décembre, lui répond Isabelle.

– Papa a dit que c'était un cadeau de Noël, intervient un des jumeaux.

– Monsieur-qui-vous-mêlez-de-tout, filez! Vous m'avez l'air d'un beau cadeau de Noël! le taquine-t-elle.

Les jours passent à Montréal. Le jeune couple lui a très gentiment fait faire la tournée des touristes. Henri est érudit et il a une façon de faire revivre le passé qui enchante Rose. Ils lui ont montré le Vieux-Montréal, la place Jacques-Cartier avec ses gros pavés et sa vue sur le fleuve, la petite place Vauquelin où il a fait si bon s'asseoir sous les frondaisons, le vieux séminaire Saint-Sulpice avec sa magnifique horloge et toutes ces places et ces rues qui portent de vieux noms évocateurs... Royale, Bonsecours, de la Commune, Notre-Dame, Saint-Paul, Saint-Louis. Ils ont marché dans les rues étroites, admirant façades et linteaux, bâtiments du XVIII$^{e}$, d'époque Second Empire ou de style palladien, juxtaposés à des maisons que l'on verrait facilement dans la campagne normande.

Mais, partout, ce qui a frappé Rose, c'est l'humeur bon enfant des gens, la simplicité et la joie de vivre qu'elle a ressenties à chaque coin de rue.

Ils l'ont emmenée, aussi, à – ce qu'ils appellent – « la montagne », qui est un immense parc, situé en pleine ville, où les montagnes seraient plutôt de hautes collines. Il faisait beau ce jour-là et des familles entières s'étaient réunies le temps d'un pique-nique. Des juifs orthodoxes, habillés de vêtements sombres et portant la kippa, accompagnés de femmes et d'enfants aussi élégants que dans un salon, côtoyaient des familles hindoues. Les femmes en saris colorés, nonchalamment assises sur une couverture, formaient un tableau digne de Seurat. D'autres familles de type méditerranéen faisaient griller des sardines ou des brochettes épicées dont l'odeur se répandait à cent pieds, selon l'expression des jumeaux. Enfin, on voyait, de ci et de là, des familles asiatiques accompagnées de petites filles qui ressemblaient à des poupées graciles. Là encore, c'était l'humeur bon enfant qui avait frappé Rose. Tous ces gens venus de contrées différentes qui, le temps d'une sortie, vivaient en bon entendement. Juifs pique-niquant à côté d'Arabes, Hindous à côté de Pakistanais, chrétiens, musulmans, bouddhistes, tous profitaient de la journée qui s'offrait à eux. N'était-ce que pour le temps d'une trêve ? Ou ces immigrants s'étaient-ils lassés des guerres et conflits ? Avaient-ils tourné le dos aux idéaux de leurs politiciens ou de leur sang, en passant l'océan ? Était-ce leurs racines qu'ils essayaient de faire revivre en partageant, en famille, un repas de leur pays d'origine ? Essayaient-ils de recréer le bonheur qu'ils avaient connu dans leur contrée lointaine avant… la guerre… avant l'invasion… avant les troubles… avant le putsch… du temps où l'on vivait en bonne intelligence avec son voisin, même si on ne l'épousait pas ?

Henri, à qui Rose avait fait part de ses réflexions, lui avait répondu :

– Mère, vous avez là une belle image, mais l'immigration est un domaine très complexe avec bien des frictions, ici, comme ailleurs. Laissons cela de côté aujourd'hui, vous voulez bien ?

Il avait ajouté :

– J'ai entendu deux hommes, récemment, qui discutaient avec passion. L'un a dit : « Ce n'est pas parce que nous sommes ennemis, que nous ne pouvons pas faire d'affaires ensemble ! » L'autre lui a répondu : « C'est d'accord, mais je ne te serre pas la main quand même ! »

Rose avait souri.

Le week-end suivant, ils avaient emmené Rose jusqu'à Québec, en suivant « le Chemin du Roi ».

« Quel beau pays, s'était-elle dit. Mais quelle immensité ! »

Tout lui était apparu gigantesque... l'espace, les distances, la largeur du fleuve et même l'horizon qui semblait, ici, plus lointain qu'ailleurs.

Rose avait beaucoup aimé la ville de Québec, fièrement accrochée à son rocher, car la ville était à l'échelle humaine.

Toutes ces visites en si peu de temps ont été bien agréables, mais fatigantes. Aussi, la veille de son retour, c'est avec plaisir qu'elle accepte la proposition d'Isabelle de passer un après-midi tranquille dans le jardin.

Rose, allongée sur une chaise longue, regarde sa fille tricoter avec rapidité une minuscule brassière :

– Tu crois que ça va être assez grand, ma chérie ? demande Rose, dubitative.

Isabelle rit :

– Maman ! Tu as oublié ! Tu sais, j'aime tricoter pour mon bébé, affirme-t-elle à sa mère.

Rose revoit les années où elle attendait ses enfants. Dès qu'elle avait un instant, elle prenait son tricot. Elle était arrivée à faire des brassières 1er âge en un après-midi ! Sa mère s'asseyait à ses côtés, finissant l'ourlet de petites camisoles, taillées dans des vieilles chemises d'homme. « C'est plus doux pour la peau de bébé », disait-elle. Le tissu était si usé que le vêtement tombait en charpie au bout de dix lavages ! Lorsqu'elle était au château, c'était sa belle-mère qui s'asseyait à côté d'elle, crochetant des châles arachnéens, bien utiles pour envelopper le bébé dans les couloirs glacés.

– Si tu savais ce que j'ai pu tricoter pour vous tous, dit Rose à sa fille. Tes grands-mères aussi ! Même les femmes de l'ouvroir avaient tricoté une partie de votre layette.

Isabelle l'écoute poliment. Mais les réminiscences de son enfance la laissent froide.

Elle change de sujet :

– As-tu des nouvelles d'Agnès ? demande Isabelle. Elle n'écrit pas souvent.

Rose lui relate la dernière visite qu'elle a faite chez Agnès et lui rapporte, en lui faisant promettre de ne rien dire, la curieuse conversation qu'elle a eue avec Flore, en se promenant dans le parc de Versailles.

Puis elle ajoute :

– Je me fais peut-être des idées et je me tourmente sans doute pour rien, mais il y a des choses qui m'échappent. J'espérais, puisque vous êtes sœurs, que si Agnès avait des soucis, elle t'en aurait parlé. Il est parfois plus facile de se confier à une sœur qu'à une mère. Ne crois surtout pas que je te demande de trahir les confidences de ta sœur, rajoute Rose. J'aimerais simplement que tu me rassures ou que tu me dises si je peux faire quelque chose.

Isabelle a posé son tricot sur ses genoux. Elle réfléchit, le regard posé au loin.

Les minutes s'écoulent.

Rose respecte son silence et voit le dilemme se dessiner sur la figure de sa fille. Comment dire à maman ce qu'on veut lui dire, sans trahir sa sœur? Que vaut-il mieux faire? Parler ou se taire?

Isabelle hésite.

Puis, elle se tourne vers sa mère :

– Écoute, maman. Si je n'étais pas au Canada, si loin de ma sœur, je ne t'aurais rien dit. Mais toi, tu es en France, tu peux aller la voir. Il faut que tu ailles voir Agnès plus souvent.

– Crois-tu? Ce n'est jamais bon pour la paix des ménages que d'avoir une belle-mère trop souvent dans les pattes.

Isabelle rit.

– Quelle expression, maman!

Puis, elle reprend sérieusement :

– Denis a un mauvais ascendant sur Agnès.

– Elle n'a rien fait de mal? demande Rose, la voix inquiète.

– Maman! la raisonne Isabelle. Ne saute pas tout de suite aux conclusions! Non, simplement, il lui monte la tête, il l'influence. Agnès ne fait pas vraiment ce qu'elle veut. Il se mêle de tout! C'est lui qui régit tout. Un vrai prof! C'est tout juste s'il ne lui donne pas l'autorisation de m'écrire! Et encore, même là, je n'en suis pas si sûre.

– Voyons, Isabelle! Tu exagères!

– Bah! On ne dirait tout de même pas qu'Agnès a vingt-huit ans et qu'elle est mère de deux enfants. Elle se conduit comme une gamine. Sa fille, Flore, fait parfois preuve de plus de caractère que sa mère ! D'accord, Denis est autoritaire et il a un caractère de cochon, mais ce n'est pas une raison pour qu'Agnès se laisse mener par le bout du nez. Elle ne veut jamais le contrarier. Du coup, Denis fait la pluie et le beau temps chez lui.

– Qu'en pense Henri ? demande Rose qui trouve qu'Isabelle s'emballe.

Rose a failli dire « le froid Henri », mais s'est reprise à temps. Dans le feu de la conversation, il n'est jamais bon de laisser échapper un adjectif qui pourrait être mal interprété. Alors que dans la pensée de Rose, l'attitude calme et le *self-control* de son gendre est un compliment.

– Maman ! Je laisse mon mari en dehors de ça. Ce sont des affaires de famille. Cela ne le regarde pas.

« Oh ! songe Rose, qui se remémore le même genre de phrase que Charles lui avait rétorquée lorsque son frère, François, avait dilapidé les biens familiaux. C'est incroyable ce que, parfois, Isabelle peut ressembler à son père… »

Rose est songeuse. Elle est partie loin…

Isabelle la ramène sur terre :

– Maman, suis mon conseil. Va voir Agnès ou alors invite-la en Normandie avec les enfants. Cela lui fera du bien d'échapper à son époux pour un temps.

– Qu'est-ce que tu crois, ma chérie ? se défend Rose. Je l'ai invitée un nombre incalculable de fois et, chaque fois, elle a refusé de venir ou trouvé une raison. Tu vois, l'an dernier, puisque Agnès ne pouvait pas venir, j'avais invité Flore au mois d'août. Et non ! Il a fallu que la petite reste à Versailles, car elle était inscrite à je ne sais quel cours. Or Flore est première de classe. Ce n'était pas un cours de rattrapage. J'ai posé quelques questions, car je ne comprenais pas. Il paraît que c'était un cours de formation personnelle. À sept ans! Tu connais ça, toi?

Isabelle hoche négativement la tête.

– De toi à moi, reprend Rose, Flore aurait été beaucoup mieux à courir dans les champs pendant les vacances d'été qu'à améliorer… je ne sais quoi!

– Essaye de nouveau cette année, lui suggère Isabelle.

– Certainement. C'est ce que je vais faire en rentrant, répond Rose affirmativement.

Rose se sent soulagée et se dit que c'est bien bon d'avoir une fille aînée avec qui on peut parler à cœur ouvert.

Le séjour à Montréal tire à sa fin. Dans deux jours, Rose sera chez elle.

« Cette année, j'insiste, se promet-elle. Flore viendra en Normandie. »

## 23

# Envolés

Dès son retour, Rose, bien décidée à recevoir Flore, appelle Agnès au téléphone. Il n'y a pas de réponse.

« Ils doivent être sortis, se dit Rose. Je les rappellerai demain. »

Rose les rappelle les jours suivants. Le téléphone sonne dans le vide.

« Pourquoi Agnès ou Denis ou un des enfants ne décroche-t-il pas ? » s'énerve Rose.

Voilà une semaine que Rose appelle. Elle a essayé à divers moments de la journée. Sans succès. Rose doit se rendre à l'évidence : ils ne sont pas chez eux.

« C'est curieux, se dit Rose. Ils avaient prévu partir en vacances la deuxième quinzaine d'août... Auraient-ils changé d'idée ? Je vais sans doute avoir de leurs nouvelles bientôt. Il me suffit d'attendre. »

Tous les jours, Rose guette le facteur. Elle reçoit des cartes de toute la famille, mais rien « des Agnès », comme les nomme Albertine.

Albertine, la fidèle Albertine qui a connu les enfants tout petits, a des idées bien arrêtées sur tous les membres de la famille. Et elle a la rancœur tenace ! Que s'est-il passé avec Denis ? Rose n'en sait rien. Mais un beau jour, Albertine a décidé que Denis ne lui plaisait pas.

– Madame Charles, j'ai bien le regret de vous dire que le mari de madame Agnès, c'est un ouvrier! lui avait sorti tout de go, Albertine.

Rose avait souri en songeant à la hiérarchie des classes sociales établies par Albertine. Mais pour avoir vécu longtemps en Normandie près « des gens » du château, Rose savait, qu'à leurs yeux, un ouvrier, c'était pire qu'un journalier, qui, lui-même, était inférieur à un paysan. Ce dernier se situant légèrement en dessous des domestiques du château. Le maréchal-ferrant et le cabaretier du village, qui étaient propriétaires de leur échoppe, venaient en tête.

Qu'Albertine traite Denis d'ouvrier, était l'injure suprême. Mais comme Albertine avait grand cœur, malgré son caractère de cochon – qu'elle tenait de sa mère, feu la cuisinière du château – elle continuait à chouchouter Agnès et ses enfants lorsqu'elle les voyait. Simplement, elle avait effacé Denis. Elle les nommait : les Agnès.

Les jours passent. La dernière semaine de juillet arrive et Rose est toujours sans nouvelles.

Rose a beau se raisonner, elle est inquiète. Bêtement, viscéralement… sans vraie raison, autre que ce silence inhabituel de la part d'Agnès. Un enfant est-il malade? Agnès est-elle malade?

Rose voudrait savoir ce qui se passe.

« Ils ont dû m'écrire pour me prévenir et la lettre s'est perdue. Je n'ai qu'à attendre leur retour à Versailles, se dit Rose pour se rassurer. »

Puis, elle songe aux projets de vacances qu'elle a faits pour sa petite-fille :

« Moi qui voulais inviter Flore en août… Enfin, il sera toujours temps de l'inviter dès qu'ils seront rentrés. »

Rose passe de l'agacement à l'inquiétude de ne pouvoir rejoindre sa fille Agnès. Puis, elle oscille entre l'exaspération et la panique.

«Je vais en parler à Philippe, décide Rose. Il sera meilleur juge que moi. Il me traitera sans doute de mère poule, mais tant pis!»

En arrivant à la métairie, Rose aperçoit Ludivine nonchalamment étendue sur un transat.

– Bonjour, ma tante, dit-elle gentiment à Rose en l'embrassant.

– Dis-moi, tu passes toutes tes vacances ici! la taquine Rose.

– Oui, j'en profite. Car, cet automne, je pars en Amérique. Mon agent a décroché un contrat là-bas. C'est de la figuration, mais c'est un début.

– C'est fou, les jeunes, ce que vous voyagez facilement! lui rétorque Rose. Quand je pense que du temps de notre jeunesse, ta mère, ta tante Béatrice et moi, on avait trouvé qu'aller en Bretagne, c'était le Pérou! Vous avez de la chance, profitez-en! Dis-moi, ton oncle Philippe n'est pas là?

– Il est à Verneuil. Mais il devrait être de retour d'ici une heure. Asseyez-vous, ma tante. Voulez-vous boire quelque chose?

– Qu'est-ce que tu bois, toi? lui demande Rose en regardant un verre rempli d'une sorte de citronnade laiteuse que Ludivine a posé sur un tabouret à côté d'elle.

– C'est un *seven-up* avec un doigt de sherry, lui explique sa nièce. Je m'initie aux coutumes américaines. Voulez-vous essayer?

– Vendu! lui répond Rose en riant. Il n'y a pas d'âge pour vivre dangereusement, proclame ta tante Béatrice.

Rose renifle la boisson puis trempe ses lèvres, sous l'œil inquisiteur et légèrement goguenard de Ludivine.

– Ce n'est pas mauvais, dit Rose, mais ça a un goût synthétique bizarre.

Elles rient toutes les deux de bon cœur.

– Parle-moi de tes projets, demande Rose. Tu pars pour combien de temps?

Ludivine lui donne des détails. Rose écoute, la pensée ailleurs. Le sujet épuisé, Ludivine se tait.

Philippe n'est toujours pas de retour.

Rose relance la conversation :

– As-tu eu des nouvelles d'Isabelle? Et d'Agnès? lui demande Rose d'un air faussement détaché.

– J'ai reçu une carte d'Isabelle. Je vais essayer d'aller la voir à Montréal, avant de m'installer sur la côte ouest. Isabelle écrit toujours si régulièrement, commente Ludivine. Agnès? Non, je n'ai pas eu de nouvelles, à part la carte qu'elle m'a envoyée à Noël.

Regardant attentivement Rose, elle ajoute, en tutoyant sa tante :

– Tu es inquiète?

– Ça se voit? lui demande Rose d'une voix faible.

– Voyons, ma tante. C'est écrit gros comme une maison sur le bout de ton nez. Dis-moi ce qui ne va pas.

– Ah! Ludivine! Ludivine! Je suis comme toutes les mères. Je pense que je m'en fais pour rien... Mais, je ne peux pas t'expliquer... Je suis vraiment anxieuse. Je tente de me raisonner, mais c'est plus fort que moi, avoue Rose avec des trémolos dans la voix.

Ludivine, gentiment, se lève et vient entourer Rose de ses bras.

– On sait que vous vous inquiétez pour nous. Vous êtes toutes pareilles, les mères! Mais on ne fait rien de mal. Agnès est tout simplement partie en vacances et a été trop paresseuse pour t'écrire. Tu vas la voir revenir bien bronzée et tu auras honte de t'être fait du mouron pour rien. Allez! Souris, ma tante, et reprends un drink.

– Qu'est-ce que j'entends? Essayerais-tu de débaucher ta tante? gronde Philippe d'une voix faussement fâchée.

Les deux femmes se retournent, surprises.

– Rose a le cafard, explique Ludivine. Je vous laisse, dit-elle en s'éclipsant.

Philippe enlève sa veste, s'assied, essuie ses lunettes, passe sa main dans ses cheveux… et ne regarde toujours pas Rose en face.

«Mais qu'a-t-il?» se demande Rose.

– Tu vas bien Philippe? Tu as vu Marie? Elle va bien? lance Rose.

– Oui, oui, de ce côté-là, ça va, lui répond Philippe.

Rose se tait. Philippe hésite. Il lisse son crâne pour la énième fois.

– Et toi, Rose, comment ça va? Tu as le cafard, toi? lui demande-t-il d'un air incrédule.

– Le cafard? Non. Mais je m'inquiète pour les enfants. Tu sais, ils ont beau être grands, on ne finit jamais de s'inquiéter. En fait, ce qui me tourmente à l'heure actuelle, c'est que je n'ai aucune nouvelle d'Agnès depuis un mois. J'ai téléphoné tant et plus chez eux, sans obtenir de réponse. Au début, je me suis dit qu'ils étaient sans doute partis en vacances, mais les jours passent et je n'ai reçu aucune lettre, aucune carte. Ça m'étonne, c'est tout. Je sais bien qu'ils sont tous les quatre… mais j'ai peur qu'il leur soit arrivé quelque chose… J'ai bêtement peur. C'est pour cela qu'aujourd'hui je suis venue ici sans te prévenir. Je voulais savoir si, toi, tu avais de ses nouvelles ou si quelqu'un de la famille en avait eues.

– Tu as bien fait, Rose. Je voulais justement passer chez toi parce que Marie-Laure a reçu une drôle de lettre de sa cousine Flore.

Marie-Laure est la fille de Marguerite-Rose et la petite-fille de Marie. Elle a quelques mois de moins que Flore. Depuis un an, les deux cousines entretiennent une correspondance suivie, car elles échangent des timbres.

– Tu as eu des nouvelles? Oh! Tu m'ôtes un poids. J'ai bien fait de venir, s'exclame joyeusement Rose.

Elle réalise que Philippe la regarde d'un air tendu. Rose sent son estomac se serrer.

– Tiens, voilà la dernière lettre de Flore que Marie-Laure a reçue. Nous avons jugé bon, sa mère et moi, que tu la lises. Marie-Laure nous a aussi très gentiment montré les cartes qu'elle a reçues de sa cousine. Les voici. Tu jugeras par toi-même, lui dit Philippe en sortant quelques feuillets de la poche intérieure de sa veste.

Rose les saisit. Elle entend vaguement Philippe lui dire :

– Je vais me changer. Je reviens.

Rose jette rapidement un coup d'œil sur les lettres et lit la première qui lui tombe sous les yeux.

*Chère Lolo,*

Rose sourit. Quelle idée ont ces jeunes de déformer ainsi leurs jolis prénoms! Enfin...

*Cela fait beaucoup de jours que nous sommes à la colonie. Je fais plein de choses. J'ai appris à traire les vaches. On fait tout nous-mêmes. C'est moi qui ramasse les œufs. J'aide aussi dans le potager. J'ai planté des haricots – mais ils ont été mangés par des limaces – et papa m'a grondée.*

*J'aide aussi les femmes à la cuisine. On est séparés. Paul a beaucoup pleuré parce qu'il ne dort plus avec maman. On peut juste le voir pendant la prière. J'ai voulu lui donner un gâteau que j'avais volé – surtout, ne le dis pas – dans le pot, à la cuisine. Mais un homme m'a vue et il a pris mon gâteau. Il a parlé à papa qui a parlé à maman et elle m'a punie. J'en ai marre. Je n'ai pas de timbre, mais je donne ma lettre à la femme qui va chercher le courrier au village. Elle a dit qu'elle la posterait sans timbre, parce qu'elle n'a pas d'argent. J'en ai super marre. Flo.*

Rose retient son souffle. Qu'est-ce que c'est que cette histoire ? Denis est pingre, mais il aurait pu choisir un autre type de vacances. Et pourquoi le petit Paul est-il séparé de sa maman ?

« Le pauvre enfant, lui qui était tellement dans les jupes d'Agnès, songe Rose, le cœur serré. »

Flore a été punie ? Rose ne comprend pas. À sa connaissance, Agnès n'a jamais levé la main sur un de ses enfants. Évidemment, Flore a volé… Mais à huit ans… et c'était pour son frère… « Agnès aurait pu faire preuve de discernement, pense Rose. Flore n'aurait pas recommencé. »

Rose lit rapidement les deux autres cartes. Aucune n'est datée. Elle tente de déchiffrer le cachet de la poste. Il est illisible, car le postier a griffonné par-dessus. Une des cartes représente le château de Versailles. Rose la lit :

*Ma Lolo,*

*On part en vacances ce soir. On va à la montagne. Je suis bien contente. Il paraît que c'est super ! Je t'embrasse. Ta Floflo.*

La deuxième représente une vue du lac d'Annecy. Au dos, l'écriture de Flore est un vrai barbouillage.

*Lolo. On est arrivés. Papa a dit qu'on allait dans le camp en montagne. On part demain matin. Depuis trois jours, je dors avec une fille que je n'aime pas. Je m'ennuie. Flo.*

Dans quelle aventure Denis a-t-il entraîné sa famille? se demande Rose. Enfin, se raisonne-t-elle, le camping ou la vie fruste n'ont jamais tué personne. Et cela n'aura qu'un temps... Denis, qui affiche des allures de prolétaire, aime beaucoup trop son confort pour que ça dure... Ils vont bien; ils sont ensemble; les conditions de vie sont un peu spartiates aux yeux de Rose... mais, en réfléchissant, elle se dit que ça ressemble aux camps de scouts de sa jeunesse.

Philippe revient. Rose lève les yeux sur lui. Elle ne comprend pas pourquoi il a encore l'air ennuyé.

– Merci, Philippe, de m'avoir apporté les lettres de Flore. J'étais tellement inquiète de ne pas avoir de nouvelles... me voilà un peu rassurée.

Philippe pose sa main sur l'épaule de Rose.

– Qu'est-ce qui se passe, Philippe? Quelque chose m'échappe? s'énerve Rose. D'accord, ce n'est pas le Ritz... Mais, toi aussi, tu as été dans des colonies de vacances où le confort était plutôt rustique... Ce qui m'ennuie beaucoup plus, ajoute Rose l'air contrit, c'est l'attitude d'Agnès. Je m'étonne qu'elle ait accepté d'être séparée de Paul et qu'elle punisse sa fille pour un biscuit dérobé. Ce n'est pas dans ses habitudes. Comme tu sais, j'essaye de ne pas me mêler de l'éducation de mes petits-enfants... Mais ça ne m'empêche pas de penser! De toute façon, ils vont reprendre la vie normale à Versailles dans un mois et ce camp d'été ne sera plus qu'un souvenir, ajoute Rose.

– Tu as sans doute raison, lui répond Philippe avec laconisme.

– Tu n'as pas son adresse? Flore ne l'indique nulle part. Marie-Laure ne te l'a pas donnée? demande Rose.

– Non, répond Philippe. Elle ne l'avait pas.

– Bon. Il ne reste plus qu'à attendre le retour de nos Robinson.

Rose se lève.

– Allez, je vais rentrer, Philippe. J'aime mieux être chez moi avant la nuit. Non pas qu'il y ait un danger, mais je ne veux pas me tordre une cheville dans une ornière. Remercie encore Marie-Laure et sa mère de m'avoir laissé lire les lettres de Flore. Je l'aime tant, cette petite fille, ajoute Rose, sur un ton attendri.

– Fais attention à toi, lui dit gentiment Philippe en l'embrassant. Je te préviens si j'ai d'autres nouvelles.

Il fait quelques pas avec elle.

– Vous ne restez pas dîner, ma tante? demande Ludivine qui surgit fort à propos de la maison.

Rose la soupçonne d'avoir guetté par la fenêtre la fin de leur entretien.

– Non, ma grande, merci. Je rentre.

Rose fait quelques pas, puis se retourne brusquement.

– Je voulais te dire… commence-t-elle.

Et elle s'arrête net. Elle vient de voir l'interrogation muette que Ludivine adresse à Philippe et le geste d'impuissance, les bras écartés, de ce dernier. Surpris, ils masquent l'expression de leur visage en y plaquant un sourire et lui font un signe d'adieu avec la main.

– Ça n'a pas d'importance, dit Rose. La prochaine fois…

Elle se détourne, songeuse.

## 24

## La toile d'araignée

À la mi-août, Rose reçoit enfin une longue lettre d'Agnès.

*Ma petite maman,*
*Que je te rassure d'abord, nous allons tous bien. J'ai attendu pour t'écrire de savoir si Denis allait obtenir le poste en Savoie. Je ne te l'avais pas dit lors de ta dernière visite à Versailles, mais son contrat au collège n'a pas été renouvelé. Peu après, il a rencontré, par hasard, un ami qui avait entendu dire qu'on cherchait un prof pour une école, en Savoie. Il a postulé et a été engagé à l'essai cet été. Ça a marché et, en septembre, Denis aura officiellement le poste. Il est très content. Moi-même, j'ai pu trouver une occupation ici. Nous vivons tous en communauté, c'est très agréable. On partage les tâches et on élève ensemble les enfants. Paul a eu quelques difficultés au début pour s'intégrer, mais maintenant, cela va bien. Flore est en bonne santé, mais devient difficile et rechigne pour tout. Voilà, ma petite maman, toutes les nouvelles. Ne t'inquiète pas. Tu peux m'écrire poste restante à… Nous t'embrassons. Agnès.*

« Bon, songe Rose, voilà l'explication du silence d'Agnès. Que j'ai été bête de m'inquiéter autant! Si elle avait osé me dire plus tôt que Denis avait perdu son poste, cela m'aurait évité de les imaginer morts sur la route! Enfin… »

Rose relit la lettre, songeuse.

« Mais que vont-ils faire de l'appartement à Versailles? Et de tous leurs meubles? », s'interroge-t-elle.

Rose répond immédiatement à sa fille.

Quelques jours plus tard, en allant à Verneuil, elle choisit une carte postale pour le petit Paul – à quatre ans, les images l'intéressent bien plus que les mots – et un très joli dessin représentant un bouquet de fleurs pour Flore, la bien-nommée.

Septembre arrive. Rose s'étonne un peu que Flore ne lui ait pas répondu, mais se dit que la petite doit être très occupée avec la rentrée des classes. Agnès, non plus, ne lui a pas écrit.

Les semaines passent. Parfois, surtout la nuit, Rose se demande avec inquiétude ce que signifie le silence d'Agnès.

Arrive le jour, et l'inquiétude disparaît.

« Ils n'écrivent pas parce qu'ils sont trop occupés. Pas de nouvelles, bonnes nouvelles », se répète-t-elle.

À la mi-novembre, Rose reçoit une courte carte d'Agnès.

*Maman,*

*Nous ne sommes pas perdus. Je ne comprends pas pourquoi tu m'écris des lettres sur ce ton. J'ai toujours fait tout ce que je pouvais pour que tu m'aimes, car moi, je t'aime malgré tout.*

*Agnès.*

Rose s'assied, effondrée. Elle ne comprend pas.

« Quelle mouche a piqué Agnès? se demande-t-elle. Et ce ton! Qu'ai-je pu lui écrire pour qu'elle me réponde ainsi? »

Rose réfléchit. Elle essaye de se remémorer le contenu de ses dernières lettres. Et ne trouve rien, à ses yeux, qui puisse déclencher une telle réponse. Certes, elle disait ne pas avoir reçu de nouvelles… Mais de là à faire une scène…

« Passons par-dessus, décide Rose. Je vais les inviter pour Noël. »

Le 10 décembre, le téléphone sonne.

C'est Agnès.

« Enfin! » pense Rose qui soupire de soulagement.

– Agnès? Oh! ma chérie, que je suis contente de t'entendre.

Rose, émue d'entendre la voix de sa fille, ajoute d'un trait :

– Comment vas-tu, ma chérie? Comment allez-vous, tous? Avez-vous été malades?

Agnès lui répond d'une voix calme :

– Mais non, maman. Nous allons tous très bien.

– Tu as reçu mes lettres?

Agnès répond par un oui laconique.

« Agnès est si froide, songe Rose. Qu'a-t-elle? Une mauvaise nouvelle à lui annoncer? »

Rose insiste :

– Tu ne me caches rien? Tout va bien? Tu es sûre?

C'est le silence au bout du fil.

– Agnès? Agnès? Tu es là?

Rose entend des gens chuchoter.

– Agnès ? Tu m'entends ?
– Oui, maman.
– Denis est avec toi ?
– Non.
– La communication n'est pas bonne, commente Rose.

De nouveau, ces chuchotements.

– Alors, reprend Rose, c'est entendu ? Je vous attends pour Noël ?

Un temps de silence, puis Rose entend Agnès lui dire :

– Je t'aime, maman.

La communication est coupée.

Rose rappelle immédiatement la standardiste pour demander qu'on rétablisse la communication.

– C'est impossible, madame, l'appel venait de l'étranger.

– Mademoiselle, vous vous trompez. Ma fille m'appelait de Savoie.

– Non, madame. L'appel venait du Canada.

– Quoi ?

Rose raccroche. Ses genoux tremblent. Elle s'assied. Elle essaye de réfléchir, mais les idées se bousculent dans sa tête comme les fragments de verre colorés d'un kaléidoscope.

– Au Canada ? s'exclame-t-elle tout haut. Mais que fait Agnès là-bas ?

Et les idées les plus folles traversent son esprit :

« Elle n'a pas été enlevée ! Elle a un mari et deux enfants avec elle. À moins qu'elle ait quitté Denis ? Aurait-elle fui chez sa sœur Isabelle ? »

Rose veut en avoir le cœur net. Elle appelle Isabelle à Montréal.

– Mais non, maman. Agnès n'est pas ici. Je n'ai eu aucune nouvelle d'elle depuis des mois. Tu es sûre que l'appel venait du Canada?

– C'est ce que m'a dit la standardiste. Mais je ne comprends pas, gémit Rose. Je croyais qu'elle était avec les petits et Denis en Savoie.

– Écoute, ne t'énerve pas. Je vais me renseigner. J'en parle à Henri et je te rappelle le plus vite possible.

Rose la remercie d'une voix tremblante et raccroche.

– C'est l'horreur, laisse-t-elle échapper à haute voix.

Puis elle se reprend :

« Agnès est en vie. Je dois me raccrocher à ça. »

Et flanche de nouveau :

« Et Flore? Où est Flore? »

On sonne à la porte. Rose se lève, ouvre et se trouve face à face avec Albertine.

– Eh bien, Madame Charles, on dirait que vous avez vu un fantôme!

Albertine, malgré son âge, a décidé que « tant qu'elle serait debout », elle viendrait une fois par semaine faire le ménage chez Rose. Rose la laisse faire... et repasse le balai après elle. Aujourd'hui, Rose, troublée, a oublié que c'était « son jour ».

– Je vais faire un café, dit Albertine. Il fait un froid à ne pas mettre un cochon dehors.

Passant devant Rose, elle se dirige d'un pas ferme vers la cuisine.

Albertine s'affaire sans regarder Rose qui l'a suivie. Elle ouvre un placard, sort deux tasses, remplit une casserole d'eau, la met sur le feu, cherche le pot à café. Puis, elle pose son cabas sur la table et, tel un prestidigitateur, en sort un chou et une pintade.

– C'est le père Louis qui me l'a donnée pour vous. Il dit que si vous voulez une dinde pour Noël, il faut que vous la réserviez maintenant, car le printemps a été mouillé et il a perdu plusieurs couvées.

Rose est incapable d'émettre un son. Albertine, surprise, lève la tête.

– Eh bien, Madame Charles, qu'est-ce qui vous arrive ? Et asseyez-vous donc, ajoute-t-elle, car vous allez passer.

Rose éclate en sanglots.

Albertine s'approche et la berce, compatissante :

– Allons, allons, Madame Charles, ce n'est plus de votre âge de pleurer comme ça ! Vous allez vous rendre malade.

Rose esquisse un sourire.

« Cette brave Albertine, songe-t-elle. Que de chagrins et d'événements familiaux n'a-t-elle pas connus ! »

– C'est monsieur Jean ou madame Agnès qui vous donne du tracas, cette fois-ci ? reprend Albertine.

– Agnès, répond Rose d'une voix vacillante.

– Vous allez d'abord boire un café, ordonne Albertine.

Elle sert le café. Puis, elle s'empare d'une chaise et s'assied lourdement :

– Qu'est-ce qu'elle a encore fait, cette fois-ci ?

Rose lui résume les derniers événements. Albertine l'écoute religieusement, tout en buvant son café à petites lampées.

Rose se tait. Albertine hoche la tête, se lève, ramasse les tasses, va les rincer dans l'évier. Rose la voit de dos et l'entend grommeler. Elle prend son temps…

Enfin, Albertine se retourne et, les deux mains sur les hanches, rend son verdict :

– Il l'a emmenée dans une secte, notre petite madame Agnès.

– Voyons, Albertine, ma fille n'est pas folle ! la réprimande Rose.

– Croyez ce que vous voulez, Madame Charles! Moi je vous dis que ce maudit Denis l'a traînée dans une secte.

– Mais, Albertine…

Rose s'apprête à lui dire que ni Denis ni Agnès n'auraient accepté de participer à ces histoires de fous que l'on voit à la télévision. Et encore moins d'y entraîner les enfants.

Albertine, vexée, lui tourne le dos.

« Se pourrait-il que ce qu'a dit Albertine soit vrai? se demande Rose, en marchant de long en large. Albertine a le chic pour dire des choses qui paraissent stupéfiantes sur le moment, mais qui se révèlent souvent exactes. »

– Une secte? dit Rose à haute voix.

Rose doit se rendre à l'évidence : elle ne sait pas grand-chose sur le sujet. Elle se rappelle, vaguement, avoir vu à la télévision le début d'un reportage sur une secte. C'était une histoire abracadabrante et macabre. Au bout de dix minutes, Rose avait éteint le poste.

« Albertine, pour une fois, se trompe », affirme Rose.

– Mais non, ma tante, dit Ludivine, à qui Rose vient de rapporter l'invention d'Albertine, ce qu'elle dit n'est pas idiot.

– Mais voyons, ma petite-fille! lui rétorque Rose, choquée. Tu te vois, toi, dans une secte?

– Pas moi, lui répond gentiment Ludivine. Mais c'est arrivé à une de mes amies. C'était une fille bien, sérieuse. Elle a rencontré des gens. Et puis, on ne l'a plus revue.

Rose devient livide.

Philippe, qui écoutait l'échange de paroles sans rien dire, intervient :

– N'affole pas ta tante inutilement, Ludivine. Attendons d'en savoir plus avant d'imaginer des catastrophes.

– Tu crois, toi, Philippe, qu'Agnès aurait pu faire une chose pareille? Pas ma fille! proteste Rose.

Philippe lève les yeux au ciel dans un geste d'impuissance.

– Attendons de voir ce que va te dire Isabelle, répond-il. Denis est peut-être parti au Canada dans le cadre d'un échange d'enseignants. Cela se fait couramment, maintenant. Te rappelles-tu, Rose, ce professeur que tu as vu, ici, il y a quelques mois? Il était en France dans le cadre d'un échange universitaire.

Rose se raccroche à cette idée.

– Tu as sans doute raison, Philippe.

Puis, Rose reprend, la voix angoissée :

– Mais pourquoi, alors, Agnès ne m'écrit-elle pas? Et Flore? Elle répondait toujours aux lettres, autrefois. Et ce dernier appel téléphonique… Ces chuchotements… La communication coupée… Tu sais, Philippe, que tout cela me fait peur, avoue Rose.

Il se penche vers Rose et prend ses deux mains dans les siennes.

– Voyons, Rose! Tu n'es pas seule. Qu'est-ce que tu fais de la famille, alors? Tu sais ce que tu vas faire? Tu vas venir habiter ici. Au moins, comme cela, tu ne broieras plus du noir, toute seule.

– Allez, ma tante, dit Ludivine toujours aussi vive, on va chercher vos affaires.

## 25

# À la recherche d'Agnès

– Tu ne vas pas déménager pour moi? a protesté Rose en voyant Ludivine déplacer ses affaires.

– Mais si, ma tante. Cette chambre est la plus agréable de la maison. Je l'ai occupée parce qu'il n'y avait pas d'invités. Regarde comme la vue est belle et reposante. Allez! Laisse-toi gâter!

Ludivine a le visage animé.

« Elle devait s'ennuyer, avec Philippe toujours penché sur ses papiers, » songe Rose.

– Tu peux utiliser l'armoire pour ranger tes affaires. Je l'ai vidée, continue Ludivine qui, avec vivacité, ouvre portes et tiroirs.

Rose, étourdie, s'est laissée choir sur le bout du lit.

– Voilà, si tu as besoin de quelque chose d'autre, tu me le demandes. La salle de bains est...

Luduvine s'arrête, net, devant le sourire narquois de Rose.

– Que je suis bête! s'exclame Ludivine. Tu connais la maison mieux que moi!

– Ma chérie, c'est très gentil de ta part et j'apprécie que tu m'accueilles comme cela. Mais il est vrai que tu n'étais encore qu'une toute petite fille lorsque j'ai aidé ma belle-mère à installer Philippe ici.

– Je vais préparer le thé, coupe Ludivine.

Et elle file comme l'éclair.

Rose, songeuse, se lève et va appuyer sa tête contre le carreau de la fenêtre.

« Quelle vivacité, cette petite ! »

Il est vrai que Philippe, dans sa jeunesse, était un feu follet. Mais à bien réfléchir, Ludivine ressemble – en plus jeune et vivant à une époque différente – à la comtesse de R., sa grand-mère. « Organisée, vive, toujours prête à se dévouer pour une bonne cause », se rappelle Rose, avec tendresse.

« La vue est reposante, certes ! » ironise Rose, qui a sous les yeux une prairie d'un vert doux, mouillée par un crachin.

Les murs ont été recouverts de petites fleurs roses et vertes, style Laura Ashley.

« Sans doute l'œuvre de Ludivine », suppose Rose qui émet toutefois quelques réserves quant au choix du papier, répété, à satiété, dans les maisons retapées par les Parisiens.

Les yeux de Rose s'attardent sur l'imposante vieille armoire normande qui occupe tout un pan de mur.

Rose passe doucement la main sur la guirlande de fleurs et de fruits sculptés sur le meuble. Elle suit du bout du doigt les rainures et remarque des éclats de bois dans la partie inférieure.

« C'est dommage qu'elle se soit abîmée ainsi », pense-t-elle.

Tout d'un coup, elle se souvient :

« Oh, mon Dieu ! C'était l'armoire de la nursery, au château. Charles et Philippe et tous les enfants – ces bons petits diables – ce sont eux, qui ont donné des coup de canifs dans le meuble. »

– Les garnements! s'exclame-t-elle à haute voix.

« Et la bibliothèque, découvre-t-elle. Elle était dans le petit salon. Que de souvenirs! Je vais être bien, ici. Pour un temps. »

– Ma tante, lorsque vous aurez fini votre thé, je vais vous montrer le Q.G., dit Ludivine.

– Le quoi? demande Rose.

– Le quartier général, ma tante.

– Merci, Ludivine. Je sais encore ce qu'est un Q.G. rétorque Rose. Qu'est-ce que tu as encore inventé?

Philippe lève les yeux au ciel et explique :

– Elle se croit sur un plateau de cinéma! Figure-toi qu'elle a réquisitionné le petit bureau pour soi-disant « diriger les opérations pour retrouver Agnès. »

Rose sourit.

– Et tu l'as laissé faire? reproche Rose, ironique, à Philippe.

Philippe répond par une mimique muette qui montre son impuissance devant le charme et la ténacité de Ludivine.

– Entendu, dit Rose qui a décidé de jouer le jeu. Tu vas me montrer tout ça.

Sur la table au milieu de la pièce, Ludivine a installé une machine impressionnante.

Devant le regard interrogateur de Rose, elle explique :

– C'est la machine du père Louis. Il l'utilisait pendant la guerre. Ici, tu as la radio, là, un téléphone et là, une enregistreuse. Si tu ne prends pas les appels, ma tante, ils sont automatiquement enregistrés, lui explique Ludivine. Évidemment, maintenant, il existe des modèles miniatures. Mais, j'aime bien celui-là.

– Très cinéma, en effet, lui dit Rose, narquoise.

– Ici, tu vois, continue Ludivine, j'ai affiché une carte du Canada. Là, une carte de la Savoie. Et là, dit-elle en désignant l'autre mur, j'ai mis un panneau sur lequel on pourra afficher toutes les dernières informations.

Rose la regarde, partagée entre la moquerie et la tendresse.

– On va la retrouver ton Agnès, lui dit spontanément Ludivine.

« Cette force, cette certitude qu'ont les jeunes. C'est bon ! Rien ne leur paraît impossible », songe Rose.

– Oui, ma chérie. On va les retrouver, affirme Rose. Pour commencer, on va mettre au courant tous les membres de la famille. On ne sait jamais ! Peut-être certains ont eu des nouvelles récentes. Puis, je vais tenter de rejoindre les gens que connaissait Agnès, à Versailles. S'il faut, j'irai sur place leur rendre visite. Je pourrais, aussi, aller voir les anciens professeurs de Flore… et les collègues de Denis…

– Bravo, ma tante, dit Ludivine qui applaudit.

« Enfant, enfant ! Tu crois qu'il s'agit d'un grand jeu de piste. Tu es si jeune, si légère, Ludivine ! Tu n'as pas encore connu la douleur que l'on ressent lorsqu'un être cher disparait », songe Rose qui a fermé les yeux.

Retrouver Agnès. Tous les membres de la famille à qui ils ont téléphoné se sont ralliés au projet. Certains ont même été à l'ADFI, un organisme qui aide et informe les familles aux prises avec ce genre de difficulté. Le jeune Philippe, le frère de Ludivine, notaire à Évreux, a consulté un ancien camarade de collège, avocat. Isabelle se renseigne au Canada. Henri, son mari, est muet – comme tout bon diplomate – mais laisse entendre qu'il n'a pas oublié Agnès. Il tire des ficelles pour essayer de savoir où est sa belle-sœur et sa famille. Béatrice se renseigne auprès d'organismes en Angleterre et cherche des adresses. Quant à Philippe, il a téléphoné aux États-Unis au professeur qui était venu déjeuner l'été dernier. Philippe craint en effet que du Canada, le groupe dans lequel est Agnès ne soit passé aux États-Unis.

– Mais, voyons, il y a des frontières, Philippe, a dit Rose qui trouve l'idée farfelue. Et puis, pourquoi iraient-ils aux États-Unis?

– Dis-toi une chose, répond Philippe qui semble bien renseigné, le problème des sectes est un problème mondial et les gens qui en font partie se déplacent et passent des frontières.

– Encore faudrait-il être sûr qu'Agnès soit dans une secte, lui répond Rose. Comment peux-tu dire cela, alors qu'on n'en sait rien?

Philippe et Ludivine – qui était présente lors de cette discussion – la regardent, muets.

Philippe baisse le nez, incapable de supporter le regard de douleur que lui lance Rose.

C'est Ludivine qui ose :

– Ma tante, si nous voulons aider Agnès, il ne faut pas se cacher la vérité. Il y a plusieurs signes qui, selon les spécialistes, indiquent qu'Agnès est dans une secte. Tu ne sais pas où elle est... tu n'as plus de nouvelles d'elle, à part les quelques lettres que tu nous a montrées et ce coup de fil bizarre que tu as reçu. Agnès ne semblait pas pouvoir te parler librement. Flore avait fait référence à un groupe, Agnès, à une communauté, où les femmes partageaient les tâches. De plus, Flore a fait une allusion selon laquelle les hommes et les femmes étaient séparés et ne se voyaient que pendant la prière...

– Cela me rassure pour Flore, coupe Rose.

– Va à Versailles, continue Ludivine. Va voir s'ils n'ont pas laissé une adresse pour faire suivre leur courrier, essaye de recueillir des informations auprès des gens qu'ils connaissaient… Tu avais accompagné plusieurs fois Flore à son école. Peut-être que la maîtresse te reconnaîtra et te parlera. Il faut que tu ailles à Versailles, insiste Ludivine.

– Nous allons y aller ensemble, tranche Philippe en insistant sur le « nous ».

Il se lève, s'approche de Rose et, d'un grand coup de chapeau imaginaire, lui annonce :

– Votre preux chevalier, à votre service !

– Oh ! Philippe, Philippe, balbutie Rose, émue de revoir en cet homme d'âge mûr, le jeune et galant beau-frère dont elle avait fait connaissance quelque quarante ans auparavant. Merci, Philippe ! Du fond du cœur, merci.

À Versailles, Rose et Philippe se sont partagé les tâches. Philippe s'est chargé d'aller voir les anciens collègues de Denis et de l'agence immobilière qui avait loué l'appartement aux Agnès. Rose a tenté, vainement, de parler aux voisines d'Agnès. Elle a eu plus de succès avec l'école. La maîtresse de Flore l'a reconnue.

– Mais, oui. Je me rappelle bien de vous. Je vous ai rencontrée lorsque vous accompagniez votre petite-fille, Flore. J'ai été étonnée de ne pas la revoir à la rentrée. Elle était, pourtant, inscrite sur nos listes. Qu'est-il arrivé ? Je suis passée une fois devant chez eux, mais ils n'habitaient plus là. Flore était une petite fille très intéressante et ma meilleure élève… Je l'ai suivie pendant deux ans. Comment va-t-elle ?

La femme a l'air ouvert. Et elle est bavarde !

Rose lui fait confiance et lui raconte tout ce qu'elle sait.

– Oh mon Dieu! mon Dieu! ma pauvre madame. Nous en avons beaucoup à Versailles. Mais Flore? Cela m'étonne. Il est vrai, ajoute-t-elle, qu'elle n'a pas eu le choix. Elle a suivi ses parents. Vous savez, ils ne sont pas tous mauvais. Parfois, c'est comme une recherche spirituelle et puis ils se rendent compte que ça ne fonctionne pas et ils reviennent. J'ai du mal, après, avec les enfants. Ils ont de grosses lacunes... mais ça se rattrape. Non, le plus difficile, c'est qu'ils ont tout le temps peur de faire mal. Ils sont devenus tellement craintifs... J'en ai envoyé quelques-uns à la psychologue que nous avons dans l'établissement. Cela les a aidés.

Puis elle ajoute :

– Il faut que vous gardiez confiance. Votre petite Flore, vous allez la retrouver. J'ai remarqué que les souvenirs heureux n'étaient jamais perdus. Lorsqu'il y a des difficultés dans une famille, une grand-mère affectueuse sert souvent de refuge.

– Merci. Mais, dites-moi, Flore ne vous a jamais fait de confidences? Nous essayons de savoir où ils sont. Vous ne sauriez pas le nom du groupe, par hasard?

– Oh! Madame, reprend la maîtresse d'un ton désolé, savez-vous qu'il existe des dizaines de sectes et de mouvements de toutes sortes? Certains sont très connus, mais la majorité ne le sont pas. Et ce sont ces derniers qui sont les pires, ajoute-t-elle, avec des trémolos dans la voix.

– Vous êtes mieux renseignée que moi! fait remarquer Rose, qui ne veut pas se laisser entraîner dans du mauvais théâtre.

La maîtresse s'abrite, alors, derrière les autorités. D'un ton professionnel, elle reprend :

– Notre proviseur nous a incités à suivre une séance d'information, car c'est un problème que nous côtoyons tous les jours. Vous comprenez que nous voulons respecter les croyances de chacun et que nous devons être avertis des différences que nous retrouvons chez nos élèves. J'en ai plusieurs qui ne fêtent pas Noël ou qui refusent de participer à des fêtes.

– Et Flore?

– Flore? Non, je n'ai rien remarqué de particulier.

Et voilà! Rose n'est pas beaucoup plus avancée.

– Est-il possible qu'une famille entière s'évanouisse dans la nature, sans que l'on sache ce qui lui est arrivé? demande-t-elle à Philippe, le soir.

– Il y a sûrement des personnes qui sont au courant, lui répond Philippe. Simplement, nous ne les avons pas rencontrées. Ou alors elles ne veulent pas en parler. Il faut tout de même que tu saches, Rose, que le secret qui entoure les sectes en fait leur force.

– Tu en sais des choses, toi aussi! lui rétorque Rose. J'ai l'impression d'être ignare.

– Tu n'as pas besoin d'en savoir trop, va! Il est plus important que tu gardes confiance et que tu te dises que l'on va retrouver Agnès et tes petits-enfants. Le reste, les détails, on s'en occupe. Nous avons d'excellents contacts, crois-moi.

– Merci, Philippe. J'ai l'impression d'être…

Rose ne trouve pas le mot.

– Gelée? lui souffle Philippe.

– Oui. C'est ça. Je veux agir, mais je n'y arrive pas. Ou bien, je me dis qu'il faut que je réfléchisse… et la seule chose qui me passe par la tête, ce sont les souvenirs d'Agnès enfant : son sourire, ses mots tendres, sa douceur… J'ai tellement peur qu'on lui fasse du mal.

Rose sanglote.

Philippe ne dit rien. Il lui tend simplement un mouchoir. Et attend.

– Je me tourmente aussi pour Flore, continue Rose. Elle est si jeune… Je pense à Flore et je revois Agnès enfant, sa fragilité. J'essaye de m'encourager en me disant que Flore est une petite bonne femme pleine de ressources et que sa maman n'est plus une enfant… Mais que peuvent-elles faire face à un groupe? On ne sait rien. C'est ça qui est le pire! Parfois, je me dis que c'est moi qui divague. Que ce genre d'aberration ne peut pas exister à notre époque, dans un pays comme le nôtre. Que peut-on faire? Et si on agit, ne risque-t-on pas de les mettre en danger? Alors, oui, tu as raison. J'ai tellement peur que je n'ose rien faire.

– Écoute Rose. Ne te méjuge pas. Chacun face à un choc de cette ampleur réagit comme il peut. Ce n'est pas de la lâcheté, c'est juste que tu es sa mère. Économise tes forces! Nous allons les retrouver, mais ça peut prendre du temps. C'est à ce moment-là qu'elles auront besoin de toi! Il faut que tu gardes espoir. C'est important. Tu me promets?

– Oui, promis. Excuse-moi. Cela m'a fait du bien de t'en parler. Mais je veux que tu me promettes que si je peux faire quelque chose, tu n'hésites pas à me le demander. Tu sais, je suis plus forte que je n'en ai l'air!

– Promis. Maintenant, on rentre à la maison, dit Philippe. Courage!

## 26

# Les événements se bousculent

– Nous aurions dû quitter Versailles plus tôt, grogne Philippe, au volant de sa voiture. Regarde, la nuit tombe. Et il n'est que trois heures ! Quel temps pourri !

En effet, la pluie fine qui tombait lorsqu'ils ont quitté Versailles s'est transformée en bourrasques. Le vent souffle par rafales et la conduite est difficile. Rose a les yeux fixés sur la route qu'elle aperçoit par intermittence, à chaque coup d'essuie-glaces.

– On dirait qu'en allant vers l'ouest, on va essuyer une tempête.

– Le temps est devenu fou, c'est comme les gens, lui répond Philippe, tendu. Il n'y a jamais eu des tempêtes comme cela dans mon enfance ! Les étés étaient beaux et les hivers frais. Maintenant, tu ne sais plus à quel saint te vouer ! Heureusement que nous n'avons plus de cultures. Je plains les paysans, tu sais…

– Oui, je sais. Mais il y a de moins en moins de paysans. Lorsque je vais à l'ouvroir, j'entends les vieilles femmes qui se plaignent parce que leur fils a vendu la terre et la grange à des Parisiens. À prix d'or, d'ailleurs. Nos Normands ne sont pas bêtes ! Et si tu voyais ces bâtiments ! Ils tombent en ruine, même une vache ne voudrait pas y être logée !

Ils rient tous les deux. À ce moment-là, un camion les dépasse. L'eau gicle. Philippe, ne voyant plus rien, donne un coup de frein. La voiture patine et dérape sur l'autre voie. Heureusement, personne ne venait en sens inverse. Une chance! Philippe redresse la voiture et repart.

– Est-ce que nous sommes loin de Verneuil? demande Rose qui a eu peur.

– Une dizaine de kilomètres, lui répond Philippe.

– Si l'on s'arrêtait chez Marie? propose-t-elle.

– Bonne idée! lâche Philippe, soulagé. Je n'en peux plus.

Des trombes d'eau s'abattent sur Verneuil au moment où ils arrivent. Philippe stationne la voiture sur le trottoir. Le temps qu'il prenne les bagages dans le coffre et qu'il ouvre la portière de Rose, il est trempé.

– Rentre donc, tu vas attraper la crève! s'exclame Rose à qui les émotions ont redonné un langage cavalier.

Marie, entendant une voiture s'arrêter sous ses fenêtres, est venue aux nouvelles. Elle se tient prudemment sur le pas de la porte.

– Mais vous êtes trempés comme des barbets, s'exclame-t-elle en voyant leur état. Vous avez traversé la rivière à la nage?

– L'océan, ma chère, pas la rivière, lui répond Philippe qui ne se laisse pas impressionner. Tu as failli me perdre!

– Ludivine a téléphoné. Elle s'est doutée que vous vous arrêteriez ici, ajoute Marie. Elle demande que Rose appelle Isabelle à Montréal. Elle m'a chargée aussi de te dire, Philippe, que tout était en ordre à la métairie.

Le cœur de Rose bat plus vite. Elle s'en veut de ne plus supporter les émotions.

– Je peux appeler, maintenant? demande-t-elle à Marie.

– Mais oui, bien sûr. Va dans le petit salon.

Le téléphone sonne dans le vide. Rose insiste. Enfin, on décroche.

– Isabelle?

Pas de réponse.

– Henri?

– C'est toi, mammy? dit une petite voix.

C'est Amandine.

– Tu es toute seule, ma chérie? s'étonne Rose.

– Non. On a une gardienne.

– Ta maman va bien?

– Oui. Tu veux que je te passe la gardienne?

– C'est ça, ma chérie.

Rose entend Amandine appeler la gardienne.

– Madame?

– Je suis la maman d'Isabelle, se présente Rose. Ma fille va bien?

– Mais oui, madame. Elle est partie à l'hôpital acheter le bébé, répond la gardienne en blaguant.

Rose entend la voix d'Amandine :

– On n'achète pas les bébés. Ils sortent du ventre de la maman.

Rose rit. Les temps modernes!

– Bon, je rappellerai, dit-elle à la gardienne. Merci.

Rose raccroche et referme doucement la porte du petit salon.

Elle se dirige vers la cuisine. Marie et Philippe, une tasse fumante à la main, sont attablés devant une corbeille recouverte d'un torchon à carreaux rouge et blanc.

– Je savais que j'allais vous trouver là, dit Rose. Quand il fait mauvais, c'est la pièce la plus sympathique de la maison.

– Tout allait bien? demande Marie.

– Oui. Isabelle est partie acheter le bébé, dit Rose en riant.

– Tu veux des norolles? dit Philippe en lui tendant la corbeille, peu troublé par cet événement si souvent répété par ses nièces.

– Tu en fais encore? s'exclame Rose à l'adresse de Marie.

– Mais oui, ma chère Rose. À mon âge, ce sont mes norolles qui attirent les galants!

Ils rient ensemble.

– Quoi de neuf? demande Marie.

– Pas grand-chose, répond Philippe. Et de ton côté, des nouvelles?

– Oui, répond Marie. Pendant ton absence, le prof américain a appelé ici, car il n'arrivait pas à te joindre à la métairie. Il a pris contact avec l'American Family Foundation et a amassé énormément de renseignements qu'il t'envoie par courrier. Il te donne aussi le nom de deux personnes que tu peux éventuellement appeler.

– Le brave type, commente Philippe.

– Enfin, il m'a chargé de te dire de te méfier des associations qui viennent en aide aux gens dont les enfants ont disparu dans les sectes. Il paraît que pour une bonne et honnête association, il y en a dix qui sont des arnaques.

– Quel monde! s'exclame Rose. Heureusement qu'il y a des gens comme ce prof pour compenser, sinon ce serait à désespérer de la race humaine.

– Mon fils Philippe, reprend Marie, a aussi appelé pour me dire qu'on ne pouvait légalement rien faire pour Agnès pour l'instant puisqu'elle est majeure et vaccinée. Ce sont ses propres termes. On ne peut pas, non plus, entreprendre de démarches pour les enfants, puisqu'ils sont avec leurs parents. Et que ces parents les ont toujours, à notre connaissance, bien traités. L'avocat qu'il a consulté a aussi ajouté qu'il ne fallait pas voir une histoire de sectes à chaque fois qu'un membre d'une famille disparaissait !

– C'est Me X qu'il a consulté ? demande Philippe. Je le connais depuis qu'il est au berceau... ajoute-t-il avec une moue dédaigneuse.

– Oui. Moi, commente Marie qui monte sur ses ergots dès que l'on touche à un membre de la famille, je n'ai jamais aimé cet imbécile péroreur !

– Voyons, ma chérie, lui dit Philippe.

Marie hausse les épaules et enchaîne :

– Dans un autre ordre d'idées, je t'apprends que le contrat de Ludivine est enfin signé et qu'elle prend l'avion pour l'Amérique, le 4 janvier. De toi à moi, Philippe, je suis bien contente qu'elle vole de ses propres ailes. Je te remercie de l'avoir accueillie aussi longtemps à la métairie. Mais, à un moment, il faut que les enfants quittent le nid.

– Je t'en prie, lui répond Philippe. Tu sais que je l'ai fait avec plaisir. Ludivine est charmante. Elle a de qui tenir...

Marie a un sourire attendri et regarde Philippe au fond des yeux. La figure de Philippe s'empourpre.

Rose, gênée, se détourne.

Marie reprend, la voix un peu plus rauque :

– Et puis, je vais être encore une fois grand-mère ! Marguerite-Rose attend son quatrième pour juin.

– Eh bien ! Tu en as des nouvelles ! s'exclame Rose.

– Redonne-moi des norolles pour fêter l'événement, rétorque Philippe qui attire la corbeille à lui. Et ouvrons une bouteille de champagne !

Marie lève les yeux au ciel. Elle ouvre le frigidaire et en sort une bouteille de cidre qu'elle dépose cérémonieusement devant Philippe.

– C'est tout ce que j'ai, mon cher!

La mine déconfite de Philippe fait rire les deux femmes.

– Je te taquine, voyons. Crois-tu qu'après toutes ces années, je ne te connais pas? ajoute-t-elle sur un ton de confidence.

Marie sort une vraie bouteille de champagne.

À ce moment-là, le téléphone sonne.

– Veux-tu que j'y aille? demande Rose.

– Oui. Prends l'appareil dans l'entrée. À cette heure-ci, c'est sans doute un des enfants.

Lorsque Rose revient, son sourire en dit plus long que des paroles.

– Alors? demande Marie.

– Une belle petite fille de sept livres, lui répond Rose. C'est Henri qui appelait. L'accouchement s'est très bien passé, et la mère et l'enfant se portent bien, selon la formule consacrée.

– Tu sais comment ils vont l'appeler? demande Marie.

– Il avait été question de Margot pour une fille, si je me rappelle bien. Mais il se peut qu'ils aient changé d'avis. Et tiens-toi bien, Isabelle rentre chez elle demain! Dire que nos mères restaient allongées vingt et un jours!

Rose se retourne dans son lit et n'arrive pas à trouver le sommeil. Elle allume la lampe de chevet. Deux heures vingt!

Depuis qu'Agnès a disparu, Rose passe des nuits hachées. Elle dort quelques heures, rêve à Agnès ou à

Flore… et se réveille en sursaut au plein milieu de la nuit. Là, pendant ce qui lui semble des heures, elle pense. Elle revoit le passé et essaye de comprendre. Elle change le scénario et refait l'histoire. Bien souvent – mais ça elle ne l'avouerait pour rien au monde – elle parle à sa fille. Il arrive même parfois, qu'un dialogue – fictif – s'établisse. Elle parle à Agnès et Agnès lui répond. Rose n'est ni folle ni dupe et elle sait qu'il s'agit d'une scène irréelle, mais elle ne peut s'en empêcher. Lorsque enfin, épuisée, Rose s'endort, le jour se lève.

Dans la journée, Rose joue le jeu et essaye de participer à la vie quotidienne de manière naturelle. Elle affiche un faux air serein qui ne trompe personne, mais tout un chacun fait semblant d'y croire. Le champagne, hier soir, avait un arrière-goût d'amertume. Tout comme la joie ou le rire est en porte-à-faux avec son cœur qui saigne. Il arrive même, parfois, qu'une journée radieuse lui semble impudique.

À travers les persiennes, Rose voit la lumière de l'aube.

« Enfin ! » soupire-t-elle.

Elle se lève et va vers un miroir.

« Quelle tête j'ai ! » remarque-t-elle. Des poches sous les yeux, l'air « chiffonné », comme disait maman quand j'étais petite.

Rose a relégué dans les limbes du passé sa mère, décédée depuis plusieurs années. Il est rare qu'elle se revoie, fille de sa mère. Sa mère et son père étaient des entités présentes et immuables sur lesquelles elle ne s'était jamais posé de questions.

Rose a l'impression que son existence a commencé le jour où elle a rencontré Charles. Avant, elle n'était qu'une personne incomplète. Cette plénitude qu'elle a connue avec Charles et les enfants ! Cette richesse impalpable! Cette force qu'elle avait lorsqu'elle était plus jeune! Et combien il était facile de décider pour ses enfants lorsqu'ils étaient petits! Oui, tout cela, elle le regrette. C'était si facile de tenir la barre avec Charles.

Aujourd'hui, elle louvoie, elle lâche du lest, elle compense. Elle est devenue une figure de proue sur le navire qu'elle a autrefois commandé.

« La nostalgie ne me va pas », dit-elle ironiquement au reflet de son image en faisant une grimace.

« Et cette attente me mine! »

Rose recompte le nombre de mois écoulés depuis qu'Agnès a quitté Versailles... Juin, juillet... décembre. Bientôt sept mois.

« Seulement sept mois? s'étonne-t-elle. Cela m'a paru plus long! »

En janvier, Henri confirme qu'Agnès et sa famille sont entrées au Canada avec un visa de touriste de six mois. Ce visa expirera en mars.

– Ils vont être obligés de revenir, alors, a dit Rose.

– Ne croyez pas cela, Mère, lui a répondu Henri. Ce genre de groupe échappe aux règles usuelles. Les autorités ont peu de contrôle sur eux. Ce sont des États dans l'État. Ils vivent en autarcie. Leurs membres, lorsqu'ils ne quêtent pas, travaillent au noir. Et, en général, ils évitent le plus possible les contacts avec les services légaux, médicaux ou sociaux. Ils n'acceptent aucune ingérence dans leur domaine. Savez-vous que dans de nombreuses sectes les naissances ne sont pas déclarées?

« Et aussi les décès », a envie de rétorqué Rose. Et c'est ce que redoute Rose. De ne jamais savoir ce qu'ils sont devenus.

– En outre, continue Henri, le pays est immense et la frontière avec les États-Unis s'étend sur des milliers de kilomètres. Et puis dites-vous qu'ils utilisent toutes sortes de moyens pour se créer une nouvelle identité.

– Ils sont donc comme engloutis dans cet immense pays, dit Rose.

– C'est l'impression que cela donne. Mais, et je ne peux pas vous donner de détails, nous continuons à chercher. Si nous arrivons à les localiser, nous aurons fait un pas énorme. Je vous tiens au courant.

– Merci, Henri, du fond du cœur.

– J'aime que la grand-mère de mes enfants soit heureuse, lui répond-il gentiment.

– Vous les embrasserez de ma part, n'est-ce pas?

– Oui, Mère. Et nous vous attendons en juin, comme l'an dernier. Vous ferez connaissance de Margot. Elle est adorable.

Philippe, de son côté, a pris contact avec les deux personnes que lui avait recommandées le professeur américain. Là aussi, c'est top secret, mais Philippe a expliqué à Rose que ces personnes ont de nombreuses informations sur les groupes sectaires connus et qu'elles vérifient dans chacun la présence d'une famille ressemblant à celle d'Agnès.

– Ils cherchent une aiguille dans une botte de foin! lui a dit Philippe. Alors, cela prend du temps. C'est difficile, car ils doivent agir avec grande discrétion. Sinon, on court le risque qu'Agnès et les siens se déplacent. Alors, tout sera à recommencer.

Ce que ne sait pas Rose – et elle ne l'apprendra que longtemps après –, c'est que cette recherche coûte cher.

Philippe a démarché auprès de la famille afin de créer une cagnotte dans laquelle il puise pour payer ces gens. Il a lui-même vendu des vieux parchemins, ainsi qu'un dessin du XVI^e qu'il a retrouvé, par hasard, dans les archives familiales. Béatrice, elle, a vendu deux tableaux d'un peintre qu'elle avait connu autrefois et dont la cote est montée en flèche, depuis qu'il est mort. Quant à Maxime, il s'est séparé de deux meubles Boule, qui, a-t-il dit avec élégance, « encombraient mon salon ».

La veille de Pâques, alors que Rose n'osait plus y croire, elle reçoit un appel de Henri.

– Mère? J'ai une bonne et une mauvaise nouvelle. Nous avons retrouvé leur trace. Ils sont toujours au Canada. En mars, Agnès a été soignée dans un hôpital de Vancouver.

Le cœur de Rose se serre, mais elle n'ose pas poser de questions. Comme si elle avait peur de la réponse.

– J'ai demandé à une de mes connaissances d'aller sur place se renseigner, puisqu'Agnès est une ressortissante française.

« Que de mal se donne la famille! pense Rose. Et Henri, quel soutien! »

– Selon le rapport que m'a fait cette personne, Agnès a été admise à l'hôpital, accompagnée d'une inconnue qui l'avait trouvée dans la rue. Agnès n'a pas pu ou voulu dire son nom, mais comme elle divaguait en français, l'hôpital a pris contact avec le consulat. C'était un samedi. Le lundi, lorsque le consulat a téléphoné à l'hôpital, Agnès était repartie, sans autorisation. Elle avait accouché d'un enfant mort-né. Il s'agit bien d'Agnès. Les infirmières l'ont identifiée sur les photos que j'avais fait parvenir.

Rose entend les paroles d'Henri comme dans un brouillard. Elle a l'impression que la femme dont il parle n'est pas Agnès. Car Rose ne la reconnaît pas.

« Pourquoi Agnès n'a pas voulu dire son nom ? Pourquoi est-elle repartie alors qu'elle était encore sûrement souffrante ? Elle a laissé son enfant être enterré par d'autres ? Est-elle devenue folle ? »

– Mère ? Vous êtes toujours là ? demande Henri.

– Oui, Henri. Oui. Merci de ce que vous faites.

– Mère. Je sais que c'est douloureux, mais dites-vous qu'Agnès était en vie…

Il se reprend :

– Est en vie. Maintenant que nous avons une idée de l'endroit où ils se terrent, cela va être plus facile.

– Croyez-vous ? demande Rose dubitativement.

– Mais oui, Mère, lui répond-il d'un ton ferme.

– Vous avez sans doute raison, Henri. Je vous remercie encore de tout ce que vous faites. Je vous rappelle. Embrassez de ma part Isabelle et les enfants.

Rose raccroche.

Elle songe à Agnès et à Isabelle. Deux sœurs, élevées de la même façon… Deux destins. Et leurs enfants… Isabelle avec ses quatre… La petite Margot, née dans de bonnes conditions, qui est la cousine de cet enfant mort-né… Isabelle et son allure resplendissante. Agnès, moribonde, abandonnée dans une rue…

– Oh ! Agnès, gémit Rose… Et Flore ? Où est Flore ?

Et les larmes arrivent. Enfin !

Et avec les larmes disparaît la chape d'immobilisme qui avait pétrifié Rose, jusqu'alors. Agnès n'est plus dans des limbes hors d'atteinte. Elle vient de ressurgir dans le monde réel. Elle est vivante !

Rose se rend compte, alors, qu'elle a vécu dans l'attente du pire. Tout en espérant que le pire n'arriverait pas.

– Oh ! Agnès, répète Rose. Agnès !

Enfin, elle peut prononcer le nom de sa fille d'une voix forte.

# 27

# Dans l'action

– Henri ? Je viens.
– Bien, Mère. Nous vous attendons.
Rose a pris sa décision.
Le temps de trouver un billet bon marché et voilà Rose qui s'envole, de nouveau, vers le Canada.
À l'arrivée, seul Henri est venu à sa rencontre.
– Isabelle et les enfants vont bien? demande Rose. Elle se rappelle l'accueil heureux de l'an passé.
– Mais oui, Mère. Ils vont bien, merci. Ils sont à la maison. J'aimerais que nous nous voyions seuls quelques instants.
Rose jette un coup d'œil à Henri. Son expression est impénétrable.
Henri l'entraîne vers l'hôtel de l'aéroport. Rose le suit.
Il avise un salon, désert à cette heure de la journée.
– Tenez, asseyons-nous ici, nous pourrons bavarder en paix. Voulez-vous boire quelque chose? Un thé?
– Bien volontiers. L'atmosphère est tellement sèche en avion.
– Vous permettez, Mère, que je m'absente quelques minutes?
Rose réfléchit. Pourquoi Henri veut-il la voir seule? Si c'était une mauvaise nouvelle, il aurait l'air plus bouleversé. Et puis, Isabelle l'aurait accompagné.

« Non, je suis sûre qu'Agnès est en vie, se dit Rose. Henri veut sans doute m'entretenir de choses qui ne sont pas pour les oreilles de ses enfants et il a trouvé plus simple de procéder ainsi. »

Rose aperçoit Henri qui revient. Il est accompagné par un homme dont elle ne voit, dans la pénombre du couloir, que la silhouette.

« Il marche comme un ours », pense Rose.

« C'est fou ces réflexions qui me passent, parfois, par la tête ! Heureusement que je ne pense pas tout haut. Ce serait embarrassant ! »

– Mère, puis-je vous présenter le détective…

Henri mange les syllabes de son nom. Volontairement.

Les deux hommes s'asseyent.

Rose regarde le nouveau venu attentivement. Un homme d'une cinquantaine d'années. L'œil vif derrière les lunettes. Des sourcils épais. Un bon sourire de père de famille qui détonne avec le regard aigu et inquisiteur. Une alliance au doigt… Et un accent anglais prononcé.

La serveuse arrive avec le thé et deux bières. Rose se dit que tout a été prévu et qu'elle n'est qu'un pion dans cette rencontre.

– Mère, dit Henri, nous allons vous expliquer la situation. Depuis votre appel, il y a trois semaines, il y a eu du nouveau et il va falloir agir plus rapidement que prévu.

Le cœur de Rose bat plus vite.

Le détective prend la parole :

– Votre fille, madame, vit dans un appartement avec deux autres familles. Plusieurs enfants sont avec eux, dont certains ont, à peu près, l'âge de vos petits-enfants. Nous n'avons pu identifier Flore et Paul formellement, car les photos que nous avions étaient trop anciennes.

D'autres personnes, qui semblent appartenir au même groupe, habitent dans l'immeuble. D'après nos renseignements, ils s'apprêtent à déménager. Deux hommes – dont le mari de votre fille – sont déjà partis aux États-Unis, sans doute en éclaireurs. Il va donc falloir agir rapidement.

– Mais qu'est-ce que vous pouvez faire?

– Nous, madame? Rien, légalement, répond le détective d'un ton hautain.

Puis, il reprend :

– Mais nous allons vous aider. Nous allons vous préparer, mais c'est vous qui allez agir. Je vous demande, cependant, d'oublier que nous avons eu cette conversation. Cela ne vous pose pas de problèmes?

Henri fixe sa belle-mère des yeux.

Rose comprend et acquiesce :

– C'est entendu, monsieur.

– Voilà le plan. Vous prenez le premier vol demain matin pour Vancouver…

Rose, surprise, regarde Henri d'un air interrogatif. Il cligne des paupières affirmativement.

– À votre descente d'avion, une femme vous attendra.

– Comment vais-je la reconnaître? l'interrompt Rose.

– Elle a les cheveux bruns coupés court, mesure cinq pieds huit et doit peser cent trente livres environ.

Rose ouvre de grands yeux.

«Je demanderai l'explication ou plutôt la traduction à Henri, tout à l'heure.»

– Elle aura une revue française à la main, continue le détective. Ne vous inquiétez pas, elle a votre signalement, tranche-t-il, d'un ton sec. Vous allez la suivre. Elle vous conduira jusqu'à l'immeuble où habite votre fille. Elle vous le désignera en passant devant en voiture, puis elle ira se garer dans un stationnement dans la rue avoisinante. Elle restera là, à vous attendre. Vous descendrez de la voiture et vous vous dirigerez seule vers l'endroit où habite votre fille.

«Je croyais que ce genre de discours était pour les personnages de John Le Carré. Mais moi, je suis une grand-mère!»

Rose interrompt le détective :

– Et qu'est-ce que je fais, moi, devant l'immeuble? Je monte, je frappe à toutes les portes pour trouver ma fille et je lui dis : «Viens ma chérie, madame – dont je ne sais même pas le nom – nous attend?» ironise Rose qui a les nerfs à vif. Et puis, combien de temps cette personne va-t-elle nous attendre?

– Le nom de la femme est Susan. Elle vous attendra le temps qu'il faudra. Laissez-moi finir, madame. Ensuite, vous me poserez des questions, si vous n'avez pas compris.

Rose n'aime pas se faire remettre à sa place, mais elle sait qu'elle a besoin de lui. Et qu'il a raison. Il faut qu'elle se calme.

«N'empêche que ce type est un ours», songe-t-elle.

– Je vous conseille, reprend le détective, d'essayer de passer inaperçue. Ne vous attardez pas devant l'immeuble, n'ayez pas l'air de vous y intéresser. Et quoi qu'il arrive, gardez votre calme.

«Me prend-il pour une demeurée?» s'offusque Rose qui a l'impression de rêver.

– Un peu plus loin dans la rue, continue le détective, il y a un café. Allez-y et attendez. À un moment ou à un autre, ils vont sortir. Vous agirez à ce moment-là. À partir de là, je ne sais pas ce qui se passera. L'objectif est que vous puissiez entrer en contact avec votre fille et qu'elle accepte de vous suivre. Si ça marche, vous vous dirigerez vers la voiture de Susan. Après, nous nous en occupons. Puis…

Rose l'interrompt pour la deuxième fois :

– Et les enfants? Et Flore?

Le détective a un regard hermétique. Il se tourne vers Henri.

Ce dernier prend la parole :

– Mère, nous nous occuperons des enfants après. Votre rôle, c'est d'essayer de sortir Agnès de là.

– Mais les petits? On ne va pas les laisser! proteste Rose.

– Madame, tranche le détective, agacé, votre fille est malade. Dites-vous, madame, que dans ces sectes, si une personne n'est plus utile, elle devient un fardeau dont ils se débarrasseront.

Rose s'adresse à Henri :

– Que se passe-t-il, Henri?

– Depuis la dernière fois où nous nous sommes parlés, nous avons appris qu'Agnès avait fait un deuxième séjour à l'hôpital. Elle est arrivée aux urgences, en ambulance. Hémorragie. Transfusion. Elle était également dans un état avancé de dénutrition.

– Mais pourquoi l'hôpital ne l'a pas gardée, si elle était en si mauvais état? l'interrompt Rose.

– L'hôpital voulait la garder, mais elle a refusé. Elle est majeure, Mère! Une semaine plus tard, la police l'a trouvée dans la rue, errante. Elle s'était égarée. Elle «cherchait son enfant» a-t-elle dit aux policiers. Elle avait une lettre dans sa poche à son adresse. La police l'a reconduite chez elle. Elle semblait confuse, mais son mari s'est porté garant d'elle.

Le détective reprend la parole :

– Madame, le régime dans ces sectes est abrutissant et débilitant. Il arrive un moment où les plus faibles n'ont plus le goût de vivre. Votre fille est à bout. Pensez à elle. Rien qu'à elle. Les enfants sont mineurs. On s'occupera des démarches légales ultérieurement. La mère, d'abord.

– Comment vais-je faire pour qu'Agnès accepte de me suivre? Et les autres? Ne vont-ils pas l'empêcher de partir? demande Rose, pratique.

– Pensez à un appât. Pensez à quelque chose qui va l'attirer. Attendez le bon moment. Dans la rue, avec les passants, ils ne pourront pas faire grand-chose. Il faut que vous agissiez vite, mais sans en avoir l'air. Ne laissez pas à votre fille le temps de réfléchir, car elle est conditionnée pour ne pas quitter le groupe. Et ne faites aucun geste qui pourrait être interprété comme une contrainte. Il faut qu'elle vous suive de son plein gré. Si vous lui donnez le bras, n'ayez pas l'air de la forcer. Sinon, la secte vous accusera de kidnapping. Votre fille, aussi, pourra se retourner contre vous. Cela s'est déjà vu.

– Et si je n'y arrive pas? demande Rose.

– Faites comme si vous vous étiez trompée. Excusez-vous à haute et intelligible voix. Agissez comme si vous aviez fait une erreur sur la personne. Cela vaudra mieux pour elle, ajoute-t-il en soupirant.

Il reprend :

– Dans ce cas, continuez votre chemin et regagnez la voiture de Susan. On recommencera.

Le détective soupire, regarde Rose.

– Est-ce que ça va? Avez-vous des questions?

Des questions? Rose en a plein mais elle préfère se taire. Qu'est-ce que cet homme peut lui dire de plus? Il s'est chargé de l'emmener jusqu'à l'endroit où vit Agnès. Il l'aide avec les moyens qu'il a. Maintenant, c'est à elle d'agir. Eh bien! Elle fera pour le mieux.

– Non, merci beaucoup, monsieur.

– Alors, je vous laisse.

Il se lève. Henri fait de même.

– Au revoir, mon cher, dit-il à Henri, en lui serrant la main.

Puis, se tournant vers Rose, il claque légèrement les talons et s'incline :

– Chère madame… Bonne chance!

– Merci.

– Je vous raccompagne, dit Henri au détective.

– Non, mon cher, je vous en prie. Occupez-vous de votre belle-mère.

Il s'éloigne rapidement.

Rose boit son thé froid en repassant dans sa tête tout ce que cet homme vient de lui dire. Henri respecte son silence.

Au bout d'un moment, il lui demande gentiment :

– Ça va aller, Mère? Vous n'êtes pas obligée de le faire.

– Voyons, mon petit Henri! lui répond laconiquement Rose.

– Bon. Alors, voilà votre billet pour demain. Je vous ai réservé une chambre ici même dans cet hôtel. Ce soir, Isabelle va vous téléphoner. Nous n'avons pas dit aux enfants que vous veniez. Il aurait fallu leur donner trop d'explications. Dans ce genre d'intervention, moins de personnes sont au courant, mieux c'est.

« Ce cher Henri! Cela devient de la déformation professionnelle… », songe Rose.

– C'est un type bien, continue Henri qui fait référence au détective, mais il a les mains liées par la loi.

– Un ancien militaire? demande Rose qui a noté la façon dont il a claqué les talons au moment de la saluer.

– Je ne connais pas son passé, répond Henri toujours aussi discret.

Mais son ébauche de sourire dit à Rose qu'elle est tombé juste.

Henri embrasse sa belle-mère.

– Essayez de bien dormir, Mère. Je reviendrai demain matin.

« Vœux pieux, oui! » songe Rose qui se débat dans son lit.

Elle voit Agnès, exsangue et maigre. Elle imagine la rue, l'immeuble, le stationnement, Susan... Elle voit soudain un chevalier qui galope vers elle. Elle est dans une forêt. Faut-il fuir? Le chevalier s'arrête à ses pieds. Il porte une lourde armure. Et soudain, il soulève son heaume. C'est Beau-papa! Il lui dit : « Montez en croupe, ma petite, la cuisinière nous attend, nous allons festoyer! »

Rose se réveille et se met à rire. Ces rêves! Le passé, le présent, tout se mèle.

Rose regarde sa montre. Six heures.

« J'ai l'impression de ne pas avoir fermé l'œil de la nuit! »

Elle se lève péniblement, prend une douche, choisit ses vêtements avec attention.

« Je serai mieux en pantalon, si je dois courir... et en chaussures plates... Je vais mettre mon imperméable bleu marine. Il est passe-partout. Un foulard, s'il pleut. »

Rose lisse le carré de soie de la main.

« Ce foulard, c'est le dernier cadeau qu'Agnès m'a fait, songe-t-elle ».

Rose secoue la tête.

« Ce n'est pas le moment de m'attendrir, se dit-elle. Continuons... Pas de sac, ça gêne les mouvements. Je vais mettre mes affaires dans la poche que je porte autour de la ceinture. Il faut que je pense à faire de la monnaie pour payer ma consommation, si je dois sortir vite du café… Que de petits détails, songe Rose, mais qui peuvent avoir leur importance. »

– Et puis, Beau-papa, aujourd'hui, soyez avec moi! Nous avons tous besoin de vous, dit Rose à haute voix.

Elle a rendez-vous avec Henri, à sept heures, dans le hall de l'hôtel. Quelle n'est pas sa surprise de voir qu'Isabelle l'a accompagné.

– Oh! Ma grande, dit Rose, émue, en étreignant sa fille aînée. Tu vas bien? Que tu es gentille d'être venue m'encourager!

– Je n'allais pas te laisser repartir sans t'avoir embrassée! dit Isabelle, tendrement, à sa mère. Ça va bien se passer, maman. Tu vas réussir, j'en suis sûre! Ces gens sont cinglés! Agnès va les quitter.

– Merci, ma chérie.

Et c'est Isabelle qui serre fortement sa maman dans les bras.

Par-dessus l'épaule de sa fille, Rose voit que Henri s'impatiente. Les effusions en public ne sont pas son fort.

Rose se tourne vers son gendre en pensant que, sous sa réserve, Henri est un homme de cœur.

– Merci pour tout, Henri. Je ne sais pas ce que j'aurais fait sans vous!

– Pour le retour, Mère, suivez les instructions de Susan. Tout est en ordre. S'il y a un problème, vous demandez monsieur Untel. Il est au courant.

– Je ne sais comment vous remercier, Henri.

– Voyons, Mère! Bonne chance! Et ne prenez aucun risque, nous tenons à vous!

# 28

# Vancouver

À son arrivée à l'aérogare de Vancouver, Rose cherche attentivement des yeux une femme qui correspond à la description que lui a donnée le détective. Elle a beau regarder, elle ne la voit pas.

«Je vais attendre que la foule se disperse», se dit-elle.

Fatiguée, Rose s'accote à un pilier.

Au bout de dix minutes, le hall s'est vidé. Il ne reste que quelques personnes qui attendent, comme elle. Rose les observe attentivement les unes après les autres. Elle porte son attention sur les femmes. Elle élimine les deux femmes âgées, habillées en noir et la jeune femme entourée d'enfants braillards et agités. Seules, restent deux femmes, assises au bar, qui ne correspondent ni l'une ni l'autre au signalement de Susan.

«Que vais-je faire? Il ne me reste plus qu'à attendre... Si seulement j'avais l'adresse d'Agnès!» bougonne Rose.

Une des femmes du bar s'est levée et se dirige vers elle.

«Serait-ce elle?» se demande Rose qui sent son cœur battre plus rapidement.

«Non.» Elle passe devant Rose.

Le regard de Rose se reporte sur l'autre femme restée au bar. Rousse et boulotte, les cuisses qui débordent d'une jupe en cuir noir trop courte, la poitrine engoncée dans une veste rose électrique, elle ressemble à une caricature de Godbout.

« Quel goût! » se dit Rose.

La femme qui a remarqué l'attention que lui porte Rose, la fixe des yeux.

« Elle drague », pense-t-elle.

Gênée, Rose se détourne.

« Si d'ici une heure, il n'y a personne, j'appelle Henri à Montréal », se décide-t-elle.

Rose relève la tête. La femme l'observe toujours.

« Quel culot! » pense Rose.

Puis, elle réfléchit :

« Se pourrait-il... ? Non, c'est impensable! Ces couleurs! Cette allure! »

Rose détaille le rouge à lèvres agressif et les boucles d'oreilles terribles – comme dit Ludivine dans son langage moderne – qui donnent à l'inconnue une vague ressemblance avec le dessus des boîtes de *La vache qui rit*.

Rose, résolument, marche dans sa direction.

En s'approchant, elle voit, posée sur les cuisses boudinées de la femme, une revue qui ressemble à un Paris-Match.

– Susan? tente Rose d'une voix discrète.

– Rose? lui répond la rousse avec un large sourire.

Et Susan saute de son tabouret et l'embrasse sur les deux joues.

Rose, par-dessus l'épaule de Susan, voit le serveur qui lui fait un clin d'œil.

« Il nous prend pour des gouines! » pense Rose, mal à l'aise.

– *Come on! We are late!*

« C'est bien la peine de me dire que nous sommes en retard, alors que c'est elle qui attendait sans bouger! »

Rose marche rapidement derrière elle. Elles sortent du hall. Une voiture est stationnée devant la porte. Susan ouvre la portière et fait monter Rose. Tout se passe vite. Susan fait rapidement le tour du véhicule, saisit une contravention sur le pare-brise, la jette négligemment sur le siège arrière, s'assied et démarre sur les chapeaux de roues.

Rose est subitement inquiète.

« Je n'aurais pas dû monter dans la voiture d'une inconnue. Dire que je ne lui ai même pas demandé une confirmation de son identité! Tout s'est passé si vite! C'est peut-être un piège… »

Diverses pensées tourbillonnent dans la tête de Rose.

« Susan ne ressemble pas du tout à la jeune femme brune et mince que m'avait décrite le détective… Pourtant, elle avait la revue française… Et elle connaissait mon nom… Mais, pourquoi a-t-elle attendu que je m'avance? Serait-ce un traquenard? »

Rose sourit.

« Je deviens comme Henri, je vois des espions partout! Soyons raisonnables et restons dans la réalité. Je ne fais pas partie du monde des services secrets. Je ne suis qu'une maman qui essaye de retrouver sa fille », se raisonne-t-elle.

Susan roule vite. Et, tout en tenant le volant de la main gauche, elle essaye de faire la conversation en gesticulant de la main droite.

– *Beautiful day! Isn't it?* dit-elle en désignant d'un geste large le panorama.

Rose aperçoit, à travers le pare-brise, une ville nichée au pied de hautes montagnes sombres qui se découpent sur un ciel bleu éclatant.

« Très carte postale », songe-t-elle.

– *French scarf?* demande Susan, en désignant le foulard que porte Rose… et en quittant la route des yeux.

Rose, agrippée aux accoudoirs, lui répond :

– *Please, be careful!*

Susan rit et rétorque :

– *Don't worry!*

Mais elle ralentit un peu.

Rose ferme les yeux.

– *Wake up, Rose!*

Rose sursaute. Il lui faut quelques instants pour réaliser où elle est.

« Mon Dieu! dire que je me suis endormie dans un moment pareil! »

– *Where are we?* demande Rose.

– *Getting on… Look! It's here!* lui dit Susan en désignant un immeuble du menton.

Rose aperçoit un bâtiment à plusieurs étages, devant lequel est arrêté un camion de déménagement.

– *Yet?* s'inquiète Rose.

Susan, qui a continué à rouler, lui répond par une grimace affirmative.

Rose se retourne. Elle n'a que le temps de voir le camion, les portes grandes ouvertes et des gens qui s'agitent autour, avant que Susan ne tourne dans une rue transversale.

– *Stop!* dit Rose.

– *No. Wait!* lui ordonne Susan. *You need to know where I'll park.*

« Elle a raison, se dit Rose. Il faut que je sache où je dois la rejoindre. »

Elles continuent à rouler jusqu'à un stationnement. Sitôt la voiture arrêtée, Rose descend.

– *Good luck!* lui dit gentiment Susan. *I'll wait for you.*

Rose rebrousse rapidement chemin. Puis, arrivée au coin de la rue, elle s'oblige à prendre une allure posée.

La rue de l'immeuble est animée. Il y a le groupe qui s'agite autour du camion, des passants pressés qui contournent les colis déposés sur le trottoir, un chien qui jappe, des enfants... Rose avance doucement. En passant devant l'immeuble, elle jette un coup d'œil et aperçoit des valises dans l'ombre du vestibule. Dans la rue, la discussion va bon train entre un homme en costume foncé et un type en jean et débardeur qui, suppose Rose, est le déménageur. Des femmes habillées en jupes longues, un foulard sur les cheveux, sont agglutinées autour d'eux. Certaines portent un enfant dans les bras. D'autres enfants plus âgés écoutent, figés, l'altercation.

Rose poursuit son chemin et aperçoit au coin de la rue le petit café qu'on lui a indiqué. Elle se glisse au milieu des consommateurs qui ne font pas attention à elle et choisit une table d'où elle peut voir la scène. Elle s'assied, fait semblant d'étudier le menu, le repose, cherche le garçon de café qui brille par son absence et soupire. Ses yeux se tournent vers la rue. L'altercation semble être terminée. Rose voit le va-et-vient des femmes qui transportent les colis et les mettent, elles-mêmes, dans le camion. Le déménageur, dégoûté, assis sur une caisse, les regarde faire en fumant tranquillement une cigarette.

– *Yes?*

Rose sursaute. Le garçon de café est à côté d'elle.

– *Coffee, please.*

– *Something to eat?* insiste le garçon.

– *No, thank you,* lui répond Rose avec un sourire.

Elle remarque alors un jeune homme, genre étudiant, assis à la table voisine, qui a les yeux fixés sur elle.

Rose détourne son regard.
– *French?* l'entend-elle demander.
« Mon accent, évidemment ! songe-t-elle. »
– Oui.
– *I have been to Paris,* continue-t-il.
– Heu-heu, marmonne Rose laconiquement.
– *Beautiful city!*
Rose lui répond par un sourire du coin des lèvres.
– *First time in Vancouver?* (C'est votre premier voyage à Vancouver ?)
Rose incline la tête sans parler.
Il se tait quelques instants.
– *I am from L.A.,* reprend-il. *Do you know California?*
Rose ne répond pas.
Le garçon revient et pose devant elle une grande tasse remplie d'un liquide brun clair, en lui annonçant :
– *Two dollars.*
Il attend. Rose le paye et pose ostensiblement deux *quarters* sur la table.
Le garçon de café ébauche un sourire et, à la surprise de Rose, s'empresse de ramasser son pourboire.
Rose en comprend la raison quand elle voit des petites mains passer derrière les pots de fleurs qui bordent la terrasse du café.
– *Ma'am, please!* disent des voix d'enfants.
Rose se retourne. Ils sont trois à quêter. Un garçonnet et deux fillettes. La plus jeune a des yeux noirs comme des billes de loto et des cheveux bruns, drus, coupés court. La grande a les cheveux blonds et les yeux… les yeux de Flore.
Rose sent son cœur s'arrêter. Est-ce Flore ? C'est elle, mais ce n'est pas tout à fait elle. Elle est si mince… et si la teinte des yeux est identique, l'expression dans le regard n'est pas la même.

Rose a son nom sur les lèvres, quand, brutalement, elle se tait. Elle vient de se rappeler les conseils du détective : « Les enfants sont des otages, madame, rappelez-vous cela. Ne faites rien qui puisse être interprété comme un contact avec le monde extérieur à la secte, car ce sont eux qui paieront. »

Rose prend quelques pièces de monnaie et les tend aux enfants.

– Non, monsieur, je ne connais pas la Californie, prononce Rose distinctement, tout en regardant la fillette.

Rose voit la figure de l'enfant qui se fige, son regard s'anime. Puis elle baisse rapidement les yeux. A-t-elle reconnu sa grand-mère ?

– *Come, Paul! Come on Laura!* dit la fillette.

Elle saisit le petit garçon par la main et elle l'entraîne. Les enfants s'en vont.

Rose la suit des yeux. Elle voit Flore pousser les deux petits devant elle. Ils se dirigent vers l'immeuble.

Rose avale une gorgée de café, refrène une grimace et se lève.

– *Bye!* jette-t-elle, en passant, à son voisin ébahi.

Et elle suit les enfants.

Les trois petits se sont arrêtés devant l'immeuble. Une femme leur parle. Rose voit les enfants sortir leurs poings fermés de leurs poches et déposer la monnaie dans la main de la femme. Cette dernière se saisit de l'argent, puis elle entraîne la petite fille brune.

Rose est arrivée à leur hauteur. Flore la dévisage attentivement. Elle tient toujours son frère par la main. Rose n'ose parler. Du bout des lèvres, elle envoie un baiser muet à Flore. Une femme la bouscule.

Et c'est Rose qui s'excuse :

– *Sorry!*

Une autre femme, au son de sa voix, lève la tête, surprise. C'est Agnès.

« Ou plutôt l'ombre d'Agnès », pense Rose.

Rose a envie de la saisir par le bras et de l'emmener, de l'arracher, elle, Flore, Paul, à ces gens et à cette ville. Mais, au milieu de tout ce groupe, elle n'a aucune chance. Rose le sait.

Rose ne peut pas rester là. Lourdement, elle continue à pas lents son chemin. Arrivée au coin de la rue, elle ose se retourner et elle voit Flore qui, tenant toujours Paul par la main, vient dans sa direction.

Rose se penche comme si elle voulait relacer son soulier. Elle s'aperçoit, alors, qu'elle porte des souliers plats sans lacets. Qu'importe ! Elle se frotte la cheville. Longuement. Les enfants s'approchent. Derrière eux vient Agnès, une expression étonnée sur la figure. Quelques femmes ont posé leurs colis à terre et regardent dans leur direction.

Rose se redresse et continue son chemin à pas vifs. Il faut faire vite. « Vous devez agir rapidement, lui a dit le détective. Si vous leur laissez le temps de réfléchir, ils vont rester dans la secte, car ils sont conditionnés. »

Rose craint surtout les autres membres de la secte. Non pas pour elle – que peut-il lui arriver dans la rue, en plein jour ? – mais pour ses enfants.

En un éclair, les témoignages qu'elle a lus lui reviennent.

« Ceux qui tentent de s'échapper encourent le risque d'être blâmés, punis, mis en quarantaine par les autres membres et parfois même battus ou enfermés. »

Rose a l'impression que la rue ne finit pas. Un instant, elle se dit qu'elle s'est trompée de chemin :

« Où est ce fichu stationnement ? » marmonne-t-elle.

Rose se retourne. Les enfants la suivent toujours, en gardant la même distance entre eux. Agnès, par contre, marche d'un pas vif et se rapproche des petits. Mais, derrière eux, se trouvent les femmes. Elles se sont arrêtées au coin de la rue. L'une désigne du doigt Agnès et les enfants. L'autre fait de grands signes. Deux autres ont les poings sur les hanches.

« Mon Dieu! pense Rose qui a le cœur qui bat, c'est loin! On ne va jamais y arriver! Tant pis pour les conseils! »

Rose fait demi-tour et court vers eux. Elle saisit Flore par un bras, Agnès par l'autre et les entraîne en courant. Flore n'a pas lâché Paul qui trébuche.

Rose lâche alors sa petite-fille et ramasse le garçonnet.

Elle voit les femmes les désigner du doigt et expliquer avec force gestes la situation au type en costume que Rose avait remarqué auparavant.

Rose crie :

– *Run, Flore, run!* Susan nous attend au stationnement.

Flore s'enfuit droit devant elle en courant. Rose se rend compte alors de l'inutilité de son propos. Comment Flore pourrait-elle reconnaître Susan?

Agnès voit sa fille courir et hésite. Paul est toujours dans les bras de Rose comme un paquet inerte. Il s'est caché la figure dans son épaule.

Rose essaye de faire avancer sa fille en lui donnant une grande bourrade dans le dos.

– Marche plus vite, Agnès!

– Je ne peux pas, lui répond-elle.

Rose la soutient par le coude et porte Paul sur son bras droit. Il est lourd.

Ils avancent. Rose aperçoit le stationnement.

« Encore une cinquantaine de mètres… Traverser la rue… Trouver la voiture… Y arriveront-ils ? » se demande-t-elle.

Paul est lourd. Elle a le bras qui brûle.

Quarante mètres. Flore. Où est Flore ?

Rose se retourne. Le type et les femmes sont derrière eux. Rose continue à marcher. Elle tient fermement Agnès par le bras. Les femmes se sont rapprochées. L'une d'elles tente d'arracher Paul des bras de Rose. Rose lui donne un coup de pied dans le tibia. La femme gémit et recule.

Le type les harangue. De près, Rose remarque une croix accrochée au revers du veston.

– Dieu a dit : « Tu ne porteras pas la main sur ceux que J'ai bénis. »

– Amen, répondent les femmes, automatiquement.

Il se met devant Rose. Les femmes les entourent.

Rose tente, vainement, de poursuivre son chemin. Elle est obligée de pousser le gourou. Il sursaute comme si elle l'avait brûlé et recule d'un pas.

Agnès a baissé la tête. Rose ne voit que son foulard. Paul s'accroche avec force au cou de sa grand-mère.

Le groupe les entoure, les bras croisés, sans les toucher.

Des passants les regardent.

Rose crie :

– *I am her mother. Go away!*

Les gens tournent la tête et continuent leur chemin.

Rose fait un pas de côté, vers la femme qui voulait lui arracher Paul. La femme recule, Rose passe.

Ils avancent, lentement, serrés de près par les membres de la secte.

Une femme parle à Agnès. Cette dernière ralentit – ils n'allaient déjà pas vite –, se fait de plus en plus pesante au bras de Rose.

« Où est Flore ? » se demande Rose.

– *Mom! Mammy!*

C'est elle. La voix vient de la rue. Rose, d'un coup d'œil, embrasse la scène : la voiture qui roule doucement, Susan, l'air goguenard au volant, Flore assise à l'arrière, la portière ouverte…

Rose se précipite, lance le petit dans la voiture et essaye de monter sans lâcher Agnès.

Les autres se sont ressaisis. Une femme saisit Agnès par le bras.

– *Mom!* hurle Flore de terreur.

– Maman! Maman! crie Paul à l'unisson qui veut retourner vers sa mère.

Rose le repousse sans ménagement. Flore attrape son petit frère. Agnès se débarrasse de la femme et fait un pas vers son fils que Flore tient à bras le corps. Rose pousse Agnès à l'intérieur de la voiture d'un coup de hanche et s'arc-boute aux montants de la portière, essayant de faire un rempart de son corps entre sa famille et le groupe.

– *F* off*, leur crie Rose, en se souvenant du juron, un des plus grossiers en anglais, que lui ont appris les jumeaux.

– Tu ne jureras point, entend-elle le gourou la réprimander.

Il fait signe à la femme qui empêchait Rose de monter en voiture de s'éloigner.

« Je suis pestiférée », pense Rose.

Elle en profite pour se glisser dans la voiture.

La voiture de Susan bloque la circulation. Les gens commencent à s'impatienter. L'un klaxonne.

Le gourou s'approche de Susan et se met à lui parler. Le coude appuyé sur la vitre baissée, mâchant du chewing-gum, Susan le regarde d'un air narquois.

– *Move, Damn'it!* crie, par la vitre ouverte, le conducteur de la voiture arrêtée derrière eux.

Il se met à klaxonner comme un fou. Les autres conducteurs l'imitent.

Les femmes reculent sur le trottoir. Susan démarre. Rose n'a que le temps de fermer la portière. Le gourou fait un bond de côté. Susan rit.

À l'arrière, Paul pleure dans les bras de sa mère. Agnès a la tête basse. Flore se tient raide, figée, le regard au loin. Et Rose tremble. Elle est vidée.

Susan roule vite.

Agnès s'est recroquevillée sur elle-même. Rose l'entoure de ses bras. Paul est blotti au creux du corps de sa mère.

Puis, Rose étend le bras et prend la main de sa petite-fille qu'elle serre fortement. Flore, les yeux cernés, lui jette un regard éloquent et répond par une pression.

– Ça va aller, mes chéris. Ça va aller! répète Rose.

Susan roule toujours vite. Ils sont sur l'autoroute.

– *It's O.K.*, leur lance Susan en se retournant.

Flore éclate en sanglots et, se mettant debout, enjambe les sièges pour rejoindre sa grand-mère.

Rose la prend sur ses genoux, comme une toute petite fille qu'elle n'est plus.

– Pourquoi tu as mis tellement de temps pour venir nous chercher? lui reproche Flore.

– Oh! Ma chérie! ne peut que répondre Rose.

Elle incline la tête de l'enfant sur sa poitrine pour ne plus voir le regard de douleur de sa petite-fille.

Ils arrivent à l'aéroport. Susan se gare, encore, sous un panneau indiquant «Interdit de stationner». Un policier approche. Susan lui parle.

L'homme ouvre la portière arrière et leur dit :

– *Come on! Follow me.*

Leur groupe traverse le hall, enfile un couloir. Le policier ouvre la porte d'un bureau.

– *Wait here!*

Rose, Agnès et ses enfants s'asseyent. Ils sont hébétés. Susan n'est plus avec eux.

Quelques minutes passent. Rose entend des pas dans le couloir, une porte qui s'ouvre. Ce n'est pas pour eux.

Une voix d'homme furieuse s'élève. Les cloisons sont minces.

L'homme parle rapidement. La voix haut perchée de Susan s'élève. Flore se bouche les oreilles. Agnès est toujours prostrée avec son fils sur les genoux.

Rose s'agenouille devant sa fille et l'entoure de ses bras.

– Repose-toi, ma chérie. C'est fini.

Agnès la regarde. Les lèvres pâles, la figure amaigrie, elle est livide. Des cernes mangent sa figure. Le regard est fixe. Seules, ses mains qui enserrent son fils comme un oiseau de proie, tremblent.

Rose se rassied et lui parle doucement, répétant sans fin :

– Ça va aller, ma chérie. Ça va aller! C'est fini.

Un policier entrouvre la porte. Il est accompagné d'une hôtesse qui pousse une chaise roulante.

L'hôtesse s'approche.

– Asseyez-vous, madame, s'il vous plaît, demande-t-elle à Agnès.

Paul hurle et s'accroche à sa mère. Flore se saisit de la main de sa grand-mère.

Tant bien que mal, l'hôtesse arrive à les installer tous deux dans la chaise roulante, sous l'œil impavide du policier. Puis, elle les pousse dans le couloir. Rose, tenant fermement Flore par la main, la suit.

Par des couloirs intérieurs, ils se dirigent jusqu'à la porte d'embarquement.

– *Where is Susan?* demande Rose au policier qui les accompagne.

Il la fixe sans répondre.

– *I want to thank Susan*, insiste Rose.

– *I will*, lui répond-il d'un ton glacial.

À la porte, le policier tend des documents à l'hôtesse.

« Les billets, sans doute », songe Rose.

Il se penche vers Flore et lui sourit.

– *Bye! Young girl, Take care!*

Flore baisse la tête.

Il se retourne vers Rose et la salue d'un froid : « Au revoir, madame », puis il tourne les talons.

L'avion décolle, le nez tourné vers l'océan. Assise, près du hublot, Rose regarde la ville s'effacer.

# 29

# Un après-midi d'été

Les mois ont passé. Plus d'un an s'est écoulé depuis les événements, comme les nomme pudiquement la famille.

Aujourd'hui, Rose a été invitée chez Philippe à « un thé prié », comme disait feu sa belle-mère, à l'occasion de l'annonce des fiançailles de Béatrice.

– À son âge! se sont exclamés les membres de la famille, incrédules, jaloux ou moqueurs, lorsqu'ils ont appris la nouvelle.

– *Why not?* leur a répondu Béatrice. Il n'y a pas d'âge pour le bonheur!

Assis, en rond, sur la terrasse de la métairie, ils devisent de choses et d'autres en attendant l'arrivée de Béatrice.

– Ce qu'il y a de terrible, dit Rose, c'est que les sectes peuvent faire n'importe quoi, sans que cela se sache!

La phrase de Rose tombe dans le vide.

– Vous disiez, ma tante? demande Marguerite-Rose poliment.

– Rien, ma chérie, rien.

– Comment va Agnès?

– Bien, ma grande. Aussi bien que possible. Elle est entre bonnes mains. Cela va demander du temps…

Marguerite-Rose ne l'écoute plus.

Rose songe à tous les événements qui se sont déroulés ces derniers mois. Le « sauvetage » d'Agnès et de ses enfants, comme l'avait qualifié Henri lorsqu'il avait appris comment Susan était intervenue, désobéissant aux ordres donnés.

Susan qui ne s'appelait pas Susan, mais Lola. Et qui ne faisait pas partie des services, mais qui était l'amie de la vraie Susan qu'elle avait remplacée au pied levé. Susan-Lola qui n'était pas restée tranquillement dans la voiture, mais qui avait vu la scène, avait récupéré Flore éperdue, l'avait convaincue de monter en voiture avec elle et était venue au-devant de Rose et d'Agnès…

Le retour en France, ensuite, avec Agnès affaiblie… les difficultés, les problèmes…

Les pneus d'une voiture crissent sur le gravier.

« Non, se dit Rose, aujourd'hui, je laisse cela de côté. Aujourd'hui, c'est la journée de Béatrice. »

Rose relève la tête et s'esclaffe devant la scène qui s'offre à ses yeux.

Deux jeunes femmes, gantées, chapeautées et la figure cachée par des voilettes, sont assises dans un coupé 1900, conduit par un chauffeur de maître.

Ce dernier, dont le visage est mangé par des lunettes, se bat avec la portière qui résiste.

L'assemblée, amusée, le regarde faire sans bouger.

– Cher monsieur, si vous enleviez vos lunettes, vous y verriez peut-être quelque chose, dit Philippe d'un ton pompeux.

Le chauffeur hésite et se découvre. Rose reconnaît l'ami cinéaste de Ludivine.

Galamment, Philippe se porte au-devant des arrivants. Unissant leur forces, ils arrivent à libérer les passagers.

Ludivine, mince et vive, saute à terre. Elle relève sa voilette et se jette dans les bras de Philippe.

Béatrice la suit, arrache sa coiffure et embrasse son beau-frère.

– Ah! Mon cher Philippe. J'ai bien cru étouffer sous ces oripeaux avant de te revoir. Dire que nos pauvres grand-mères devaient porter cela!

– Où avez-vous trouver cette antiquité? demande Marguerite-Rose.

– Au château, lui répond Ludivine. Nous l'avons emprunté pour un tournage et nous en avons profité pour conduire la jeune fiancée avec l'apparat que demandent les circonstances.

Tous rient, heureux de se retrouver ensemble. Ils se dirigent vers l'ancienne serre où une collation les attend.

– Pour que tu regrettes notre Normandie, dit Philippe taquin en s'adressant à Béatrice, je t'ai fait servir des sucreries que tu ne retrouveras pas Outre-Manche.

– Voyons, Philippe, que fais-tu du Marché commun?

Les jeunes se regroupent, échangeant nouvelles et confidences, tout en dévorant des sandwichs, des farcis à la pâte de pommes – horriblement sucrés – et les incontournables norolles.

Béatrice, Marie, Rose et Philippe ont fait cercle autour d'une table basse.

Très rapidement, les jeunes s'éclipsent.

– On va essayer la voiture!

Marguerite-Rose vient se joindre au groupe des aînés.

– Tu ne vas pas avec eux? lui demande sa mère.

– Ce n'est plus de mon âge, maman! répond-elle d'un ton digne.

Les aînés sourient.

Béatrice a sorti un paquet de photos.

– Voici John, dit-elle, en tendant l'une d'elles à Rose.

Rose se penche. Elle voit un gentleman terrien en veste de tweed et knickerbockers, le fusil à l'épaule et des chiens autour de lui. Sa figure est légèrement cachée par l'ombre de la casquette. Dans le fond, on aperçoit une belle propriété.

– C'est chez lui ? demande Rose.

– Non, la photo a été prise chez des voisins. Chez lui, c'est ça !

Et Béatrice met sous le nez de Rose la photo d'une demeure seigneuriale majestueuse.

– Eh bien, ma chère ! ne peut qu'émettre Rose.

Béatrice rit.

– Ça, c'est le château. Il appartient au *Trust*, maintenant. Visites, les mardis et jeudis. Nous, nous habitons dans le pavillon de chasse.

La photo suivante représente un homme – jeune – entouré de deux adolescents. La photo a été prise dans un salon, décoré pour les fêtes.

– C'est John ? demande Rose.

– Oui. La photo a été prise à Noël.

– Dis-moi, il a quel âge ? demande Rose, curieuse.

– Quarante-neuf ans, rétorque Béatrice en souriant.

Philippe s'esclaffe. Marguerite-Rose fait la moue.

« Elle doit trouver indécent que sa tante – une vieille dame à ses yeux – se remarie avec un homme qui a quinze ans de moins qu'elle », songe Rose.

Marie garde un visage impénétrable.

« Serait-elle jalouse de sa sœur ? »

Spontanément, Rose se lève et embrasse Béatrice.

– Je te souhaite beaucoup de bonheur, ma chérie. Puisses-tu être heureuse dans cette nouvelle vie ! Tous mes vœux pour John, également.

Marie s'approche de sa sœur.

– Tu as toujours été imprévisible, la taquine-t-elle. Mais on t'aime comme tu es. Bien du bonheur, ma grande sœur.

– Le monde n'est plus ce qu'il était! commente Philippe. Sais-tu, Béatrice, que tu m'ouvres des horizons? Je vais pouvoir songer à demander la main de la tante Armelle, sans craindre de me couvrir de ridicule.

– Mais, voyons, oncle Philippe! Tante Armelle a quatre-vingt-cinq ans, s'exclame Marguerite-Rose.

– Justement, justement! dit Philippe, en riant.

Béatrice, belle joueuse, rit avec eux.

Ils l'interrogent sur les enfants, demandent des détails, s'enquièrent des propres enfants de Béatrice et de leur réaction à l'annonce de cet événement. Béatrice répond aux questions avec joie.

Rose se tait, écoute et regarde sa belle-sœur.

« Elle a, enfin l'air serein, se dit-elle. C'est l'ancienne Béatrice, joyeuse, amusante, papillonnante… Béatrice que les succès rendaient heureuse… »

Rose songe que c'est la première fois, depuis des années, qu'il n'y a plus cet espace invisible entre elles deux, ce malaise survenu après le décès de François. Béatrice est redevenue comme elle était.

Béatrice, qui a lu sur le visage de Rose comme dans un livre ouvert, saisit sa main et la serre tendrement.

– Tu viendras à mon mariage. Tu promets?

– Je ne manquerais cela pour rien au monde! s'exclame Rose.

– Quand te maries-tu? demande Marguerite-Rose.

– La date n'est pas arrêtée, mais ce sera avant la fin de l'année.

– Pressés les tourtereaux! commente Philippe.

Béatrice, malgré son âge, pique un fard. Elle se tourne vers Rose :

– Crois-tu que Flore pourrait être une des demoiselles d'honneur?

– Je ne peux pas répondre pour elle, mais je pense que oui. Tu sais qu'elle vit chez sa tante Isabelle à Montréal?

– On me l'a dit, répond Béatrice. J'ai trouvé que c'était une bonne solution. Comment Agnès l'a-t-elle pris?

– Agnès était très fatiguée, assez dépressive et elle a accepté que Flore aille vivre chez sa tante. Et puis, la petite y tenait mordicus. Elle a expliqué au psychiatre qui l'a suivie qu'elle voulait vivre « dans une famille normale ». Alors, lorsqu'Isabelle a avancé l'idée que « quatre ou cinq enfants, ça ne faisait pas de différence! » la petite n'a pas hésité.

Marie intervient :

– Tu sais à qui me fait penser Flore? À ta fille Rosalinde, dit-elle en s'adressant à sa sœur, Béatrice. Elle avait à peu près le même âge quand tu me l'as laissée, après la mort de François. Et bien, Rosalinde n'en a jamais souffert – du moins, je ne le crois pas.

– Oui, répond Béatrice, cela a été une période difficile de ma vie. Certains ont pensé que j'abandonnais ma fille et que je m'étais conduite en égoïste. Mais, tu sais, j'étais tellement perturbée qu'il valait mieux que Rosalinde vive avec sa tante dans une ambiance chaleureuse, qu'elle se sente aimée, qu'elle ait une vie régulière et équilibrée, plutôt que de me suivre dans mon cauchemar.

– Nous sommes comme ces tribus, intervient Marguerite-Rose, où l'on élève ensemble les enfants. Lorsque l'un flanche, les autres prennent la relève pour apporter la tendresse et la chaleur à ces petits poussins!

– La force est dans la famille, disait Beau-papa, conclue Rose.

– Le bonheur aussi, parfois, ajoute Béatrice d'une voix douce.

## TABLE DES MATIÈRES

Ce volume a été achevé d'imprimer
au Canada en avril 2002